MARCEL BROUILLARD

ON CONNAÎT LA CHANSON

En hommage posthume
à mon épouse Pauline,
ma plus belle chanson d'amour pendant 53 ans.

Dépôts légaux :
Troisième trimestre 2007
Bibliothèque nationale du Québec
Bibliothèque nationale du Canada

600, boulevard Roland-Therrien
Longueuil (Québec) Canada J4H 3V9
Téléphone : (450) 646-0060
www.editionsgoelette.com

Coordination : Esther Tremblay
Infographie : Katia Senay
Saisie de texte : Lise Maillé Arès, Zarah Ross

Artistes de la première couverture :
(dans le sens des aiguilles d'une montre)
Céline Dion
Enrico Macias
Luce Dufault

« Gouvernement du Québec - Programme de crédit
d'impôt pour l'édition de livres - Gestion Sodec »

Imprimé au Canada

ISBN : 978-2-89638-129-6

Introduction

Alain Delorme, éditeur

« Comme le dit un vieil adage, rien n'est plus beau que son pays, et de le chanter c'est l'usage... »

En présentant ce livre de 600 pages, les *Éditions Goélette* contribuent à la survivance de gais refrains, d'hier et de demain, qui ont ensoleillé notre enfance, notre jeunesse et la vie de nos parents et de nos ancêtres. Aux lecteurs, à présent, de se laisser porter par les paroles et la musique de 110 mélodies ancrées dans notre mémoire collective ou sur le point de l'être.

Vous trouverez dans cet ouvrage, unique en son genre, l'histoire de ces belles inoubliables de toutes les époques, de tous les genres. Avec sincérité, passion et connaissance, Marcel Brouillard retrace la vie professionnelle et intime de leurs auteurs, compositeurs et interprètes francophones.

C'est un livre attendu par tous ceux qui ont le cœur à la fête, que ce soit dans la rue, à l'usine ou au bureau, dans les festivals, les concerts, les soirées familiales et les réunions sociales. Plusieurs d'entre vous ont déjà en leur possession *Les grandes chansons*, tome 1 et 2. Les lecteurs de biographies, les choristes et le monde scolaire, les gens de l'Âge d'or, les débutants et professionnels du music-hall y trouvent leur compte.

La chanson est bien le fidèle reflet de tout ce qui peut animer, émouvoir, amuser, agiter les sociétés modernes ; chansons d'amour ou folkloriques, nouvelles mélodies ou vieilles rengaines, elles nous invitent toutes au rêve et à la joie de vivre et de chanter.

Décoré à l'Assemblée nationale du Québec du prestigieux titre de *Chevalier de la Pléiade*, ordre de la francophonie et du dialogue des cultures, Marcel Brouillard milite pour la sauvegarde de la belle chanson française. L'auteur de deux biographies consacrées à son mentor Félix Leclerc poursuit son œuvre littéraire, selon Pierre Delanoë, d'une façon honnête, originale et reposante.

Yves Duteil, créateur de *La langue de chez nous...* et de l'Île-d'Orléans, jusqu'à la Contrescarpe... écrit : « Merci Marcel, vos livres constituent une véritable mosaïque de références à la portée de tous, on y sent une vie de passion consacrée à la chanson, aux auteurs, compositeurs et interprètes d'aujourd'hui et d'hier dont la mémoire bénéficiera de l'extraordinaire travail de documentation que vous avec effectué sur leurs œuvres... »

C'est un fait connu, les francophones aiment chanter et s'amuser en famille et en société. Placez-les devant un micro, un piano ou n'importe quel instrument de musique, vous les verrez taper du pied ou des mains. La plupart d'entre eux connaissent les succès d'**Edith Piaf, Charles Aznavour, Ginette Reno, Jean-Pierre Ferland** chantant ***Je reviens chez nous*** :

Le président de l'Assemblée nationale du Québec, M. Michel Bissonnet, a remis à Marcel Brouillard l'insigne de l'Ordre de la Pléiade. Il rejoint les Félix Leclerc, Arlette Cousture, Rémy Girard, Sophie Thibault... qui se distinguent dans leur domaine respectif.

Avant-propos

Marcel Brouillard, auteur

Il a neigé à Port-au-Prince
Il pleut encore à Chamonix,
On traverse à gué la Garonne
Le ciel est plein bleu à Paris.

Ma mie l'hiver est à l'envers
Ne t'en retourne pas dehors
Le monde est en chamaille
On gèle au sud, on sue au nord.

Fais du feu dans la cheminée
Je reviens chez-nous,
S'il fait du soleil à Paris
Il en fait partout.

Au début de la Deuxième Guerre mondiale en 1939, Édith Piaf, fille du pavé de Paris, est en pleine ascension. Elle est la vedette la plus populaire de France. Aujourd'hui, 44 ans après sa mort, elle demeure une des plus grandes chanteuses du monde.

Peut-on s'imaginer que certaines chansons que l'on fredonne encore aujourd'hui comme *Sur le pont d'Avignon, Frère Jacques, Plaisir d'amour ou Ma Normandie* datent du 17e et 18e siècle ? Il faut garder ces mélodies vivantes et les transmettre en héritage aux jeunes. On doit donner à ces refrains immortels un regain de vie afin qu'ils ne sombrent pas dans l'oubli.

À l'heure de la mondialisation, des sorties dans l'espace, où tout est remis en question, la chanson populaire continue de tourner contre vents et marées au rythme de ses créateurs et de tous ceux qui la défendent et la propagent. Elle est plus que jamais une façon de lutter contre l'envahissement culturel pour préserver notre identité et notre patrimoine. La parole de nos chansonniers tombe drue, mordante, vivifiante et plus sincère que les beaux discours creux entendus dans tous les parlements de la planète.

Mais le danger est toujours là : une majorité de francophones se voit en effet imposer à la radio et à la télévision et même au cinéma des sons et des noms étrangers à leur propre culture. Que ce soit au Québec, en France ou en Belgique, le constat est le même. Pis encore du côté de la Suisse, de l'Afrique, du Maghreb et du Moyen-Orient, de la Louisiane de **Zachary Richard** ou du Canada français d'**Antonine Maillet**, où l'on doit se battre tous les jours pour survivre dans la belle langue parlée d'**Isabelle Boulay** ou de **Serge Lama**.

Nous avons choisi d'associer deux sujets pouvant cohabiter ensemble dans la marche du temps : l'histoire et la biographie autant que possible chronologique. Nous invitons le lecteur à nous suivre jusqu'à la fin de ces pages en chantant les rengaines de **Jœ Dassin** ou d'**Enrico Macias** et les derniers tubes de **Nicola Ciccone, Marie-Chantal Toupin** ou des **Cowboys fringants.**

Il y a des trésors, des diamants dans la chanson francophone. Les chefs-d'œuvre de **Jacques Brel** et de **Pauline Julien**, quand il nous arrive de les entendre exceptionnellement en ondes, voisinent souvent des textes insipides, la plupart du temps en langue étrangère, imposés par des programmateurs serviles et inconscients du rôle privilégié qui leur est accordé. Le public, hélas ! , ne choisit pas, il subit. Il faut donc réclamer à grands cris que l'on diffuse de plus en plus des chansons francophones à des heures de grande écoute, pas seulement la nuit comme c'est le cas de plusieurs chaînes de radio commerciales.

Depuis un siècle, la chanson s'est développée à un rythme vertigineux pour devenir une véritable industrie lucrative, mais pas à l'avantage des auteurs, compositeurs et interprètes, à l'exception des vedettes très célèbres comme **Céline Dion, Johnny Hallyday, Luc Plamondon, Patrick Bruel**. Elle connaît bien des serviteurs mal rémunérés et peu considérés. De tout temps, les magnats de la finance et les gouvernements en récoltent des profits mirobolants.

Ce livre que vous avez entre les mains fut pour nous l'occasion de belles rencontres, d'entrevues enrichissantes, parfois tendres, souvent moroses, avec des acteurs de premier plan du monde de la musique et de la chanson. Pour la plupart d'entre eux, l'avenir est angoissant. Doivent-ils renier leurs origines françaises pour survivre en 2007 ? En les écoutant chanter ou se raconter, il se dégage une image de leurs craintes et de leurs revendications.

Si nous voulons tenir le fort et nous distinguer par nos talents, notre mentalité et nos aspirations profondes, il faut suivre les traces des générations passées qui ont mené le combat de notre langue par le biais du folklore et de la chanson populaire.

N'allons pas jeter la pierre à la jeunesse qui prend tout ce qui lui tombe sur la main. Peut-on les blâmer de s'inspirer de tout ce qui vient d'ailleurs et de s'enticher de **Madonna, Christina Aguilera** ou **James Blunt** ?

Nos chefs de file font-ils suffisamment leur part pour aider nos artistes, nos créateurs qui sont véritablement les ambassadeurs de leur pays ? L'âme d'un peuple se manifeste beaucoup mieux par des airs folkloriques et des chansons populaires vendus à cinq millions d'exemplaires que par des œuvres supposément littéraires, à 500 copies, acclamées par la critique éreintante qui est allée jusqu'à écrire à propos de **Félix Leclerc** : « Il aurait mieux fallu que cet homme naisse muet et sans bras. »

Sur les Plaines d'Abraham de Québec, plus de 120 000 personnes assistaient à la Superfrancofête, le 13 août 1974, mettant en vedette Robert Charlebois, Gilles Vigneault, Félix Leclerc et l'animateur de l'événement mémorable, Jacques Normand.

La chanson populaire jalonne notre vie, du matin au soir. Elle est pour chacun de nous une évasion, un plaisir, une thérapie et une arme de combat contre tous ceux qui cherchent à nous enlever notre identité. De l'antiquité à la modernité, elle s'est adaptée à l'air du temps. Elle continue d'être là pour raconter nos joies, nos souffrances, clamer nos espoirs et réclamer plus de justice et de fraternité. « Quand les hommes vivront d'amour, chante **Raymond Lévesque**, il n'y aura plus de misère. »

Maurice Chevalier a eu bien raison d'écrire : « C'est à travers les chansons populaires que chantent et qu'ont chanté les peuples, que se retrouvent les sentiments et les émotions du pays, aussi bien dans les malheurs qu'aux époques ensoleillées. »

PHOTO : ÉCHOS VEDETTES

C'est à Montréal, lors de l'Expo 67, que Maurice Chevalier (1888-1972) et la comédienne Juliette Béliveau (1889-1975) ont célébré leur 80e anniversaire de naissance, il faut bien que jeunesse se passe...

Le goût de chanter ne date pas d'hier. Au siècle dernier, l'abbé **Charles-Émile Gadbois** (1906-1981) voua toute sa vie à promouvoir les chansons du terroir au Québec. Son biographe **Manuel Maître** estime qu'il a publié, sous diverses formes, plus de cinq millions d'exemplaires de ses cahiers de *La Bonne Chanson*.

Pour sa part, le chansonnier breton **Théodore Botrel** (1868-1925), auteur de *La Paimpolaise,* du *Petit Grégoire* et de bon nombre de chansons patriotiques, multiplia les tournées dans la francophonie. Plus de 5 000 personnes l'attendaient sur le quai de la gare à Montréal. Son premier recueil, *Chansons de chez nous* s'envola à plus de 60 000 exemplaires, un record pour l'époque.

Pour que nos créateurs ne passent vite dans le tordeur ou l'oubli comme des étoiles filantes, il est bon de s'arrêter un moment pour leur rendre justice et pour les projeter sous les feux des projecteurs. Des figures légendaires et nouvelles surgissent tout au long de cet ouvrage, de **Joséphine Baker** à **Lynda Lemay**, de **Francis Cabrel** à **Pierre Lapointe**.

Bien entendu, il a fallu faire un choix des artistes cités dans ce livre de 600 pages. Nous avons en premier lieu donné une place importante à ceux dont nous n'avions pas, à ce jour, parlé suffisamment. Drôle de critère, diront certains, c'est celui du cœur. Les 110 mélodies dont vous trouverez les paroles et souvent la petite histoire, ont franchi l'épreuve du temps ou sont sur le point de l'avoir fait.

Mais il est étonnant de constater qu'avant même l'avènement de l'ère audio-visuelle et des grosses machines à fabriquer les vedettes, des chansons très anciennes ont connu une véritable cote d'amour auprès du public. C'est le cas de *Frou-frou, À la claire fontaine, Le temps des cerises...*

Quand nous en serons au temps des cerises
Et gai rossignol et merle moqueur
Seront tous en fête,
Les belles auront la folie en tête
Et les amoureux du soleil au cœur.
Quand nous chanterons le temps des cerises
Sifflera bien mieux le merle moqueur.

C'est l'invention de l'imprimerie qui va contribuer à immortaliser les chansons et permettre aux auteurs de distribuer des feuilles volantes avec les paroles et la musique de leurs ballades. On les remettait aux gens de la rue, à ceux qui fréquentaient le café-concert, les cinémas de quartier et les cabarets de l'époque.

Avec la création de l'Olympia de Paris, en 1893, du Monument-National à Montréal et du Capitol à Québec, nous verrons triompher les premières vedettes de la chanson, **Fragson, Mistinguett, Yvonne Printemps** en France; **La Bolduc, Conrad Gauthier, Jean Lalonde, Pierrette Alarie** au Québec.

Le lecteur nous pardonnera le choix restrictif des chansons, de même que l'absence des portées musicales. La difficulté de publier les paroles et la musique est souvent insurmontable et trop onéreuse. Sans tambour ni trompette, il reste que la bonne chanson folklorique, sentimentale, enfantine, country, ouvrière, religieuse ou révolutionnaire, sera toujours sur les lèvres de toutes les générations, peu importe la place que les médias voudront bien lui accorder.

La chanson a acquis ses lettres de noblesse au cours des siècles derniers et est devenue un art populaire majeur. Elle a évolué dans tous les domaines et a inspiré nos plus grands auteurs, compositeurs et interprètes aujourd'hui disparus : **Gilbert Bécaud, Pierre Delanoë, Léo Ferré, Jacques Blanchet, Eddy Marnay, Sylvain Lelièvre, Charles Trenet.**

Au fil des décennies, une jeunesse talentueuse a pris la relève avec **Ariane Moffat, Stefie Shock, Daniel Boucher, Carla Bruni, Benabar, Olivia Ruiz, Natasha St-Pier** sans oublier les lauréats de Star Académie du Québec et de la France, **Nolwenn Leroy, Wilfred Le Bouthillier, Annie Villeneuve, Marc-André Fortin, Marie-Elaine Thibert, Stéphanie Lapointe, Corneliu Montano,** vedette de la revue *Luis Mariano. Le cœur qui chante*, présentée au Centre culturel de Joliette et sur la scène du Corona à Montréal.

PHOTO : ÉCHOS VEDETTES

Yves Duteuil (*La langue de chez nous*) et Gilles Vigneault (*Mon pays*) ont tissé des liens solides entre la France et le Québec et dans toute la francophonie. Une photo qui vaut bien des milliers de mots.

En 2000, le projet *Village en chanson*, à Petite-Vallée, en Gaspésie, est devenu une réalité avec son festival annuel, sa salle de spectacles et son camp de formation en chanson. Né en 1983, ce festival n'était à l'origine qu'un concours amateur local. Il est devenu l'un des plus importants événements du genre au Québec et rayonne jusqu'en Europe. Depuis ses débuts, l'organisme a pu compter sur le soutien constant de la Société Radio-Canada et de nombreux artistes associés au projet tels **Richard Séguin, Gilles Vigneault, Laurence Jalbert, Claude Gauthier, Jim Corcoran...** Dans la catégorie Événement de l'année, le *Festival en chanson de Petite-Vallée* a remporté le Félix de l'année 2003.

Depuis 1994, la SAFEF (Société pour l'avancement de la chanson d'expression française) organise le concours *Ma première Place des Arts* au Studio-Théâtre de la PDA, animé par **Luc De Larochellière**, en 2006. Parmi les vainqueurs, on relève les noms de **Corneille, Lynda Thalie, Charles Dubé, Ima.**

Il est bon de rendre hommage à ceux qui militent en faveur de la belle chanson. Chapeau à **Alain Chartrand**, créateur du *Coup de cœur francophone*, qui a célébré ses 20 ans d'existence en 2006. L'un des plus vieux festivals montréalais, cet organisme rayonne au Québec, au Canada et en Europe. Son but est de favoriser la diffusion des artistes sur la scène internationale.

À ce jour, plus de 500 interprètes d'ici et d'ailleurs ont participé au *Coup de cœur*, notamment **Richard Desjardins, Jean Leloup, Jorane, Plume Latraverse, Louise Forestier, Pierre Flynn.**

Après avoir donné la chance à de nombreux comédiens et chanteurs de se faire connaître par la *Fabuleuse Histoire d'un royaume*, les gens du Saguenay/Lac-Saint-Jean ont monté un autre éblouissant spectacle, *Québecissime*. Présenté pour la première fois à Chicoutimi, en 1995, cette revue unique en son genre est dédiée à la chanson québécoise d'une façon chronologique, de **La Bolduc à Céline Dion**. Avec le temps, ces artistes locaux sont devenus professionnels et capables de personnifier les vedettes de toutes les époques de **Jeunesse d'aujourd'hui**, des boîtes à chansons, des veillées du bon vieux temps. On y voit défiler les **Mario Pelchat, Isabelle Boulay, Éric Lapointe, Sylvie Tremblay**.

La troupe continue de se produire, en 2007, dans les plus grandes salles du Québec et d'ailleurs. D'autres événements tels les Francofolies de La Rochelle, le Festival international d'été du Québec, le Festival western de Saint-Tite, le Festival international de la chanson de Granby, le Printemps de Bourges, les FrancoFolies de Montréal contribuent à fortifier les liens qui relient la France et la francophonie au Québec.

Photo : Échos Vedettes

Martine St-Clair avec Nana Mouskouri. Née en Grèce en 1934, cette dernière est, avec Céline Dion et Madonna, la chanteuse qui a vendu le plus de disques au monde avec 300 disques d'or, de diamant et de platine.

Chaque année, les trophées Félix de l'ADISQ (Association québécoise de l'industrie du disque, du spectacle et de la vidéo) et les Victoires de la musique en France récompensent l'excellence de nos auteurs, compositeurs et interprètes. Nous en faisons souvent mention tout au long de ce livre, *On connaît la chanson*.

Malheureusement, la tradition du chant se perd dans les établissements scolaires au Québec. Il n'y a plus, semble-t-il, de chorales dans les écoles comme autrefois et les gens connaissent de moins en moins les chansons de leur folklore. En Europe et dans certaines communautés américaines, le chant est davantage une activité collective. Notre folklore restera toujours une source de fierté, un rempart contre l'anglicisation et l'américanisation.

PHOTO : MAX MICOL

Pour *Photo-Journal* et *Télé-Métropole,* Marcel Brouillard interview Robert Charlebois et Julien Clerc, tous les deux à leurs débuts sur la scène internationale, lors du MIDEM de Cannes, en mars 1971.

Heureusement, il existe plus de 2 000 chorales et 50 000 choristes au Québec. L'Alliance des chorales compte à elle seule 250 associations regroupant 10 000 membres. La *Confédération musicale de France* est la plus importante association du genre. Elle regroupe plus de 6 000 écoles de musique et sociétés musicales de tous genres, et plus de 600 chorales régionales.

Les 300 000 choristes de France accordent une importance accrue au répertoire traditionnel et aux nouvelles chansons de **Julien Clerc, Axel Red, Zazie, Marc Lavoine, Pascal Obispo** et les autres.

Pour les gens de tous les âges, chanter est devenu un loisir populaire. Dans les chansons, il y a souvent des mots, des phrases, des messages que nous retenons toute la vie et qui nous invitent à repenser nos priorités.

On le constate en regardant les populaires émissions de radio et de télévision, *La fureur* avec **Sébastien Benoît**, *Belle et Bum* avec **Normand Brathwaite**, *Chanter la vie* avec **Pascal Sevran**, *Vivement dimanche* avec **Michel Drucker**, *Fréquence libre* avec **Monique Giroux**, *Chanson* avec **Sophie Durocher**, *Le manège aux souvenirs* avec **Yvon Dupuis**, *Quai des partances* avec **Marguerite Paulin,** *Sous les étoiles* avec **André P. Beauchamp**, *Programme de stars* avec **Annie Lessard,** *Showbiz chaud* avec **Éric Rémy,** *Méli-mélo* avec **Marc Savoy.**

En parcourant les pages qui suivent, jalonnées de portraits vivants et d'anecdotes, le lecteur prendra plaisir à chanter ses joies et ses états d'âme pour refaire le plein d'énergie, trouver un peu de réconfort, d'amour, d'amitié et de beaucoup de tendresse. Laissons-nous griser par ces refrains qui nous mènent sur la route du bonheur.

Ma Normandie

Paroles et musique : Frédéric Bérat

Interprètes…

Jean Lumière

François Brunet, Reda Caire, Émile Campagne, Georges Coulombe, Aimé Doniat, Irène Fabrice, Conrad Gauthier, Jack Lantier, Jean Lapointe, Les Charlots, Robert Marino…

Ma Normandie

1836

Quand tout renaît à l'espérance
Et que l'hiver fuit loin de nous
Sous le beau ciel de notre France
Quand le soleil revient plus doux
Quand la nature est reverdie
Quand l'hirondelle est de retour
J'aime à revoir ma Normandie
C'est le pays qui
m'a donné le jour

J'ai vu les lacs de l'Helvétie
Et ses chalets et ses glaciers
J'ai vu le ciel de l'Italie
Et Venise et ses gondoliers
En saluant chaque patrie

Je me disais : « Aucun séjour
N'est plus beau que ma Normandie
C'est le pays qui
m'a donné le jour »

Il est un âge dans la vie
Où chaque rêve doit finir
Un âge où l'âme recueillie
A besoin de se souvenir
Lorsque ma muse refroidie
Aura fini ses chants d'amour
J'irai revoir ma Normandie
C'est le pays qui
m'a donné le jour

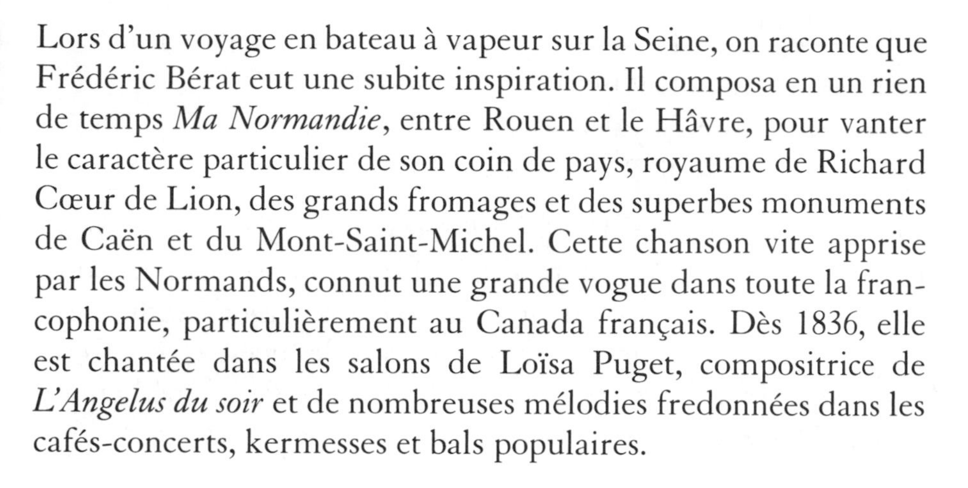

Lors d'un voyage en bateau à vapeur sur la Seine, on raconte que Frédéric Bérat eut une subite inspiration. Il composa en un rien de temps *Ma Normandie*, entre Rouen et le Hâvre, pour vanter le caractère particulier de son coin de pays, royaume de Richard Cœur de Lion, des grands fromages et des superbes monuments de Caën et du Mont-Saint-Michel. Cette chanson vite apprise par les Normands, connut une grande vogue dans toute la francophonie, particulièrement au Canada français. Dès 1836, elle est chantée dans les salons de Loïsa Puget, compositrice de *L'Angelus du soir* et de nombreuses mélodies fredonnées dans les cafés-concerts, kermesses et bals populaires.

Plus de 40 000 exemplaires de partitions et feuilles volantes circulèrent dans les endroits publics et *Ma Normandie* s'ancra dans la mémoire collective pendant plusieurs décades. Le nom de l'auteur et des premiers interprètes furent oubliés, mais pour mieux ressurgir beaucoup plus tard dans un autre contexte et d'autres décors.

À la fin du 19e siècle, elle devint partie intégrante du patrimoine artistique de la France, tout comme la chanson à boire, *La Bourguignonne*, dont les airs ont des effets sur les fêtards, sans oublier, *Le Petit Grégoire, La Paloma* ou *La Paimpolaise* de Théodore Botrel, 1895.

Quittant ses gênets et sa lande
Quand le Breton se fait marin
En allant aux pêches d'Islande
Voici quel est le doux refrain
Que le pauvre gâs
Fredonne tout bas :

« J'aime Paimpol et sa falaise
Son église et son Grand Pardon
J'aime surtout la Paimpolaise
Qui m'attend au pays breton »

Auteur et compositeur, Frédéric Bérat (1800-1855) vit le jour à Rouen, où Jeanne d'Arc fut brûlée en 1431. Modeste employé du gaz de la ville de Paris, il prenait plaisir à rimer durant ses loisirs. Il commença par mettre en musique des poèmes d'Alfred de Musset, *Mimi Pinson* et *Souvenirs de Lisette*. La comédienne Virginie Déjazet les fera connaître au Théâtre des Variétés.

De nombreux interprètes et chorales ont aussi contribué à garder vivante cette chanson qui berce encore les nostalgiques, amoureux d'un passé toujours présent. En 1965, Jean Lumière donnera un nouvel essor à *Ma Normandie* et, dix ans plus tard, Les Charlots la relanceront avec succès.

À Montréal, entre 1915 et 1930, le réputé folkloriste Conrad Gauthier la récupère pour l'enregistrer et la chanter à la radio (CKAC) et lors de ses *Veillées du bon vieux temps* sur la scène du Monument-National. De son côté, l'abbé Charles-Émile Gadbois la propage en l'insérant dans ses cahiers de *La Bonne Chanson*.

À la fin du siècle dernier, Émile Campagne, père de Carmen Campagne, interprète adulée des enfants, aura un succès remarquable dans les provinces du Manitoba et de Saskatchewan avec *Ma Normandie* que le temps bonifie comme du bon vin. Il en est ainsi pour *La petite église*, chantée 1000 fois par Jean Lumière et Tino Rossi en public et dans le film *Envoi de fleurs*, en 1949.

La petite église

1902

Paroles : Charles Fallot - Musique : Paul Delmet

Je sais une église,
au fond du hameau
Dont le fin clocher
se mire dans l'eau
Dans l'eau pure d'une rivière
Et souvent, lassé, quand
tombe la nuit
J'y viens, à pas lents,
bien loin de tout bruit
Faire une prière

Des volubilis en cachent l'entrée
Il faut, dans les fleurs,
faire une trouée
Pour venir prier au lieu saint
Un calme imposant
y saisit tout l'Être
Avec le printemps,
un parfum pénètre
Muguet et jasmin

Des oiseaux, parfois,
bâtissent leur nid
Sur la croix de bronze où
Jésus souffrit
Le vieux curé les laisse faire
Il dit que leur chant est
l'hymne divin
Qui monte des cœurs
en le clair matin
Vers Dieu, notre Père
La petite église est simple;
Un grand cierge
Brûle, dans le soir,
auprès de la Vierge
Comme une étoile du printemps
Mais Dieu doit aimer la petite église
Et venir, souvent,
dans l'ombre indécise
Bénir ses enfants.

Je sais une église, au
fond d'un hameau
Dont le fin clocher se mire dans l'eau
Dans l'eau pure d'une rivière
Lorsque je suis las du
monde et du bruit
J'y viens, à pas lents,
quand tombe la nuit
Faire une prière

Jean Lumière

Né Jean Anezin, en 1905, à Aix-en-Provence (France)

Après des études théâtrales au Conservatoire, Jean Anezin fit ses débuts comme chanteur dans les cinémas de Nice et de Marseille. Son père, commerçant de vin et café, aime l'opéra, la grande musique. Le grand ténor Enrico Caruso est son idole.

Dans ce milieu aisé, on fait beaucoup de projets pour le jeune prodige. Dorloté par sa mère qui aimerait bien qu'il devienne un grand musicien. Peu à peu, avec la complicité de son entourage, les conseils qu'on lui donne, il éprouve le net sentiment que, hors la scène et les ovations du public, point de salut.

Sa marraine, la grande interprète Esther Lekain (*La petite Tonkinoise, Ça ne vaut pas l'amour*), qui le voit à l'Alkazar de Marseille, renforce sa décision de devenir vedette de la chanson. « Jean, ta voix est divine et ensoleillée. Comme tu habites en Provence, tu t'appelleras désormais Jean Lumière. » Cette évaluation d'une femme qu'il aime et respecte lui donne des ailes.

Il entame avec détermination sa carrière de chanteur de charme, avant que le micro ne soit devenu obligatoire. Grand Prix de l'Académie du disque, sept fois lauréat, par référendum, de la voix la plus radiophonique de France, le beau chanteur fait ses vrais débuts à Paris, en 1930, à l'Européen, avec des flèches plein son carquois : *La petite église, Derrière les volets, Le chaland qui passe, Le bateau de pêche* d'André Hornez et Paul Misraki... Dans le but d'améliorer sa voix, il étudie le chant avec Ninon Vallin et l'interprétation avec Yvette Guilbert, créatrice de *Madame Arthur* et de cette chanson de Léon Xanrof, en 1888, *Le fiacre* :

Un fiacre allait, trottinant
Cahin, caha
Hu, dia, hop là !
Un fiacre allait, trottinant
Jaune, avec un cocher blanc

Derrièr 'les stores baissés
Cahin, caha
Hu, dia, hop là !
Derrièr'les stores baissés
On entendait des baisers...

Puis un'voix disant : « Léon ! »
Pour...causer, ôt'ton lorgnon...

En France comme à l'étranger, Jean Lumière ajoute à son répertoire : *Visite à Ninon, Sur deux notes, Un amour comme le nôtre*, sans jamais se départir de son élégance, de son savoir-vivre exemplaire. Il possède une diction impeccable. Voyageur infatigable, il transporte avec lui le soleil de la Côte d'Azur.

Les Québécoises Diane Dufresne et Jacqueline Lemay trouvèrent en cet homme généreux un précepteur de talent. Beaucoup de ses élèves firent de prodigieuses carrières : Edith Piaf, Cora Vaucaire, Gloria Lasso, Marcel Amont, Mireille Mathieu. Sa compatriote et amie Clairette, installée à Montréal depuis plus de 50 ans, le définit comme « le prince au cœur de diamant. »

Auteur d'une thèse en phonétique, il a enseigné une méthode unique : chanter tout simplement avec son cœur, sans s'agiter comme un ver au bout d'une ligne. Il a toujours prêché le dépouillement, le naturel, la nécessité d'une discipline indispensable à la réussite.

Lorsque Jean Lumière tira sa révérence, en 1960, pour se consacrer à son école de chant, il confia à son public qu'il gardait intacte sa passion pour la musique et les belles chansons. Peu avant sa mort à Paris, en 1979, il racontait à ses proches qu'il s'en irait tout doucement, en écoutant les magnifiques vers d'Alfred de Musset :

« Mes chers amis, quand je mourrai
Plantez un saule au cimetière
J'aime son feuillage éploré
La pâleur m'en est douce et chère
Et son ombre sera légère
À la terre où je dormirai »

Le surdoué Jean Lumière aimait chanter en duo avec Ninon Vallin, qui a débuté à l'Opéra-Comique en 1912. À la fin de sa carrière internationale, madame Vallin s'est consacrée à l'enseignement; elle est décédée en France en 1961.

1904

Quand l'amour meurt

Paroles : Georges Millandy
Musique : Octave Crémieux

PHOTO : STUDIO CARLET AINÉ

Interprètes...

André Dassary

Mathé Altéry, Reda Caire, Georges Coulombe, Danielle Darrieux, Paulette Darty, Suzy Delair, Marlene Dietrich, Henri Dickson, Jack Lantier, Jean Lumière, Lina Margy, Patachou, Hector Pellerin, Line Renaud, Tino Rossi, Jean Sablon...

Quand l'amour meurt

1904

(Refrain)
Lorsque tout est fini
Quand se meurt votre beau rêve
Pourquoi pleurer les jours enfuis
Regretter les songes partis ?
Les baisers sont flétris
Le roman vite s'achève
Pourtant le cœur n'est pas guéri
Quand tout est fini !

Le cœur hélas ! ne veut pas croire
Que son beau rêve s'est glacé
Et c'est en vain que la nuit noire
S'étend bientôt sur le passé
Plus la douleur se fait lointaine
Et plus s'avive sa rancœur
Et c'est pour nous la pire peine
De n'avoir plus qu'un vide
au fond du cœur !

On fait serment, en sa folie
De s'adorer longtemps, longtemps
On est charmant, elle est jolie
C'est par un soir de gai printemps
Mais un beau jour,
pour rien, sans cause
L'amour se fane avec les fleurs
Alors on reste là, tout chose
Le cœur serré les yeux
emplis de pleurs !

(Refrain différent)
Lorsque tout est fini
Quand se meurt votre beau rêve
Pourquoi pleurer les jours enfuis
Regretter les songes partis ?
Les baisers sont flétris
Le roman vite s'achève
Et l'on reste à jamais meurtri
Quand tout est fini !

(Au refrain)

Adieu printemps ! déjà l'automne
À dépouiller les prés, les bois
Et votre cœur tout bas s'étonne
De n'aimer plus comme autrefois
Au vent mauvais qui les emporte
Nos regrets cèdent tour à tour
Pourtant, parmi les feuilles mortes
On cherche encore s'il reste un peu
d'amour

(Au refrain)

Cette valse lente, *Quand l'amour meurt*, fut créée par Henri Dickson au Petit Casino de Paris, en 1904, puis au Palais de Cristal de Marseille. Après une lancée difficile, elle connut un succès mondial. La célèbre Marlene Dietrich l'a chantée dans le film, *Cœurs perdus*, en 1930, puis au Théâtre de l'Étoile, en 1959.

Ce beau texte de Georges Millandy, de son vrai nom Maurice Nouhaud, évoque le moment nostalgique d'un amour perdu. Avant 1950, *Quand l'amour meurt* fut reprise par les grands interprètes de l'époque, notamment Paulette Darty, juste avant de se retirer de la scène en 1908, Jean Lumière, Germaine et Jean Sablon, Lina Margy, Reda Caire.

D'autres noms connus, plus près de nous, vont reprendre ce succès, après 1950, et le faire rayonner dans toute la francophonie, tels Patachou, Tino Rossi, Mathé Altéry, Line Renaud, André Dassary. Le baryton Hector Pellerin, compositeur et excellent musicien, l'a mille fois interprété à la radio et à son cabaret montréalais, le Versailles. Ce premier chanteur de charme québécois a enregistré plus de 250 titres, tant sur cylindre que sur disque 78-tours. Le ténor Georges Coulombe a suivi son exemple en la conservant dans son répertoire pendant toute sa brillante carrière.

L'auteur-interprète Georges Millandy (1871-1964) était loin de se douter que sa chanson ferait pleurer plus d'une génération. Celui-ci s'est illustré dans les endroits à la mode du Quartier Latin, à Paris. En 1894, il est une figure familière du cabaret les Noctambules, fort de son expérience acquise au Chat noir de Montmartre et au Caveau du Soleil d'or de la place Saint-Michel.

Après la Grande Guerre (1914-1918) Georges Millandy lance, avec l'aide de son ami Henri Dickson, le Théâtre de la chanson, en 1921, et les déjeuners chantants à la Coupole. En 1953, la SACEM va décerner à Millandy le Grand Prix de la chanson.

Quant au compositeur Octave Crémieux (1872-1949), il fit une carrière plus discrète, contribuant énormément à la renommée de Paulette Darty, « reine de la valse lente » de la Belle Époque. C'est l'interprète féminine par excellence de *Quand l'amour meurt*, *Je te veux* et *Fascination* de Maurice de Féraudy, en 1905.

Je t'ai rencontré simplement
Et tu n'as rien fait, pour chercher à me plaire
Je t'aime pourtant
D'un amour ardent
Dont rien, je le sens, ne pourra me défaire
Tu seras toujours, mon amant,
Et je crois à toi, comme au bonheur suprême
Je te fuis parfois
Mais je reviens, quand même
C'est plus fort que moi
Je t'aime

Lorsque je souffre, il me faut tes yeux
Profonds et joyeux
Afin que j'y meure
Et j'ai besoin pour revivre, amour
De t'avoir un jour
Moins qu'un jour, une heure...

Avec Vincent Scotto, compositeur de plus de 4000 titres, Octave Crémieux est le créateur de la formule des populaires soupers fleuris, où l'on chante en chœur avec les plus belles voix d'opéra et de la chanson populaire. Le public réclame sans cesse la présence d'André Dassary pour qu'il interprète son grand succès *Ramuntcho*.

1944

Ramuntcho

Paroles : Jean Rodor - Musique : Vincent Scotto

Dans sa cabane couronnée
Par les massifs des Pyrénées
Comme un aigle, tout là-haut
Habite Ramuntcho
Portant fusil en bandoulière
Il va partout, la mine fière
Guettant dans ses traquenards
Le sauvage isard
Il partage tous ses jours
Entre la chasse et l'amour

(Refrain)
Ramuntcho...
c'est le roi de la montagne
Ramuntcho...
quand il appelle sa compagne
Il crie : « Ma gachucha...je t'aime ! »
L'écho répond : « Aime ! »
Mais je suis près de toi, quand même !
L'écho répond : « Aime ! »
Tra la la
Et sa chanson
S'envole au loin comme un frisson
Dans la vallée il fait la loi
De la montagne, il est le roi !

(Refrain différent)
Ramuntcho...
c'est le roi de la montagne
Ramuntcho...
quand il appelle sa compagne
Il crie : « Ma gachucha...je t'aime ! »
L'écho répond : « Aime ! »
Mais je suis près de toi, quand même !
L'écho répond : « Aime ! »
Tra la la la
Et jusqu'au jour
Ramuntcho clame son amour
Dans la vallée il fait la loi
De la montagne il est le roi !

Des pics qui dominent l'Espagne
De Ronceveaux à la campagne
Il connaît tous les sentiers
Les grottes, les terriers
Et, libre comme les nuages
Sous l'avalanche ou dans l'orage
Les sangliers comme les loups
Tombent sous ses coups
Mais les filles du pays
N'ont de regards que pour lui

André Dassary

Né André Deyhérassary, le 10 septembre 1912, à Biarritz (France)

Ses parents n'ayant guère les moyens de l'envoyer dans les écoles supérieures, l'adolescent s'intéresse avant tout à la course, au rugby et à la pelote basque. Après un stage en hôtellerie, en France et en Angleterre, il entre à l'Institut d'éducation physique en Aquitaine. André obtient son diplôme de masseur, métier qu'il exercera pour l'équipe de France, lors des Jeux olympiques universitaires mondiaux de 1937.

À Bordeaux, le jeune Basque s'inscrit au Conservatoire de la ville et remporte plusieurs premiers prix à l'opérette et à l'opéra-comique, pendant son service militaire. Le 21 décembre 1935, il épouse sa pianiste, Marie-Madeleine Bergès, qui lui donnera quatre enfants. Lors d'un radio-crochet, en 1937, Danielle Darrieux remarque le beau chanteur à la voix d'or. Elle le présente au chef d'orchestre Ray Ventura, créateur de *Tout va très bien madame la marquise* et *Qu'est-ce qu'on attend pour être heureux*. Celui-ci l'engage aussitôt dans sa troupe des Collégiens. Il chante *Dans mon cœur, Sur deux notes* et tourne avec cet ensemble deux films à succès : *Feux de joie* et *Tourbillon de Paris*.

Au début de la Seconde Guerre mondiale (1939-1945), André Dassary chante *Maréchal nous voilà* et quelques marches militaires, au grand dam des contestataires du maréchal Philippe Pétain. Après une courte éclipse de la scène et une accalmie apparente, le voilà de nouveau à l'affiche du Château de la Bagatelle, en 1941.

Même si le conflit s'envenime en Europe, la chanson renaît à Paris avec Fréhel, Maurice Chevalier, Mistinguett, Tino Rossi,

Edith Piaf. C'est connu, la majorité des Français continue de chanter pendant l'Occupation et de fréquenter les bons restaurants. D'autres combattent, souffrent, pleurent, font partie de la Résistance et n'acceptent pas du tout la tutelle allemande.

Dassary, libéré de captivité, va créer au Chatelet l'opérette *L'Auberge qui chante*, bientôt suivie par *Valses de France*. En 1946, il tourne dans *Le Mariage de Ramuntcho* et triomphe dans *Chansons gitanes* au Gaîté-Lyrique. Il devient l'idole des femmes, qui le trouvent resplendissant de beauté et de santé, charmeur et aguichant. Un vrai dieu grec !

Les portes des music-halls et des théâtres s'ouvrent pour le ténor à la voix caressante et ensorceleuse. On accourt nombreux pour l'entendre à l'ABC, au Concert Pacra, à l'Européen. Il excelle par ses interprétations de *Plaisir d'amour*, *Le temps des cerises*, composée par Jean-Baptiste Clément, en 1866, et *Dans mon cœur* d'André Hornez pour les paroles et de Paul Misraki pour la musique :

Dans mon cœur
Un tendre espoir fleurit
Une hirondelle a chanté sur mon toit
Dans mon cœur
Un rêve a fait son nid
Toutes les fleurs semblent s'ouvrir pour moi.

Le talent d'André Dassary déborde les frontières. Il s'installe à Montréal, de 1948 à 1950, pour reprendre ses rôles aux Variétés Lyriques, du Monument-National, dans les opérettes, *Symphonie portugaise, Chansons gitanes, L'auberge qui chante* et *Pourquoi me réveiller* de Werther de Massenet.

À son retour de Paris, c'est au Gaîté-Lyrique qu'il explose, de nouveau, dans *Symphonie portugaise*. Puis, les émissions de variétés, les galas en Europe et sur le continent africain, les tournées d'opérette se succèdent à un rythme effarant : *Rose de Noël, Violettes impériales, La veuve joyeuse, La toison d'or, Le pays du sourire...*

Dans toute la francophonie, ses chansons tournent à la radio. Il enregistre des titres inoubliables : *Ramuntcho, Fascination, Reviens, Santa Lucia, L'angélus de la mer, Quand l'amour meurt, Les cloches des Pyrénées, Frou-frou* de Monréal et Blondeau, en 1897 :

Frou-frou, Frou-frou
Par son jupon la femme
Frou-frou, Frou-frou
De l'homme trouble l'âme
Frou-frou, Frou-frou
Certainement la femme
Séduit surtout
Par son gentil Frou-frou

La soixantaine arrivée, André Dassary se retire dans son coin de terre natale et se fait de plus en plus rare sur la scène et dans les médias. Il accepte, à l'occasion, de paraître à la télévision ou dans les galas de charité, pour des causes humanitaires. Pour ses proches et ses compatriotes, et tous ceux qui l'ont côtoyé, sa gentillesse et sa générosité sont légendaires.

Le 7 juillet 1987, André Dassary, l'ensorceleur, s'en est allé vers l'au-delà, laissant le souvenir d'un grand artiste et d'un bon père à son fils et à ses trois filles, dont l'une est comédienne, Evelyne Dandry. L'homme n'est plus là, mais sa voix divine reste immortelle.

Un peu d'amour

« Pour un peu d'amour »

Paroles : Alfredo Nilson-Fysher
Musique : Lao Silésu

PHOTO : ÉCHOS VEDETTES

Interprètes...

Georges Coulombe

Aimé Doniat, Jos Dona, Reda Caire, Nilson Fisher, Roland Gerbeau, Jacques Lepage, Robert Marino, Tino Rossi, Ray Ventura et ses collégiens…

Un peu d'amour

Dans Paris où tout n'est que folie
Le désir nous hante un peu partout
La femme nous paraît plus jolie
Elle sait nous rendre
un peu plus fou

(Refrain)
Pour un peu d'amour,
un peu d'amour,
Cet instant divin,
mais bien trop court
Car deux cœurs en
cet instant suprême
Se disent deux mots,
deux seuls... Je t'aime

Moi, pour ces deux mots,
ces mots d'amour
Je donnerais bien
mes nuits, mes jours
Pour t'entendre en
cet instant suprême
Murmurer tout bas, tout bas
Je t'aime...

L'on se fait souvent mille promesses
Les femmes nous grisent
de mots fous
Mais qu'importe !
puisque leurs caresses
Nous font passer des instants si doux

(Au refrain)

L'excellent pianiste Pierre Martineau accompagne Richard Verreau et Georges Coulombe, qui étaient considérés comme les deux plus grands ténors québécois. Que de beaux souvenirs !

Si Pierre Delanoë est l'auteur le plus prolifique au monde avec 5 000 chansons à son crédit, le brillant ténor Georges Coulombe est probablement celui qui en a interprété tout autant durant sa carrière de chanteur d'opéra. Il suffit de lui souffler le titre, l'air ou les premiers mots d'un refrain classique ou populaire pour le voir s'enflammer et reprendre à sa manière les nombreux succès de toutes les époques.

Le jour où il enregistra *Un peu d'amour*, le réalisateur Martin Duchesne lui demanda s'il en connaissait l'histoire. Tout le monde est resté ébahi de l'entendre raconter que son auteur Nilson-Fysher l'avait créée à Paris, à son propre cabaret en 1911. Il savait également que la belle Arlette Duc l'avait aussitôt reprise au Petit-Casino. « Avant d'entrer en studio pour endisquer une mélodie populaire ou symphonique, c'est important, dit Georges, de faire auparavant des recherches pour comprendre exactement ce que les auteurs et compositeurs ont voulu faire ressortir dans leurs textes et leur musique. »

Une centaine d'interprètes ont ajouté *Un peu d'amour* à leur répertoire. C'était la Belle Époque d'Aristide Bruant, patron du Chat-Noir, qui composa, durant les années Frou-frou, *À la Villette, À Batignolles, Rue Saint-Vincent :*

Elle avait sous sa toque à martre
Sur la butt'Montmartre
Un p'tit air innocent
On l'app'lait Rose, elle était belle
À sentait bon la fleur nouvelle
Rue St-Vincent...

On n'avait pas connu son père,
À n'avait pas d'mère
Et depuis mil neuf cents...

Sur scène, Georges Coulombe les a toutes chantées ces belles inoubliables : *Quand Madelon, L'hirondelle du faubourg, Le plus joli rêve, Reviens, Sous les ponts de Paris* de Jean Rodor et Vincent Scotto.

Depuis sa création en 1913, ce tube a été enregistré sur 78, 33 ou 45-tours et sur disques compacts. Scotto fut, avant Eddy Marnay et Pierre Delanoë, une véritable institution. Il a écrit, entre autres, la musique de *J'ai deux amours* et *La petite Tonkinoise* pour Joséphine Baker. La liste de ses œuvres passées à la postérité est fort impressionnante : *La java bleue* (Fréhel), *Le plus beau tango du monde* (Alibert), *Marinella*, *Tchi tchi* (Tino Rossi).

Vincent Scotto (1876-1952) a laissé une œuvre colossale de 4 000 titres. Très jeune, il joue de la guitare dans les noces et banquets. Coulombe a joué dans quelques-unes de ses opérettes.

Une fois installé à son piano, le ténor Georges Coulombe pouvait y rester des heures, à condition, bien entendu, qu'une belle dame l'écoute attentivement. Avec une voix semblable, personne ne pouvait résister à ce charmeur.

Quant à la chanson *Serenata*, on n'a qu'à fredonner la première phrase du refrain qui commence ainsi : Viens le soir descend... pour qu'elle soit reprise immédiatement en chœur. Avec le temps, cette mélodie italienne, qui a vu le jour en 1919, s'est vue attribuer plusieurs noms. Elle est devenue la *Sérénade de Toselli*, qui en a écrit la musique. Pierre d'Amor a fait l'adaptation des paroles d'Alfredo Sylvestri.

Georges Coulombe l'a toujours gardé dans son tour de chant. Il possède dans son imposante collection personnelle le microsillon sur lequel Georges Guétary l'a enregistrée, à Montréal, sur des arrangements de Michel Colombier. Elle devint alors *Merci monsieur Toselli*. Sur ce 33-tours de Georges Guétary (étiquette Jupiter), on retrouve 12 titres, dont *Je reviens chez nous* de Jean-Pierre Ferland, *Marguerite est repartie* de Stéphane Venne, quatre chansons d'Henri Salvador et *Cet anneau d'or*, qui fit boule de neige en France, mais surtout au Québec.

Cet anneau d'or
Que je pourrai bientôt mettre à ton doigt
Cet anneau d'or
Dira au monde entier que tu es à moi
Et que nous deux devant Dieu et les hommes
On s'est juré un éternel amour

Cet anneau d'or
Pour nous deux jusqu'à la fin du monde
Enchaînera nos cœurs d'une joie vagabonde
Et tu seras pour moi encore plus belle
Quand tu auras cet anneau d'or au doigt !

Cet anneau d'or
Pour nous deux sera la douce chaîne
Qui restera toujours dans ta main et la mienne
Il suffira pour qu'on oublie nos peines
De voir briller ce petit anneau d'or

Cet anneau d'or
Pour nous deux jusqu'à la fin du monde
Enchaînera nos cœurs d'une joie vagabonde
Et tu seras pour moi encore plus belle
Quand tu auras cet anneau d'or au doigt!

Une centaine d'interprètes ont enregistré *Serenata*, à part Georges Coulombe et Georges Guétary. En 1920, les premiers d'entre eux sont Louis Viannenc et Robert Jysor. Dix ans plus tard, Guy Berri (1904-1982), tête d'affiche de l'Alhambra et du célèbre cabaret Le Fiacre, l'enregistra pour donner suite à son succès *Derrière les volets*, en 1926 :

Derrière les volets de ma petite ville
Des vieilles en bonnet vivent tout doucement
Et comme un chapelet entre leurs mains dociles
Les mois et les saisons s'égrainent lentement
Quand l'Angélus du soir troublera l'air tranquille
Elles se signeront et sans faire de bruit
Elles enfermeront le silence et la nuit
Derrière les volets de ma petite ville

Après Ninon Vallin, c'est au tour de Tino Rossi de faire revivre *Serenata* en 1938. De nouveau, cette chanson porte un autre titre : *Célèbre Serenata*. En 1960, Mathé Altéry et André Dassary contribuent aussi à embellir cette jolie mélodie.

Après 1970, elle est enregistrée par Mouloudji (1922-1994) et Jack Lantier. Un nouveau venu, Alain Vanzo, l'enregistre en 1998. De tous ces interprètes, c'est sûrement Georges Coulombe qui l'a chantée le plus souvent

Des centaines de chansons immortelles des siècles derniers continuent de nous émouvoir et de nous rappeler tant de souvenirs de l'âge d'or, des cafés-concerts et de la Belle Époque. Des airs qui ont séduit des millions de francophones. « Le passé est notre richesse », disait Georges Brassens.

Comment peut-on oublier de si beaux airs qui ont marqué la vie de nos ancêtres et de nos parents, des villes et des campagnes. Au 21e siècle, on chante encore dans des biens des chorales : *La chanson des blés d'or*, mais aussi *Le temps des cerises* (1866), *Le fiacre* (1888), *Frou-frou* (1905), *Fascination* (1905) et la *Berceuse aux étoiles* chantée mille fois au Québec par le réputé ténor Georges Coulombe :

Pendant que les heureux
Les riches et les grands
Reposent dans la soie
Ou dans des fines toiles
Nous autres les parias
Nous autres les errants
Nous écoutons chanter
La berceuse aux étoiles...

Même s'il affirme catégoriquement qu'il ne cherche pas les honneurs et les décorations, il serait temps que l'on reconnaisse enfin le rôle qu'il a joué toute sa vie pour défendre la langue et la belle chanson française. Le public serait ravi de le voir décoré de la médaille de Chevalier de l'Ordre de la Pléiade ou encore du titre d'Officier de l'Ordre national du Québec.

Serenata

Paroles : Alfredo Sylvestri (Adaptation : Pierre d'Amor) - Musique : Enrico Toselli

Viens, le soir descend
Et l'heure est charmeuse
Viens, toi si frileuse
La nuit déjà comme un manteau s'étend

Viens, tout est si doux
Si plein de promesses
On sent la caresse
Des mots d'amour qu'on écoute à genoux

Un sourire en tes grands yeux
Me révèle un coin des cieux
Reviens apaiser
Mon cœur battant à se briser
Je t'aime à jamais,
sans crainte des regrets

Que le bonheur berce infiniment
Par son fol enchantement
Le cher émoi de ton cœur aimant
Le jour agonise
L'heure est exquise
Enivrons-nous d'amour toujours,
toujours

Sur les ondes de Télé-Métropole, l'animateur Michel Jasmin a interviewé les plus grands noms du music-hall. Il a toujours su mettre ses invités à l'aise, notamment Georges Coulombe et Céline Dion à ses débuts. On le voit ici en compagnie de Georges Guétary.

Georges Coulombe

Né le 26 mai 1935, à Notre-Dame-de-la-Doré, Lac-Saint-Jean (Québec).

Tout au long de sa brillante carrière au Québec et à l'étranger, Georges Coulombe a su prouver que le chant classique et la chanson populaire peuvent cœxister harmonieusement, en s'adressant aussi bien à l'esprit et au cœur. Souvent comparé à Luciano Pavarotti (1935-2007), il ne mâche pas ses mots lorsqu'il accorde de rares entrevues aux médias : « Il faut que l'opéra descende dans la rue et que les interprètes de cette forme d'art cessent de se prêter au jeu de l'impérialisme. »

Georges Coulombe a la chance de se produire, de 1957 à 1959, avec les grands orchestres de Boston, Chicago, New York, Philadelphie, sous la baguette de son maître et protecteur Wilfrid Pelletier. Il constate qu'il est très difficile de faire carrière au Québec dans le domaine de l'opéra et refuse de s'exiler à l'instar de ses compatriotes Léopold Simoneau, André Turp, Jacques Gérard. C'est chez lui qu'il va vivre et chanter.

En refusant des offres alléchantes venant des États-Unis et de l'Europe, le contestataire à la langue bien pendue s'attire les foudres du milieu. On le traite de borné, d'enfant gâté. Il veut montrer aux siens tout ce qu'il a appris de ses réputés professeurs de chant : Moregliano Mori, Richard Verreau, Dina Maria Narici…

« Nous devons au Québec, clame-t-il, nous engager socialement et nous mettre au service des gens de tous les milieux. Il n'y a pas de honte pour un chanteur d'opéra d'interpréter *La danse à Saint-Dilon* de Gilles Vigneault, *Moi, mes souliers* de Félix

Leclerc ou *Le petit roi* de Jean-Pierre Ferland, que ce soit à la Place des Arts, à la télévision, dans les festivals de tous genres et au cabaret. »

Georges Coulombe a connu l'époque de la colonisation. Il vient d'une famille de 13 enfants. Son père Raoul, garde-chasse et employé forestier, l'amène dans les chantiers et lui fait entonner *La légende des flots bleus*, *La chanson des blés d'or*. Debout sur un banc de bois, devant les bûcherons, il enchaîne avec *Le crédo du paysan* et *Un Canadien errant* chanté dans la francophonie par Jacques Labrecque et Nana Mouskouri :

Un Canadien errant
Banni de ses foyers
Parcourait en pleurant
Des pays étrangers

Un jour, triste et pensif
Assis au bord des flots
Au courant fugitif
Il adressa ces mots

« Si tu vois mon pays
Mon pays malheureux
Va, dis à mes amis
Que je me souviens d'eux…

La mère de Georges, Simone Lemieux, est davantage portée sur les chants sacrés, l'opéra et La Bonne Chanson de l'abbé Charles-Émile Gadbois. Plusieurs membres de la famille Coulombe ont fait carrière dans le monde musical : Marie-Nicole Lemieux, mezzo, Micheline Coulombe-St-Marcoux, compositrice, Jeanne Coulombe, pianiste, 1er prix d'Europe en 1943.

Doué pour les arts, il fait des caricatures, dessine des plans de barrage, fabrique des crèches de Noël, ainsi que des mosaïques en bois, qui lui valent plusieurs prix régionaux. Il écrit les paroles et compose la musique de chansons pour toutes les fêtes familiales et scolaires. Le boute-en-train possède une santé et une vitalité exceptionnelle. Il excelle autant sur le plan intellectuel que sportif. Son institutrice, Simonne Matte, lui demande fréquemment de chanter les *Ave Maria* de Schubert et de Gounod et *Ça fait peur aux oiseaux*, de l'opérette *Bredouille*, en 1864 :

Ne parlez pas tant, Lisandre
Quand nous tendons nos filets
Les oiseaux vont vous entendre
Et s'enfuiront des bosquets
Aimez-moi sans me le dire
Aimez-moi sans me le dire
À quoi bon tous ces grands mots ?
Calmez ce bruyant délire
Car ça fait peur aux oiseaux
Calmez ce bruyant délire
Car ça fait peur aux oiseaux…

En chantant partout où il passe, il voit vite son gousset se remplir. Avec cet argent plein les poches, il arrive au séminaire de Chicoutimi pour y faire des études classiques et devenir prêtre. Il étudie la musique avec l'abbé Herménégilde Fortin et reçoit en cadeau de son oncle, l'abbé Lauréat Lemieux, les enregistrements sur 78-tours du célèbre ténor Beniamino Gigli. En un temps record, le surdoué élève apprend par cœur tout le répertoire de Gigli et se met à les chanter en italien, en s'installant à son piano. Et les filles de se pâmer devant le beau séminariste séducteur.

En 1954, Georges poursuit des études philosophiques chez les Oblats de Marie-Immaculée à Québec et chante dans les églises et les clubs sociaux de la capitale et de sa région du Saguenay/Lac-Saint-Jean. Il participe à des concours de jeunes talents et à des concerts où il rafle tous les premiers prix.

Le public est en extase lorsqu'il interprète *Le cœur de Ninon, Le temps des cerises, L'heure exquise* de Franz Lehar, *Le rêve passe*, créée en 1906 et reprise par des centaines d'interprètes, notamment Georges Thill, Armand Mestral.

Les soldats sont là-bas endormis sur la plaine
Où le souffle du soir chante pour les bercer
La terre aux blés rasés parfume son haleine
La sentinelle au loin va d'un pas cadencé
Soudain voici qu'au ciel dcs cavaliers sans nombre
Illuminent d'éclairs l'imprécise clarté
Et le Petit Chapeau semble guider ces ombres
Vers l'immortalité...

L'ami Coulombe s'émerveille devant ces chanteurs à voix qui pourraient se consacrer uniquement à l'opéra et à l'opérette. Il fréquente assidûment les endroits à la mode, la Porte Saint-Jean, le Palais Montcalm, le Capitol, où l'on chante les chansons de la Belle Époque et les succès du jour interprétés par André Dassary, *Ramuntcho*, et Georges Guétary, *Robin des bois*, dont les paroles sont de François Llenas et la musique de Francis Lopez :

C'était une fille adorable
On l'appelait Marie-Suzon
Elle avait un cœur charitable
Et des yeux couleur de chansons
Un jour auprès d'une rivière

Elle aperçut un beau garçon
Et lui demanda sans manière
Bel étranger quel est ton nom ?

On m'appelle Robin des Bois
Je m'en vais par les champs et les bois
Et je chante ma joie par-dessus les toits

L'étudiant, boursier gouvernemental, est bouleversé par tout ce qu'il découvre. « J'allais donc apprendre que la musique et l'opéra sont de véritables industries soumises aux mêmes impérialismes. À Montréal, confie-t-il, les Variétés lyriques de Lionel Daunais et Charles Goulet, viennent de disparaître. La Guilde américaine entraîne dans sa tornade la chute de la chanson traditionnelle et du chant classique, au profit du *melting pot yankee.* La majorité des grands chanteurs d'opéra québécois crèvent de désespoir dans les jubés d'église, et Elvis Presley fait des malheurs. »

Sa rencontre avec le grand chef d'orchestre Wilfrid Pelletier, en juin 1955, est déterminante. Le maître le convainc de s'établir à Montréal, où il entreprend des études au Conservatoire de la métropole. Il chante régulièrement avec les Orchestres symphoniques de Montréal et de Québec, sous la direction de Jean Beaudet et de Jean Deslauriers. Dans son premier opéra, *Manon Lescaut* de Puccini, à la Place des Arts de Montréal, Georges est de la distribution avec Louis Quilico, Michele Molese, Virginia Zeani...

Le chroniqueur Jacques Thériault, faisant écho à une représentation de Faust, écrit : « Le ténor Georges Coulombe a dominé la soirée, chantant et jouant son rôle sans la moindre défaillance. » *La Gazette* ajoute : « Coulombe was vocally outstanding. » En

1972, le sévère critique de *La Presse*, Claude Gingras, signe : « Il montre dans Don Carlos toutes les qualités d'un grand chanteur : la voix est jeune, le timbre est d'une belle couleur, italienne, chaude et claironnante. »

Georges a été, selon le producteur Martin Duchesne, le moteur de la Troupe lyrique du Centre (1960-1965). Il fut de tous les opéras présentés à Montréal : Manon, Carmen, La Traviata, Werther… En 1965, le célèbre ténor Raoul Jobin le fait chanter dans plusieurs opéras à Marseille, Bordeaux, Paris. Tout de suite après ces concerts, le chouchou de ses dames se faufile dans les cabarets et music-halls et découvre un autre monde, celui de la chanson populaire avec Francis Lemarque (*Marjolaine*), Guy Béart (*L'eau vive*), Michel Legrand (*Les parapluies de Cherbourg*), Barbara (*Nantes*) et Charles Aznavour chantant *Que c'est triste Venise* et *La Bohème* :

Je vous parle d'un temps
Que les moins de vingt ans
Ne peuvent pas connaître
Montmartre en ce temps-là
Accrochait ses lilas
Jusque sous nos fenêtres
Et si l'humble garni
Qui nous servait de nid
Ne payait pas de mine
C'est là qu'on s'est connu
Moi qui criais famine
Et toi qui posais nue

La bohème, la bohème
Ça voulait dire on est heureux
La bohème, la bohème
Nous ne mangions qu'un jour sur deux

Changer de style musical, cela n'est pas pour effrayer Georges Coulombe, qui peut chanter tous les airs d'opéra, tout en défendant avec passion la belle chanson française. Il le prouve d'ailleurs fort bien sur son album, *La renaissance*, en interprétant de merveilleux textes d'Eddy Marnay, *Pourquoi fermer ton cœur*, *Emporte-moi* et *Cent mille chansons*, énorme succès de Frida Boccara, née à Casablanca, au Maroc, en 1940, et décédée à Paris le 1er août 1996 :

Il y aura cent mille chansons
Quand viendra le temps
Des cent mille saisons
Cent mille amoureux
Pareils à nous deux
Dans le lit tout bleu de la terre...

Le ténor Georges Coulombe a interprété plus de 5000 chansons durant sa carrière. Il a toujours défendu avec passion l'opéra, aussi bien que la chanson populaire. On le voit ici en costume de scène.

À partir de 1967, en plus de sa carrière sur scène, il occupe le poste de directeur musical de trois grandes paroisses montréalaises : Saint-Jacques, Saint-Pierre-Apôtre et Saint-Gaétan. Il participe aux grandes productions musicales à la télévision de Radio-Canada, dont *Les trois mousquetaires*.

Après des centaines de spectacles dans les églises, salles paroissiales et théâtres, il est en vedette à l'Expo 67, qui a attiré 50 millions de visiteurs à Montréal, et également à Terre des Hommes, lors des Jeux olympiques de Montréal, en 1976. Pendant six ans, il se produit également à La Flûte enchantée du pavillon de la France et au Festin des Gouverneurs de l'île Sainte-Hélène. Il est toujours heureux de présenter ses collègues Claude Corbeil, Yolande Dulude, Odette Beaupré et la brillante et spectaculaire Louise Le Cavalier, sa compagne de vie durant six ans.

Partout où il passait, Georges Coulombe attirait des foules, que ce soit au Festin des Gouverneurs ou au restaurant du célèbre hockeyeur Émile « Butch » Bouchard, dirigé par Jean Souza que l'on voit ici en compagnie de la chanteuse d'opérette Annie Gallois.

Le réputé pianiste André Asselin écrit à propos de son ami Georges, tout ce qui fait la particularité de cet artiste : « En s'écartant des sentiers battus, ignorant la gloire souvent trompeuse, il représente un cas unique dans les annales musicales. »

Depuis 1995, Georges Coulombe se consacre surtout à la gestion et à la réparation de ses immeubles résidentiels à Montréal et à sa propriété à Entrelacs, dans les Laurentides. Sans le crier sur les toits et dans le plus strict anonymat, il apporte son aide à bien des gens en difficulté et les accompagne parfois jusqu'à leur fin dernière. Bien des artistes sans ressource et démoralisés vont frapper à sa porte. Son humanisme et sa compréhension des problèmes de tout un chacun sont devenus légendaires.

Partout où il s'arrête, chez ses locataires, ses parents et amis, sa compagne Louise Daneau, le chanteur libertaire et indépendant entonne avec la même puissance des sérénades et des ballades telles : *O solo mio, Edelweiss, Funiculi, Funicula*, mais aussi *La ballade des gens heureux* de Gérard Lenorman, *La maladie d'amour* de Michel Sardou et *Frédéric* de Claude Léveillée :

Je me fous du monde entier quand Frédéric
Me rappelle les amours de nos vingt ans
Nos chagrins, notre chez-soi, sans oublier
Les copains des perrons aujourd'hui dispersés aux quatre vents

On n'était pas des poètes, ni curés, ni malins
Mais papa nous aimait bien
Tu t'rappelles le dimanche
Autour de la table, ça riait, discutait
Pendant que maman nous servait
Mais après…

« Pour moi, dit-il, la vie sera toujours une partie de plaisir, une belle histoire d'amour. Ce qui compte avant tout, c'est la santé et le bonheur de son entourage. Je n'ai pas l'intention d'attraper la maladie de la gloire, du prestige et de la course aux honneurs. J'en connais trop qui en sont morts. Je ne pense pas que je me laisserai tenter de faire un dernier tour de piste. Je préfère de temps en temps paraître à la télévision pour chanter deux ou trois chansons et surtout pour émettre mes opinions. C'est dans ma nature de provoquer des réactions en discutant sur des sujets controversés. »

En 1965, alors que sa carrière prend véritablement son envol, Georges décida qu'il devait enregistrer tous ses récitals et concerts importants. Plusieurs titres sur son album, *Si mes vers avaient des ailes*, en 2003, ont été sélectionnés à partir de ses archives personnelles. Il a eu la sagesse et l'intelligence de conserver et colliger ses souvenirs pour le plus grand plaisir des mélomanes et pour l'histoire.

Tous ceux qui connaissent Georges Coulombe savent qu'il aime émettre ses idées sur tout ce qui touche les humains : la politique, la religion, la richesse et l'indigence, la manipulation des masses et la loi du plus fort. « Aujourd'hui, les gens utilisent leur intelligence pour s'enrichir aux dépens des autres. Il y a des génies qui meurent dans la pauvreté et le désespoir. »

Georges aime beaucoup parler du bonheur. À la journaliste Yolande Vigeant, il a fait des confidences qui en ont fait sursauter plusieurs. « Pour moi, le bonheur, ça se situe à l'intérieur de soi-même. C'est une manière d'envisager l'existence. Il faut commencer par s'aimer soi-même, malgré toutes ses déficiences. À l'heure actuelle, il faudrait trouver une idéologie qui pourrait transformer les gouvernements et les sociétés. Tout est conditionné à l'argent et au profit…

« Heureusement, les choses spirituelles ne se monnayent pas. Ma valeur fondamentale, c'est le plaisir et l'amour… je parle du plaisir des sens obligatoirement. Il faut regarder les belles choses, la nature, tout ce qui est beau. Tout ce qui enlève le plaisir mène à la tristesse, à la destruction. J'en connais trop qui sont décédés prématurément, parce qu'ils n'ont pas connu la sérénité à travers la gloire, la célébrité, la richesse. »

Il serait difficile, dit-on, d'ignorer l'amour indéniable du ténor pour le public féminin qui le lui a bien rendu d'ailleurs. Avec ses allures de jeune premier qui l'ont suivi durant sa fructueuse carrière, sa maturité et sa force morale, la séduction, bien malgré lui, a toujours été au rendez-vous. Cet homme franc et sans malice sait discerner les qualités profondes qui rendent les gens heureux et plus humains.

PHOTO : MICHEL MARCIL, ÉCHOS VEDETTES

Le brillant ténor Georges Coulombe excelle dans tous les domaines. C'est un pianiste de grand talent et un technicien hors-pair, qui sait tout faire de ses mains. À lui seul, il pourrait construire la maison de vos rêves.

1918

Roses de Picardie

Paroles : Frédéric Edward Weatherly
Musique : Haydn-Wood
Adaptation française : Pierre d'Amor

Interprètes...

Serge Laprade

Mathé Altéry, André Dassary, Aimé Doniat, Franck Fernandel, André Ferrand, Fred Gouin, Jack Lantier, Jean Lumière, Yves Montand, Mado Robin,Tino Rossi, Monique Saintonge, Ray Ventura, Lily Vincent...

Roses de Picardie

1918

De ses grands yeux de saphir clair
Aux reflets changeants de la mer
Colinette regarde la route
Va rêvant, tressaille, écoute
Car au loin, dans le silence
Monte un chant enivrant toujours
Tremblante, elle est sans défense
Devant ce premier chant d'amour

(Refrain)
Des roses s'ouvrent en Picardie
Essaimant leurs arômes si doux
Dès que revient l'Avril attiédi
Il n'en est de pareille à vous
Nos chemins pourront être
un jour écartés
Et les roses perdront leurs couleurs
L'une, au moins, gardera
pour moi sa beauté
C'est la fleur que j'enferme
en mon cœur

Deuxième version. Paroles adaptées par Eddy Marnay (1980)

Dire que cet air
Nous semblait vieillot
Aujourd'hui il me semble nouveau
Et puis surtout c'était
« toi » et « moi »
Ces deux mots ne vieillissent pas
Souviens-toi

Ça parlait de la Picardie
Et des roses qu'on trouve là-bas
Tous les deux amoureux
Nous avons dansé sur les roses
de ce temps-là

Serge Laprade se démarque complètement de la mode du rock'n'roll, implanté par Elvis Presley et Johnny Hallyday. Dans les années 60, il mise sur les airs qui ont séduit des générations successives depuis des siècles antérieurs, comme *Roses de Picardie*, célèbre mélodie anglaise, jusqu'aux chansons de la Belle Époque : *Fascination, Serenata*...

Viens le soir descend
Et l'heure est charmeuse
Viens, toi si frileuse
La nuit déjà comme un manteau s'étend...

Le chanteur romantique aux beaux costumes tranche sur la négligencc vestimentaire des stars excentriques du moment. Sa voix et sa façon d'interpréter les succès de l'âge d'or, au goût du jour, plaisent aux gens qui sont à la recherche d'un patrimoine ancestral. Certains vont s'agiter au son des groupes yéyé, d'autres vont s'entrelacer en chantant et même en dansant pendant les spectacles de Serge Laprade, qui favorise la communication de cœur à cœur.

Avec Monique Saintonge, excellente auteure et interprète, il enregistre chez RCA Victor, en 1967, un microsillon avec des titres inoubliables comme *Roses de Picardie, Derrière les volets, La Valse brune*... (1819) de Georges Villard et de Georges Krier :

C'est la Valse brune
Des chevaliers de la lune
Que la lumière importune
Et qui recherchent un coin noir
C'est la Valse brune
Des chevaliers de la lune
Chacun avec sa chacune
La danse le soir

Le duo a également chanté *Envoi de fleurs* :

Pour vous obliger de penser à moi
D'y penser souvent, d'y penser encore
Voici quelques fleurs, bien modeste envoi
De très humbles fleurs qui viennent d'éclore

Ce ne sont pas là de nobles bouquets
Signés de la main de savants fleuristes
Liés par des nœuds de rubans coquets
Bouquets précieux, chefs-d'œuvre d'artistes...

Sur un autre microsillon, sous l'étiquette Polydor, en 1982, Laprade enregistre d'autres grands succès plus récents de Jacques Brel (*La quête*), Charles Trenet (*La mer*), Melina Mercouri et Nana Mouskouri (*Les enfants du Pirée*), Yves Montand et Jacques Normand (*C'est si bon*) :

Je ne sais pas s'il en est de plus blonde
Mais de plus belle, il n'en est pas pour moi
Elle est vraiment toute la joie du monde
Ma vie commence dès que je la vois
Et je fais Oh !
Et je fais Ah !

C'est si bon
De partir n'importe où
Bras dessus, bras dessous
En chantant des chansons
C'est si bon
De se dire des mots doux
Des petits riens du tout
Mais qui en disent long...

Dès lors, on l'associe à un style particulier, à des interprètes d'ici et d'ailleurs, Fernand Gignac, Michel Louvain, André Claveau, qui font merveille avec ces mélodies d'autrefois. Mais cela n'empêche pas Serge d'enregistrer des titres plus actuels des années 80-90 : *L'amour interdit, Une place au soleil*, et ce tube de Claude Barzoti : *Prends bien soin d'elle* :

Elle a fini par se lasser
De cette vie de ce métier
Des éternels allers-retours
Entre le travail et l'amour

Puisqu'elle se tourne vers toi
Essaie de l'aimer mieux que moi
Moi je n'ai pas su la comprendre
Je n'ai jamais su être tendre

Prends bien soin d'elle
Sois-lui fidèle...

Serge aurait bien pu se contenter de son travail d'animateur à la radio et à la télévision, où il a gravi tous les échelons menant au vedettariat. Mais il n'a jamais aimé la facilité, tout ce qui est acquis. Il a constamment besoin de relever de nouveaux défis.

Certains voudraient bien le voir s'embourber, se tromper et faire des erreurs de jugement. S'il lui arrive d'en faire, ce qui est bien normal quand on est entreprenant, rien ne paraîtra sur son visage radieux.

Quand il enregistre ses albums ou des réclames publicitaires, les musiciens et les techniciens vous diront qu'il est presque parfait. Avec lui, tout est calme et apaisant dans les studios. Pas de panique, il souhaite, dit-on, créer le soleil à travers les jours pluvieux ou les tempêtes de verglas. C'est l'homme confiant et audacieux qui voudrait mettre des fleurs à toutes les boutonnières. Vous l'entendrez souvent chanter ce refrain de Paul Misraki, *Tout va très bien Madame la marquise*, succès de Ray Ventura :

Tout va très bien, Madame la Marquise
Tout va très bien, tout va très bien
Pourtant, il faut, il faut que l'on vous dise
On déplore un tout petit rien
Un incident, une bêtise
La mort de votre jument grise
Mais, à part ça, Madame la Marquise
Tout va très bien, tout va très bien...

Si vous consultez sur Internet la discographie de Serge Laprade, vous verrez qu'il a enregistré un album en français des grandes comédies musicales, telles que *J'aurais voulu danser*, *Il y a longtemps, America, Je me marie demain...* et un autre disque intitulé *Une soirée au cabaret avec Serge Laprade*.

Depuis belle lurette, il est passé maître dans l'art de la communication. Sa façon d'y parvenir a toujours été le contact direct avec le public. Demandez-le à Daniel Arsenault, son agent depuis plus de 30 ans, et à ses partenaires qui ont chanté en duo sur des 45-tours : Denise Filiatrault, Danielle Ouimet, Francis Lalumière, Suzanne Valéry...

Avec Lucille Bastien, il a fait grimper au palmarès cette chanson de Michel Emer, composée pour Edith Piaf et le dernier homme de sa vie Théo Sarapo, *À quoi ça sert l'amour* :

À quoi ça sert l'amour ?

1962

Paroles et musique : Michel Emer

À quoi ça sert l'amour ?
On raconte toujours
Des histoires insensées
À quoi ça sert d'aimer ?

L'amour ne s'explique pas
C'est une chose comme ça
Qui vient on ne sait d'où
Et vous prend tout à coup

Moi, j'ai entendu dire
Que l'amour fait souffrir
Que l'amour fait pleurer
À quoi ça sert d'aimer ?

L'amour ça sert à quoi ?
À nous donner d'la joie
Avec des larmes aux yeux...
C'est triste et merveilleux

Pourtant on dit souvent
Que l'amour est décevant
Qu'il y en un sur deux
Qui n'est jamais heureux

Même quand on l'a perdu
L'amour qu'on a connu
Vous laisse un goût de miel
L'amour c'est éternel
Tout ça, c'est très joli
Mais quand tout est fini
Il ne vous reste rien
Qu'un immense chagrin

Tout ce qui maintenant
Te semble déchirant
Demain, sera pour toi
Un souvenir de joie

En somme, si j'ai compris
Sans amour dans la vie
Sans ses joies, ses chagrins
On a vécu pour rien ?

Mais oui ! Regarde-moi !
À chaque fois j'y crois
Et j'y croirai toujours...

Ça sert à ça, l'amour !
Mais toi, t'es le dernier
Mais toi, t'es le premier
Avant toi, y avait rien
Avec toi je suis bien

C'est toi que je voulais
C'est toi qu'il me fallait
Toi qui j'aimerai toujours
Ça sert à ça l'amour

Serge Laprade

Né le 13 janvier 1941, à Montréal (Québec)

C'est vrai que Serge Laprade a beaucoup de points en commun avec le beau Brummell (George Brian), ce dandy anglais, roi de l'élégance, toujours tiré à quatre épingles. Le public y aurait perdu au change, s'il avait été élu député à l'élection fédérale de 1988. Il l'a échappé belle. Son image de gentilhomme est intacte après plus de 45 ans de carrière comme chanteur, animateur, auteur et philosophe.

Il naît dans un quartier ouvrier de l'Est de Montréal, alors que la Seconde Guerre mondiale fait des ravages, en 1941. Pour survivre, bien des jeunes sont forcés de s'enrôler dans les Forces militaires. Son père exerce le métier de cordonnier et ne trouve pas nécessairement chaussure à son pied; il tire le diable par la queue.

La mère, née en Gaspésie, est vraiment la reine du foyer, où l'on chante et s'amuse, malgré la maladie qui s'acharne sur cette femme courageuse de santé fragile. Elle va rendre l'âme trois ans après la naissance de Serge. Le père et ses cinq fils sont sur le carreau. Ce sera difficile pour le clan Laprade de surmonter cette cruelle épreuve.

Serge est loin de connaître une enfance dorée. Adolescent, il exerce plusieurs petits boulots pour aider sa famille et payer ses études. À 12 ans, et jusqu'à l'âge de 20 ans, il fait partie de la manécanterie Meilleur de l'école du même nom, où le Frère Julien lui apprend les rudiments de son futur métier de chanteur. Comme soliste, il produit une vive impression lorsqu'il interprète avec justesse et assurance *L'angélus de la mer, Partons la mer est belle, Évangéline*, poème d'amour, chant patriotique de Longfellow, en 1847.

Les étoiles étaient dans le ciel
Toi dans les bras de Gabriel
Il faisait beau, c'était dimanche
Les cloches allaient bientôt sonner
Et tu allais te marier
Dans ta première robe blanche
L'automne était bien commencé
Les troupeaux étaient tous entrés
Et parties toutes les sarcelles
Et le soir au son du violon
Les filles et surtout les garçons
T'auraient dit que tu étais belle

Évangéline Évangéline

À la fin de ses études secondaires, il s'inscrit à la faculté des Sciences sociales de l'Université de Montréal. Le diplômé rêve un jour de faire sa marque en politique étrangère, comme ambassadeur à Paris ou à Londres ou comme diplomate aux Nations Unies à New York.

Comme il n'est pas un fils à papa, il doit mettre les bouchées doubles pour subvenir à ses obligations universitaires et se payer un peu de bon temps. Excellent communicateur avec une diction impeccable, on l'engage sur-le-champ au service des nouvelles de la station de radio CJMS.

En 1961, Serge tente sa chance aux Découvertes de Jean Simon au Café de l'Est et remporte le premier prix attribué, l'année précédente, à Ginette Reno. Sa rencontre avec le producteur de disques, Jacques Matti, également journaliste et excellent animateur à la radio, arrive à un bon moment. Il lui fait enregistrer un premier 45-tours; *Le jour le plus long* et *Heureusement*. Le deuxième aura plus de chance avec *Tout le monde en route* et *Vive le palmarès*.

À son émission télévisée, *En habit du dimanche*, en 1963, Jacques Normand présente Serge Laprade comme le nouveau tombeur de ces dames. « Retenez bien ce nom et ce visage, je vous prédis qu'il fera une longue carrière dans le monde du spectacle. » Un tel endossement de la part du plus grand fantaisiste du Québec vaut son pesant d'or. Le créateur de la chanson de Jean Rafa, *Les nuits de Montréal*, ne parle pas à travers son chapeau. Lui, il connaît la musique!

On a de tout temps chanté les nuits de Paris
La place Pigalle Montmartre les Halles
Dans le monde entier on sait que là-haut c'est beau
Oui mais ici on a aussi
Des filles jolies des cabarets des boîtes de nuit
Pour y chanter dans la gaieté des airs légers

J'aime les nuits de Montréal
Pour moi ça vaut la place Pigalle
Je ris, je chante
La vie m'enchante
Il y a partout des refrains d'amour...

En 1964, Serge est élu Découverte de l'année au Gala des artistes. Dès lors, les directeurs de télévision lui font des propositions alléchantes. Radio-Canada lui confie l'animation de *Bras dessus, bras dessous* avec la resplendissante Élaine Bédard. Il a son propre style dans sa manière de chanter, de se présenter, de s'habiller et même de se coiffer.

Jacques Matti le rattrape au vol et lui fait enregistrer *Capri c'est fini*, presqu'en même temps que son auteur Hervé Villard. Dans toute la francophonie, cette chanson sera au palmarès durant des mois. Qui n'a pas, à ce moment-là, chantonné ce refrain répétitif :

Capri, c'est fini
Et dire que c'était la ville
De mon premier amour
Capri, c'est fini
Je ne crois pas
Que j'y retournerai un jour

Capri, oh c'est fini
Et dire que c'était la ville
De mon premier amour,
Capri, oh c'est fini
Je ne crois pas
Que j'y retournerai un jour...

Quand un jeune universitaire décide de quitter les Sciences sociales pour se lancer dans la chanson, on lui demande aisément des comptes. On s'attend à beaucoup de lui. On veut qu'il soit capable de discuter de tout, d'aborder une matière sérieuse, aussi bien qu'un sujet aussi banal que la pluie et le beau temps.

Quel est l'avenir d'un gars qui se lance délibérément dans le domaine de la variété, alors qu'il a un avenir tout autre devant lui ? Voici ce que Serge répond : « Il m'a fallu un bout de temps avant de me décider à faire le grand saut. Plusieurs de mes camarades me déconseillaient d'abandonner ma carrière en Sciences sociales où j'étais assez doué, somme toute, pour me faire valoir. Cependant, comme je faisais déjà de la radio, je dus me rendre compte que la carrière de chanteur m'intéressait bien davantage. Aujourd'hui, je ne me pose plus la question, je sais que j'ai choisi ce qui était le mieux pour moi. »

De 1964 à 1967, Serge Laprade, en compagnie de Monique Saintonge, née à Saint-Jérôme le 29 avril 1943, anime *La Belle Époque* à Télé-Métropole. On le verra également à *De un à dix* et, régulièrement, dans les émissions de variétés. C'est une valeur sûre à la télévision et à la radio, principalement à CKAC et à CKLM, où il occupa le poste de directeur de la programmation.

La réputation de Serge comme animateur n'est plus à faire. À Radio-Canada, il est meneur de jeu du *Travail à la chaîne*, de 1972 à 1981, avec comme partenaire le grand argentier Jacques Houde.

PHOTO : ÉCHOS VEDETTES

Comme animateur, la réputation de Serge Laprade n'est plus à faire. À la télévision de Radio-Canada, il est le meneur de jeu, de 1972 à 1981, du *Travail à la chaîne*, avec comme partenaire le grand argentier Jacques Houde.

Pendant ces années, Laprade est fort demandé dans tout le Québec et refuse de tenter sa chance en France. À la Place des Arts, à Montréal, il a un énorme succès avec *Le Goëland , Quand l'amour va*, tout en s'appropriant les tubes de Claude Barzotti, Sacha Distel et Jacques Dutronc avec *J'aime les filles* :

J'aime les filles de chez Castel
J'aime les filles de chez Régine
J'aime les filles qu'on voit dans « Elle »
J'aime les filles des magazines

J'aime les filles de chez Renault
J'aime les filles de chez Citroën
J'aime les filles des hauts fourneaux
J'aime les filles qui travaillent à la chaîne

Si vous êtes comme ça, téléphonez-moi (bis)

Pour le populaire chanteur, s'offrir le luxe de présenter son tour de chant à la Place des Arts est loin d'être une pure fantaisie dans le but de se mettre en valeur. « C'est, selon la relationniste Thérèse David, une autre forme de contact, c'est une autre manière de communiquer ses envies, ses joies, ses peines et cette chaleur humaine si importante à ses yeux. C'est de chanter le mot juste, la phrase bien placée qui fait du bien à entendre. »

Serge mène sa carrière d'une façon ordonnée. Il est très sélectif dans le choix de son répertoire et ne veut absolument pas enregistrer des textes qui ne lui conviennent pas. Au début des années 80, il prend le temps d'écrire et de faire du sport pour garder sa forme et son élégance; il excelle au tennis et à la natation.

Dans ses trois bouquins intitulés *Moments tendres*, on apprend à connaître l'homme qui se définit en trois mots : amour, tendresse et amitié. « J'ai besoin, écrit-il, de mettre de la beauté dans le quotidien des gens. Le public ne doit pas connaître nos malheurs et nos problèmes. »

Du 12 mai 1975 au 20 août 1981, il lit quotidiennement, à CKAC, des extraits de ses confidences à l'eau de rose pour certains, et philosophiques pour la grande majorité de ses nombreux auditeurs qui en redemandent.

« Pour rien au monde, je ne voudrais passer pour un moralisateur. D'ailleurs, ce serait complètement faux puisque je m'occupe du moral des gens et non de leur morale. » Serge est avant tout un homme de compassion et de dévouement sur lequel on peut compter en tout temps. Pendant 12 ans, il a été l'infatigable animateur du Téléthon de la Paralysie cérébrale, de 1976 à 1988.

À Quatre Saisons, il est à la barre de l'émission télévisée *Garden Party*, de 1988 à 1990, avec Michèle Richard au tout début et par la suite avec Jano Bergeron. Pendant quatre ans, il reçoit des invités au Canal Vox pour commenter l'actualité dans tous les domaines.

Pour fêter ses 35 ans de vie artistique, il accepte la proposition du Casino de Montréal, en 1998. Pendant un mois, il fait salle comble, l'après-midi, avec son spectacle, *Chœur à cœur*, en compagnie de l'excellent pianiste, compositeur et interprète Daniel Hétu. Serge y va de son répertoire et de quelques chansons en hommage à Frank Sinatra.

Quand il n'est pas au petit écran ou sur scène, vous le trouvez régulièrement en studio en train de faire du doublage de films et de téléséries de langues étrangères. C'est sûrement ce qui l'a l'influencé à plonger dans l'univers cinématographique, en 2000.

Il a consacré trois ans de sa vie à réaliser le film *100 % Bio*, à la fois comme scénariste avec Claude Fortin et en tant qu'acteur. « Ce fut, de déclarer Serge, une nouvelle expérience de faire un film centré sur ma vie, mes 40 ans dans le milieu de la télévision. J'avais l'impression de ramasser un peu partout des morceaux de ma vie et de mieux me connaître. On m'a donné la liberté de donner mon opinion, d'exprimer mes idées et de m'investir au-delà de mon rôle d'acteur. »

Le film a remporté la palme du meilleur scénario, lors du Festival international du nouveau cinéma, sous les auspices de Claude Chamberland. La critique et la réaction du public furent unanimes à louanger le travail professionnel de Laprade.

PHOTO : ÉCHOS VEDETTES

Sur les ondes de la station de radio CKVL, Serge Laprade reçoit Jean-Pierre Ferland, qui vient lui présenter son dernier album, sur lequel est gravé *Je reviens chez nous*, en 1968. Deux grands artistes qui ont toujours la cote d'amour.

Il a bien aimé sa tournée de 35 villes à l'automne 2006. Dans tout le Québec, de Montréal à Gaspé, il a présenté son spectacle, dans le cadre des journées thématiques de Santé prévention. Chaque année, Bernard Arsenault organise cet événement qui se déroule dans les centres culturels, les sous-sols d'églises ou les salles des Chevaliers de Colomb.

Ce fut toute une surprise de voir danser Serge au *Match des étoiles*, à Radio-Canada, le 30 septembre 2006. Une autre expérience démontrant un autre de ses talents cachés.

Trouvera-t-il le temps d'enregistrer un autre album avec les succès d'hier et de demain. Il compte sur la relève, les Pierre Lapointe, Daniel Bélanger, Arianne Moffatt, pour lui écrire des chansons sur mesure. Quand les fruits seront mûrs, le public sera là pour cueillir d'autres moments tendres en paroles et en musique.

PHOTO : ÉCHOS VEDETTES

Serge Laprade en compagnie de l'animatrice Marguerite Blais qui a su gravir tous les échelons à la radio et à la télévision. Lauréate du concours Mademoiselle Québec, en 1972, elle est aujourd'hui députée et ministre responsable des Aînés.

1930

Le petit sauvage du Nord

Paroles et musique : Mary Travers (La Bolduc)

PHOTO : MUSÉE DE LA BOLDUC NEWPORT

Interprètes...

La Bolduc

Aglaë (Josée Delongchamps), Angèle Arsenault, Jacqueline Barrette, Edith Butler, Jeanne d'Arc Charlebois, Les Coquettes, Marthe Fleurant, Marie Lord, Dominique Michel...

Le petit sauvage du Nord

Le sauvage du Nord en tirant
ses vaches
Y avait des bottes aux pieds
qui faisaient la grimace
Tout le long de la rivière (turlutage)
Les petits sauvages étaient
couchés par terre
Pis y'en avait d'autres
sus l'dos d'leur mère

Tu m'as aimée pis
j't'ai aimé à présent tu m'quittes
Tu m'aimes plus et pis moé non plus
nous sommes quittes
pour quittes
Tout le long de la rivière (turlutage)
Les petits sauvages étaient
couchés pas terre
Pis y'en avait d'autres
sus l'dos d'leur mère

Tu t'rappelles-tu quand tu
m'promenais dans ton
canot d'écorce
Dans c'temps-là tu faisais
ton frais tu me j'tais sur les roches
Tout le long de la rivière (turlutage)
Les petits sauvages
étaient couchés par terre
Pis y'en avait d'autres
sus l'dos d'leur mère

Toé dans ton coin pis moé dans
l'mien on s'regardait sans cesse
Dans c'temps-là t'avais l'air
fin aujourd'hui t'a d'l'air bête
Tout le long de la rivière (turlutage)
Les petits sauvages étaient
couchés par terre
Pis y'en avait d'autres
sus l'dos d'leur mère

Le mouchoir que tu m'avais donné
tiens mets-le dans ta poche
Retire-toi d'auprès de moi et
que le sorcier t'emporte
Tout le long de la rivière (turlutage)
Les petits sauvages
étaient couchés par terre
Pis y'en avait d'autres
sus l'dos d'leur mère

Le casque de plumes que j't'avais
prêté t'as besoin de me le remettre
Si tu veux pas que je te
lance la tête avec une flèche
Tout le long de la rivière (turlutage)
Les petits sauvages
étaient couchés par terre
Pis y'en avait d'autres
sus l'dos d'leur mère

Au Québec, durant la grande récession, la chanteuse la plus populaire est sans contredit La Bolduc qui, entre 1928 et 1941, composa 300 chansons, dont près d'une centaine sont immortalisées par le disque. Son histoire est un vrai conte de fées. Comment expliquer qu'une simple ménagère de la Gaspésie, pauvre et inconnue, soit devenue une superstar dans les années 30, bien avant que ce mot soit inventé et inscrit dans le Petit Larousse ou le Grand Robert. C'est le temps de la crise au Québec et dans tout l'Occident. Partout, c'est le chômage et la misère noire.

Au début des années 40, d'autres chanteurs, le soldat (Roland) Lebrun et Jacques Aubert, connaissent aussi leur heure de gloire avec des complaintes de guerre comme *Je suis loin de toi mignonne* ou *Ton petit Kaki*. Cette chanson de guerre fut écrite sous forme de lettre par Roger Hanck et mise en musique par Jacques Aubert qui l'enregistra sous l'étiquette Starr :

Je suis loin de toi, Mignonne
Loin de toi et du pays
Mais je resterai, Madone
Toujours ton petit Kaki
J'ai dû partir, c'est la guerre
Et te quitter brusquement
Quelque part en Angleterre
A toi je pense souvent

J'ai sur ma table rustique
Ton doux visage adoré
J'ai dans mon cœur nostalgique
Le dernier de tes baisers
Et ma pensée comme une ombre
Traverse les océans
Je donnerais tout au monde
Pour t'avoir un seul instant...

Quand on analyse les chansons de Mary Travers, dite La Bolduc, on constate que ce sont de petits tableaux humoristiques qui évoquent l'actualité de l'époque. Dans sa prose, c'est toute l'histoire du peuple québécois qui défile devant nos yeux. Son œuvre fait partie du patrimoine culturel, politique et social.

Avec son turlutage, légué par ses ancêtres irlandais, elle innove avec son style personnel et naturel, parfois mordant, mais presque toujours comique. Dans les veillées du bon vieux temps, en famille ou devant des foules, elle chante avec le même entrain ses refrains et nombreux couplets qui sont sa marque de commerce.

Le public est subjugué quand elle fait défiler tous ses personnages pittoresques et attachants. *Les policemen, Les pompiers de Saint-Eloi, Les belles-mères, Le petit sauvage du Nord*, qu'elle enregistre le 26 mars 1931. Cette chanson a été reprise cent fois à la scène, à l'écran et sur disque, notamment par Aglaë (1958), Dominique Michel (1962), Les Coquettes (1969) et Marie Lord (1992) sur son album *Hommage à Mme Bolduc*.

Considérée comme l'héritière professionnelle de La Bolduc, Jeanne d'Arc Charlebois (1920-2001), véritable ambassadrice du folklore québécois, a toujours cherché à faire connaître le répertoire varié de Mary Travers. À Paris, sous le nom de Jeanne Darbois, elle lui a rendu hommage, pendant 20 ans, aussi bien aux Folies-Bergère qu'au Casino de Paris.

Tout comme Madame Bolduc, Jeanne d'Arc ne tarde pas à se faire remarquer et à faire parler d'elle avec son allure de star hollywoodienne, sa beauté et sa passion de la musique. Les voisins et les membres de sa famille répètent à qui veut les entendre que leur protégée ira loin. Jeanne d'Arc a le don d'imiter à merveille ses proches et les artistes qu'elle entend à la radio ou, à l'occasion, au cinéma du quartier, au Théâtre National ou aux *Veillées du bon vieux temps* (Conrad Gauthier) du Monument-National. C'est là qu'elle verra pour la première fois La Bolduc. Jeanne d'Arc retient tous ses refrains et sa façon de turluter, en commençant par *Les agents d'assurances* et *Les maringouins* :

Je suis allée me promener
À la campagne pour l'été
Je vous dis que j'en ai arraché
Les maringouins m'ont toute mangée
Quand y m'ont vu arriver
Y m'ont fait une belle façon
Sont venus au-devant d'moé
C'était comme une procession (Turlutage)

Au cours d'une tournée en Ontario, La Bolduc s'est arrêtée chez Mme Elzire Dionne, âgée de 26 ans, qui venait de donner naissance à des quintuplés, le 28 mai 1934. La nouvelle fera le tour du monde. À Paris, Bruxelles, Londres, on parle d'Annette, Yvonne, Cécile, Émilie et Marie. Hollywood tournera un documentaire sur cet événement mondial. La Bolduc écrit *Les cinq jumelles* :

A Calender, Ontario
Ils sont forts sur les jumeaux
Ça prend une bonne Canadienne
Pour avoir ça à la d'mi douzaine
Hi ha ha les gens du Canada
Marchent de l'avant comme des braves soldats !

Elle avait le sens de l'observation et se servait de l'actualité pour faire rimer « Ti-Jean » avec « L'R-100 » et « Ti-Noir » avec « à l'envers ». C'est le 1er août 1930 que le dirigeable L'R-100, venu d'Angleterre, survola Montréal pour s'arrêter à l'aéroport de Saint-Hubert, après 78 heures et 40 minutes de vol. Sa chanson est toujours là pour nous rappeler ce fait historique. Reprenons en chœur ce refrain évocateur :

J'vais te changer d'nom Ti-Jean
Pis j'vas t'appeler L'R-100
Tit-Rouge L'R-100
Tit-Gus L'R-100
Tit-Pit L'R-100
Moé j'trouve qu'ça du bon sens
C'est les culottes L'R-100
Brassières L'R-100
Jarretières L'R-100
Tout l'monde parle de L'R-100

Malgré le temps et les nouveaux courants de musique, les traces du style de La Bolduc demeurent présentes dans le répertoire de nos chansonniers. Plusieurs suivent ses traces en s'inspirant de son œuvre. Oscar Thiffault a été son digne successeur à la fin des années 40. Elle lui a inspiré son humour et son contenu folklorique. Sa chanson *Le Rapide blanc* a franchi, pour la première fois au Québec, le cap des 100 000 exemplaires. Durant cette même période, la Famille Soucy a énormément de succès avec *Les fraises et les framboises* et *Prendre un verre de bière mon minou*.

On ne peut également passer sous silence les rôles joués par les musiciens ou chanteurs folkloriques : Tommy Duchesne, Ti-Jean Carignan, Adrien Avon, Alan Mills, Hélène Baillargeon, Ti-Blanc Richard, Paul Cormier, devenu Monsieur Pointu, Omer Dumas et ses ménestrels. N'oublions pas le Quatuor Alouette et

Les Grenadiers, comprenant Albert Viau, David Rochette, François Brunet et Paul-Emile Corbeil, qui personnifia Le vieux vagabond à Radio-Canada.

Pour beaucoup, la chanson québécoise est née, à compter de 1950, avec Félix Leclerc, Robert Charlebois, Raymond Lévesque, Gilles Vigneault, Clémence DesRochers, qui a fait partie des Bozos. Comme La Bolduc, elle écrivait ses paroles en langage vernaculaire, propre à son pays, à sa région, n'épargnant ni l'humour, ni la satire.

Il ne faut pas oublier que La Bolduc a influencé tous ces auteurs compositeurs et interprètes. Son nom restera gravé dans la mémoire des francophones. Elle a exprimé avec simplicité sa fierté d'être à l'image de sa chanson *La Gaspésienne pure laine* :

C'est ici que sur nos côtes
Jacques Cartier planta la croix
France ta langue est la nôtre
On la parle comme autrefois
Si je la chante à ma façon
J'suis Gaspésienne et pis j'ai ça d'bon !

Chaque année, lorsque le temps des fêtes arrive, il y a toujours un Québécois qui se lève pour chanter : *Le jour de l'an...*

Le jour de l'an

1930

Préparons-nous son père
Pour fêter le jour de l'An
J'vais faire des bonnes tourtières
Un beau ragoût d'l'ancien temps

(Refrain)
C'est dans l'temps du jour de l'An
On s'donne la main
On s'embrasse
C'est l'bon temps d'en profiter
Ç'arrive rien qu'une fois par année

Peinture ton cotteur
Va ferrer ta jument
On ira voir ta sœur
Dans l'fond du cinquième rang

Va t'acheter une perruque
Fais-toé poser des dents
C'est vrai qu't'as rien
que moé à plaire
Mais tu serais plus ragoûtant

Ti-Blanc à ton oncle Albert
Doit ben v'nir au jour de l'An
Montre-z-y ton savoir-faire
Comme tu dansais dans
ton jeune temps

Tâche pas de perdre la tête
Comme t'as fait il y a deux ans
T'as commencé à voir clair
Quand j'avais pus d'argent

Y en a qui vont prendre un verre
Y vont profiter de c'temps-là
Aujourd'hui ça coûte si cher
Y a tant d'monde qui travaille pas

Il y en a qui sentent la pipe
Et d'autres qui sentent les oignons
J'aime ben mieux vous
dire tout d'suite
La plupart sentent la boisson

La Bolduc

Née Marie Rose Anne Travers, le 4 juin 1894, à Newport (Québec)

Dès 1930, le disque et la radio envahissent les foyers de toute la francophonie. À Paris, les Galeries Lafayette et Au Printemps offrent à leur clientèle les 78-tours de Mireille, Alibert, Fréhel. À Montréal, la maison de musique Edmond Archambault en fait autant avec Ovila Légaré, Conrad Gauthier et La Bolduc, dont le premier enregistrement s'envole à plus de 10 000 exemplaires en quelques jours seulement. Tout un exploit pour l'époque !

En pleine crise économique, elle est la première à composer des chansonnettes en s'inspirant de l'actualité. En 2007, c'est toujours le même refrain que l'on entend. On parle de récession, d'épidémies de toutes sortes, du gel des salaires. Alors que 66 années se sont écoulées depuis son décès, en 1941, les propos de cette pionnière font encore la manchette.

Le 26 janvier 1891, Lawrence Travers, devenu veuf avec six enfants, épouse en secondes noces Adelyne Cyr, à Newport, en Gaspésie, à l'embouchure de la Baie des Chaleurs. C'est dans ce petit village que naît Marie Rose Anne, le 4 juin 1894, au sein d'une famille irlandaise s'efforçant de parler français. En public, elle a toujours prétendu que sa date de naissance avait été le 24 juin, jour de la fête nationale des Canadiens français. Son père, plombier et musicien compétent et courageux, enseigne à sa fille, qu'il appelle Mary, l'harmonica, l'accordéon, la guimbarde et même les cuillères.

Pour sortir la famille de la misère, les enfants, dès l'âge de 13 ans, doivent travailler à l'extérieur du foyer, surtout à Québec. En 1907, Mary choisit de s'installer à Montréal où sa demi-sœur,

Photo : Musée de La Bolduc, Newport

On n'a jamais su si La Bolduc appréciait la présence des animaux domestiques. Dans ses chansons, elle fait à peine mention de la jument grise de *Johnny Monfarleau* et de *Rouge carotte*, qui « avait l'air d'un p'tit chien barbet ».

Mary-Ann, lui a trouvé un gîte temporaire auprès d'elle, chez le riche docteur Albert Lesage, du carré Saint-Louis. Le cocher est toujours prêt à partir en calèche avec le réputé médecin, qui accoure au chevet des malades, à n'importe quelle heure du jour et de la nuit. La métropole compte alors une population de 350 000 habitants, alors que toute la Gaspésie n'en a que 50 000.

Chaque matin, la nouvelle citadine scrute les petites annonces de *La Presse* pour dénicher un travail de gardienne d'enfants ou de cuisinière. Pour 12 $ par mois, elle est embauchée comme bonne à tout faire. Après un stage dans une manufacture de textile, elle devient couturière à son compte et gagne ainsi plus d'argent. Sa clientèle lui demande de fabriquer des robes de mariées et de soirées mondaines. Elle consacrera plus de temps à se faire connaître comme musicienne.

Durant les fins de semaine, Mary va au cinéma et dans les tombolas organisées par le premier maire de Montréal, Jacques Viger. Une bonne amie, Agnès, lui présente le violoneux Edmond Bolduc. Avec ce charmant musicien, elle fait danser les paroissiens au sous-sol des églises environnantes. Au cours d'une fête d'amis, elle rencontre un autre beau jeune homme, Édouard, frère d'Edmond. Son archet fait de l'effet sur les cordes sensibles de la pimpante et joyeuse musicienne.

Édouard profite de la venue des parents de Mary à Montréal, en décembre 1913, pour demander la main de leur fille. Le 17 août 1914, alors que la Première Guerre mondiale éclate, la fiancée devient Mme Édouard Bolduc pour le meilleur et pour le pire. De cette union naîtront 13 enfants, quatre seulement survivront : Denise, Lucienne, Réal et Fernande.

En 1921, les Bolduc ont beaucoup de difficulté à joindre les deux bouts. Mary songe à retourner vivre en Gaspésie. Édouard n'est pas d'accord. Comme sa sœur Alice habite à Springfield dans l'État du Massachusetts, le couple tente sa chance aux États-Unis en s'y rendant par train, après avoir vendu leurs maigres biens. Ils rejoindront les 640 000 Canadiens français en exil depuis 1860. Comme la situation financière ne s'améliore pas et que Mary est de nouveau enceinte, on reviendra à Montréal l'année suivante. Elle se rendra à Newport aux funérailles de sa mère, décédée à l'âge de 57 ans. Leur fils Réal naît le 17 septembre 1922.

Le 1er mai 1924, la famille déménage dans un beau logement plus spacieux de la rue Dufresne. Mary assiste presque tous les jours à la messe et partage les activités des Dames de Sainte-Anne. Chaque soir après la récitation du chapelet en famille, elle sort ses instruments de musique, chante avec ses enfants et rêve en silence de briller sous les projecteurs.

Au cours d'une soirée familiale, en 1928, elle fait la connaissance du comédien et chanteur Ovila Légaré, qui enregistre des disques chez Starr-Guenett. Elle démontre ses multiples talents de musicienne, ce qui l'amènera à accompagner et à chanter en duo avec le grand artiste. Dans la cuisine et au salon, elle chantonne et écrit sans arrêt, sur des feuilles pêle-mêle, des faits courants qu'elle met en musique au meilleur de sa connaissance.

Avec le temps, on voit bien qu'elle rêve d'interpréter ses chansons devant le grand public. Coup de chance, le réputé folkloriste Conrad Gauthier l'engage au Monument-National, dans le cadre de ses *Veillées du bon vieux temps*, présentées six ou sept fois par année. Les spectateurs l'ovationnent dès qu'elle s'avance, dans sa longue robe de soie noire enjolivée d'un grand collier de perles, pour chanter *La cuisinière* et *La Servante*. Sa fille aînée, Denise, l'accompagne au piano.

Ma servante est une jeune fille
Elle va avoir cinquante ans c'printemps
Elle se tortille le corps
Comme une jeune fille de quinze ans (turlutage)

Quand je la vois l'dimanche
Avec sa vieille bougrine
Ses deux mains sur les hanches
En s'faisant taper les babines... (turlutage)

Elle se produit avec les artistes les plus populaires du Québec, qui deviennent vite ses amis : Hector Charland, Isidore Soucy, Hector Pellerin, Eugène Daignault, Alfred Montmarquette, sans oublier le pianiste Léo Lesieur, le gigueux Gustave Doiron et la comédienne Janette Teasdale.

PHOTO : MUSÉE DE LA BOLDUC, NEWPORT

C'est tout un héritage que nous a laissé La Bolduc. En pleine crise économique, elle est la première Québécoise à composer des chansonnettes sur l'actualité. Elle a influencé Clémence DesRochers, Gilles Vigneault...

On raconte que le violoneux J.O. LaMadeleine, propriétaire d'un magasin de disques et d'instruments musicaux, s'était lié d'amitié avec Madame Bolduc. Celle-ci s'amenait chez lui, en famille, pour participer à des « veillées de musique et de chansons », jusqu'aux petites heures du matin.

Le 12 avril 1929, La Bolduc entre dans les studios de Starr-Guenett pour enregistrer ses premières chansons, CKAC et CHLP ne tardent pas à les diffuser sur leurs ondes, avant ou après *J'ai deux amours* de Joséphine Baker et *Parlez-moi d'amour* de Lucienne Boyer. Par snobisme ou chauvinisme, la radio d'État boude la chanteuse. On l'accuse d'être illettrée, de faire des fautes de grammaire et d'utiliser plein d'anglicismes.

PHOTO : MUSÉE DE LA BOLDUC, NEWPORT

Sa famille et la chanson ne lui laissaient guère de temps libre. Mme Bolduc avait rarement l'occasion de s'amuser et de prendre le large avec des amis pour se retrouver sur le fleuve Saint-Laurent.

Cela ne l'empêche pas de signer des autographes et de vendre des milliers de disques chez Archambault. Enfin, on peut la voir de près et parler avec cette femme resplendissante et naturelle, toujours vêtue élégamment et bien coiffée. On lui demande comment elle fait pour turluter ainsi. Il s'agit là d'une adaptation personnelle d'une tradition irlandaise qui, selon les musicologues, viendrait du reel écossais, ancêtre du reel canadien. Dans sa chanson *Dans les rues de Québec*, le Fou chantant Charles Trenet rendra hommage à La Bolduc et à sa façon de turluter.

Depuis l'automne que de villes parcourues
Que de boulevards et de rues
New York ô régularité
Chicago si joli l'été
Mais au cœur du joyeux hiver
C'est les rues de Québec que je préfère...
(Turlutage)

Le 6 octobre 1930, La Bolduc fait ses débuts de comédienne dans *Les feux follets* au Monument-National. Elle participe à plusieurs émissions de radio. À l'automne, elle enregistre 11 chansons, dont quatre en duo avec Ovila Légaré. Le 25 novembre, la foule est en délire lorsqu'elle chante au grand bal masqué de Lachute.

Sa fille Denise, âgée de 14 ans, ne veut plus être seulement la pianiste de La Bolduc. Elle cherche à voler de ses propres ailes au grand dam de celle-ci. Sa deuxième fille, Lucienne, enregistre une chanson de sa mère, *L'enfant volé*, qui raconte l'histoire du fils de Charles Lindberg enlevé aux États-Unis. En 1932, elle enregistre avec ses enfants *En revenant des foins*. Partout où elle passe, des admirateurs enflammés de La Bolduc lui apportent sur la scène des provisions de confitures, beignes, tourtières, marinades, qu'elle s'empresse de donner aux chômeurs et aux plus démunis de son voisinage. À cette époque, des milliers de personnes attendent en ligne pour obtenir un emploi à Montréal.

Quand le gouvernement du Québec, dirigé par Louis-Alexandre Taschereau, passe la loi des « secours directs pour l'alimentation, l'habillement, le combustible et le loyer des indigents », elle part en tournée avec sa propre troupe en chantant et turlutant : *Ça va venir découragez-vous pas*. Après une cinquantaine de représentations autour de Montréal, elle sillonne les villes et campagnes du Québec, de l'Ontario, du Nouveau-Brunswick et de la Nouvelle-Angleterre.

Mes amis je vous assure
Que le temps est bien dur
Il faut pas s'décourager
Ça va bien vite commencer
De l'ouvrage y va en avoir
Pour tout le monde cet hiver
Il faut bien donner le temps
Au nouveau gouvernement

(Refrain)
Ça va venir pis ça va venir
Mais décourageons-nous pas
Moé j'ai toujours le cœur gai
Et j'continue à turluter...

On se plaint à Montréal
Après tout on n'est pas mal
Dans la province de Québec
On mange à l'eau not'pain sec...

En Gaspésie et en Abitibi, les routes sont infernales. Sur ses affiches, c'est écrit textuellement : « Venez applaudir Mme Ed. Bolduc de la radio et des records avec sa *Troupe Bon Vieux Temps.* » Les spectacles se tiennent dans les salles paroissiales et souvent dans les églises. La publicité au prône faite par les curés fait en sorte que l'on joue à guichets fermés et que l'on doit ajouter des représentations supplémentaires.

Une partie des recettes sert à aider les bonnes œuvres de la paroisse. Bien entendu, dans ces endroits religieux, la reine du turlutage ne chante pas *La Pitoune*, qui est considérée par les puritains comme une fille de mauvaise vie. Cette chansonnette, décriée comme vulgaire, libertine, scandaleuse, raconte que « la belle fille joue du banjo, jo, jo, jo, jo ». Elle est même boycottée à la radio.

Selon l'interprète Pascal Normand, professeur de français à l'Université Concordia de Montréal, La Bolduc riposte à ces bouderies un peu snob par *La chanson du bavard* dans laquelle elle déclare :

Il y en a qui sont jaloux
Y veulent mettre du bois dans les roues
J'vous dis, tant que je vivrai
J'dirai moé et toé
J'parle comme dans l'ancien temps
J'ai pas honte de mes vieux parents
Pourvu que j'mette pas d'anglais
J'nuis pas au bon parler français

En 1932, La Bolduc reprend la route, sous la direction de l'homme-orchestre Jean Grimaldi. Elle a de nouveaux partenaires avec lesquels elle noue de solides liens d'amitié. Durant les entractes, Édouard Bolduc vend beaucoup de disques et de partitions musicales des chansons de son épouse. Il lui arrive même de participer à des sketches sur scène. En janvier 1933, elle remplit le théâtre Cartier, à Montréal. Jusqu'en mai, elle partage l'affiche avec les vedettes du burlesque : Oliver Guimond (Tizoune) et son fils Olivier, La Poune (Rose Ouellette), Manda Parent, Juliette Pétrie, Swifty, Teddy Burns, et sa bonne amie Simonne Roberval. Les tournées sont souvent très difficiles à bien des égards. La Bolduc et les musiciens se déplacent en automobile conduite par Jean Grimaldi.

Pour fêter le 400e anniversaire de l'arrivée de Jacques Cartier à Gaspé, elle a composé une chanson inoubliable qui la montre sous son vrai jour, *La Gaspésienne pure laine*. Un véritable petit bijou.

Oui tous les pays du monde
Étaient tous représentés
Pour fêter nos joies profondes
L'arrivée de Jacques Cartier

La Gaspésie c'est mon pays
Et j'en suis fière, je vous le dis (bis)

Les Gaspésiens, j'vous assure
Font les choses avec honneur
Les pêcheurs et leur créature
Ont prouvé qu'ils avaient du cœur

Quand il s'agit du Canada
Les gens d'Gaspé sont un peu là ! (bis)
Oui pour fêter le Canada
Les Gaspésiens sont un peu là

A quelques reprises, on a vu La Bolduc chanter au *King Edward Palace* de la rue Saint-Laurent. En février 1937, elle est, pour la première fois, à l'affiche d'un cabaret montréalais, l'*American Grill*. En mars, elle est l'attraction principale à une soirée de gala placée sous la présidence du maire de Montréal, Adhémar Raynault, dont le premier ministre du Québec, Maurice Duplessis, a favorisé l'élection. Elle donnera ensuite quelques spectacles chez les Franco-Américains. Sa chanson *Les Américains* fait référence à la prohibition de l'alcool aux États-Unis et aux Américains qui viennent chercher leur boisson à Montréal.

Au cours d'une autre tournée, elle est victime d'un terrible accident de voiture, le 24 juin 1937, alors que sa troupe revient de Le Bic. La Dodge 31 et la remorque sont lourdement endommagées. De l'hôpital de Rimouski, on la ramène en civière à son domicile du 1462 Létourneux, à Montréal. Elle a une double fracture à la jambe droite, le nez cassé, de fortes contusions et souffre d'une commotion cérébrale.

Après trois mois de traitements à l'hôpital Notre-Dame et à l'Institut de radium, la voilà avec ses béquilles et sa bonne humeur sur les planches des stades Molson et De Lorimier, au Marché Maisonneuve et à l'aréna du Collège Roussin. Le 14 janvier 1938, elle est opérée pour une tumeur cancéreuse maligne. Pourra-t-elle remonter sur scène ? Finira-t-elle par oublier tous ses tracas avec ses avocats et sa compagnie d'assurances ?

Après avoir composé la chanson *Roosevelt est un peu là*, au début de la Deuxième Guerre mondiale, en 1939, elle est invitée à chanter au Grand Théâtre de Boston, en présence du président des États-Unis, Franklin Delano Roosevelt. Au théâtre National de la Poune (Rose Ouellette), elle triomphe de nouveau aux côtés de Juliette Béliveau, Paul Desmarteaux, Wildor, Juliette Pétrie. Elle effectue une dernière tournée de trois semaines en Abitibi et au pays de l'oncle Sam, alors que son cancer se généralise. On insiste pour qu'elle chante ses succès qui racontent la vie de *Johnny Monfarleau, Jean-Baptiste Beaufouette, Fin Fin Bigaouette* et *Le petit sauvage du Nord*. Sa fille Lucienne est toujours là pour l'accompagner au piano. Elle a remplacé Médard Levert et Marcel Grondin.

Le 19 décembre 1940, La Bolduc accepte un autre engagement dans la plus grande salle de Saint-Henri, malgré l'interdiction de son médecin. On la supplie de chanter encore. *Les souffrances de mon accident, Je m'en vais au marché, Les agents d'assurance :*

Je me suis faite assurer
Il y a deux ans passés
Et c'était par un vieux garçon
Mais j'vous dirai pas le nom
Il a une moustache empruntée
Pis un beau p'tit char coupé
Mais quand il vient nous assurer
Il sait comment s'placer les pieds

(Refrain)
Ah ! les agents d'assurances
C'est comme ça que j'les arrange
Quand je les vois arriver
J'barre ma porte pis j'vas m'cacher
(turlutage)

En sortant de scène, épuisée, elle s'affaisse dans les bras de son mari. Mary exige qu'on la conduise chez elle et non à l'hôpital.

Dix jours plus tard, l'ambulance l'y amènera pour finir ses jours, le 20 février 1941, à l'âge de 46 ans.

C'est tout un héritage que nous a laissé La Bolduc. Le pianiste André Gagnon lui a rendu un bel hommage, en 1972, en réalisant *Les Turluteries*, une série d'arrangements baroques présentés en spectacle à la Place des Arts avec l'Orchestre de chambre McGill, dirigé par Alexandre Brott. Avec l'orchestre symphonique de Hambourg, il enregistre un album du même nom, en harmonisant 11 de ses chansons : *Le commerçant des rues, La morue, La bastringue, J'ai un bouton sur la langue...*

Me voilà mal emmanchée
J'ai un bouton sus l'bout du nez
Quand je viens pour regarder
J'vous dis que ça m'fait loucher
J'vous assure c'est bien souffrant
Ça m'a fait faire du mauvais sang
Je m'suis mis une bonne onguent
Y a guéri dans pas grand temps
Pis j'en ai un sus l'bout d'la langue
Qui m'empêche de turluter
Pis ça me fait bégagué bégaybégayer ! ...

J'ai un clou sus l'nerf du cou
Qui est aussi gros qu'un trente sous
J'en ai un sur le menton
Qui est aussi gros qu'un citron
J'en ai un autre sur le bord d'l'oreille
Qui m'sert de pendant d'oreille
Je vous assure qu'y ternissent pas
Sont garantis quatorze carats...

Pour souligner le cinquantenaire de la mort de la célèbre Gaspésienne, en 1991, André Gagnon a présenté au Centre national des Arts, à Ottawa, un spectacle avec Diane Dufresne, Jim Corcoran et Jeanne d'Arc Charlebois. Plusieurs ouvrages sur cette pionnière ont été publiés par Réal Benoit (Préface de Doris Lussier), Philippe Laframboise (Paroles de 72 chansons), Pierre Day, David Lonergan, ainsi que sa fille Fernande Bolduc. Une toile du peintre Jean-Paul Riopel, La Bolduc, est exposée dans le foyer de la salle Wilfrid-Pelletier de la Place des Arts, à Montréal.

Le folkloriste Marius Barbeau (1883-1969) écrit à son sujet : « Ses chansons m'ont frappé par leur verve endiablée et un tour de langue assez unique, à la manière des chanteurs du vrai terroir. Elle mérite certes qu'on s'occupe de conserver son répertoire ou de le faire revivre ».

Considérée comme l'héritière professionnelle de La Bolduc, Jeanne d'Arc Charlebois (1920-2001) a toujours cherché à faire connaître le répertoire varié de Mary Travers, aussi bien au Québec qu'en France, où elle a fait carrière pendant 20 ans.

En 1993, on lançait un coffret de quatre albums contenant 86 chansons enregistrées par la première chansonnière québécoise. Cette année-là, Angèle Arsenault présentait un spectacle intitulé *Bonjour Madame Bolduc* et Jacqueline Barrette l'incarnait avec justesse dans le film *Madame La Bolduc*, réalisé par Isabelle Turcotte et les Productions dix-huit ltée. Parmi les excellents comédiens, soulignons le jeu de Michèle Deslauriers, Doris Lussier, Luc Senay, Claude Blanchard, Diane Lavallée, François Guy, Jeanne d'Arc Charlebois, Jacinthe et Richard Barrette, Sylvie Potvin...

Un arrêt s'impose à Newport pour visiter le Musée de La Bolduc, qui présente la noble histoire de Mary Travers, qui est entrée dans la légende au même titre que Félix Leclerc, René Lévesque, Maurice Richard. À son sujet, l'ex-directeur du Musée de la Gaspésie à Gaspé, M. Jean-Marie Fallu, écrit : « Elle a été la première à chanter la Gaspésie dans tout le pays. La dame joyeuse représente, pour nous tous, un phénomène folklorique, un authentique monument de la tradition parlée qui demeure toujours vivant ».

Depuis l'ouverture du Musée de la Bolduc à Newport, en Gaspésie, les villageois sont très heureux de recevoir des visiteurs de tout le Québec, des États-Unis et de l'Europe. Elle a été la première femme québécoise à gagner sa vie en tant que chanteuse professionnelle. Son répertoire est souvent constitué de mélodies irlandaises provenant du côté paternel et d'airs folkloriques du Canada français, venant de sa mère.

Chaque peuple a son accent particulier, que ce soit en France, au Québec ou en Belgique. Cela contribue souvent à son originalité, surtout à travers les chansons de La Bolduc; toutes les libertés de style et de pensée sont alors permises.

Un timbre postal a été émis à l'occasion du centième anniversaire de sa naissance, en 1994. Une importante micro-brasserie québécoise a même donné son nom à une marque de bière. À son théâtre de Marieville, André Lejeune a produit, en 2003, la comédie musicale *Toc Toc Madame Bolduc*, en collaboration avec Lorraine Beaudry. La comédienne Nancy Gauthier jouait le rôle de la grande dame.

La Bolduc a su s'imposer, de peine et de misère, en jouant plusieurs rôles : musicienne, auteure, chanteuse et mère de famille. Cette figure légendaire de la chanson québécoise a traduit en paroles et en musique le climat social et politique de son temps.

Pour souligner le centième anniversaire de Mary Travers (La Bolduc) en 1994, Postes Canada a émis un magnifique timbre à son effigie, tout comme elle le fit pour Félix Leclerc, après sa mort en 1988. On n'a pas fini de lui rendre hommage.

1930

J'ai deux amours

Paroles : Georges Koger et Henri Varna
Musique : Vincent Scotto

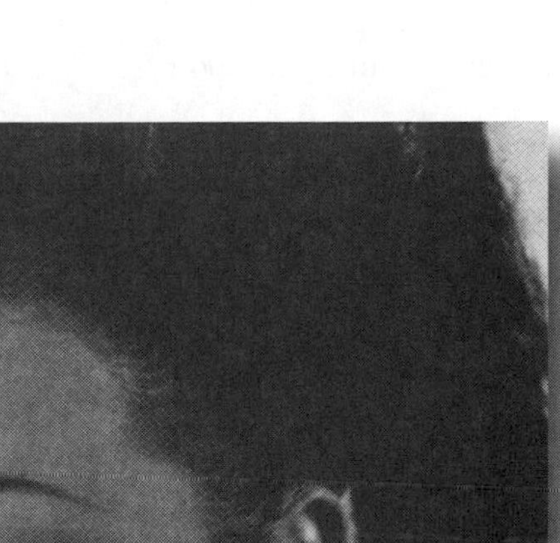

PHOTO : TVA

Interprètes...

Joséphine Baker

Alibert, Charles Aznavour, Petula Clark, Nat King Cole,
Jacqueline François, Dean Martin, Liza Minelli,
Michel Noël, Alys Robi...

J'ai deux amours

On dit qu'au-delà des mers
Là-bas sous le ciel clair
Il existe une cité
Au séjour enchanté
Et sous les grands arbres noirs
Chaque soir
Vers elle s'en va tout mon espoir

(Refrain)
J'ai deux amours
Mon pays et Paris
Par eux toujours
Mon cœur est ravi
Ma savane est belle
Mais à quoi bon le nier
Ce qui m'ensorcelle
C'est Paris, Paris tout entier
Le voir un jour
C'est mon rêve joli
J'ai deux amours
Mon pays et Paris

Quand sur la rive parfois
Au lointain j'aperçois
Un paquebot qui s'en va
Vers lui je tends les bras
Et le cœur battant d'émoi
À mi-voix
Doucement je dis
« emporte-moi ! »

(Au refrain)

Jusqu'en 1930, Joséphine Baker n'a interprété que des refrains dans les revues de vaudeville, qui vagabondent aux États-Unis. Embauchée comme servante dans un foyer blanc à l'âge de 8 ans, serveuse à 13 ans, son destin change lorsqu'elle se joint à la troupe de *James Family Band.* À New York, elle connaît un succès mitigé dans *The Plantation Club.* Malgré le fait que ses cachets sont plus rondelets, elle songe sérieusement à s'exiler en France.

Une chanson, *J'ai deux amours*, va la propulser au firmament des étoiles. Alors que le parolier Henri Varna organise un spectacle au Casino de Paris, il demande à Vincent Scotto de lui composer une chanson pour sa nouvelle vedette, Joséphine Baker.

Le surlendemain, raconte le compositeur dans ses mémoires : « Je marchais avec mon copain Georges Koger. Je me sentais le cerveau vide. Pas la moindre chanson en tête, quand, tout à coup, une idée me vint : J'ai deux amours, mon pays et Paris. J'écrivis la musique sur-le-champ, appuyé contre une porte cochère et mon collaborateur Koger esquissa un projet de texte. Arrivés au Casino de Paris, nous trouvâmes Varna et Joséphine qui attendaient. On me fit monter sur la scène et je dus chanter la chanson improvisée. »

Joséphine Baker va la créer le 26 septembre 1930, dans la revue *Paris qui remue*. Durant 13 mois, elle interprètera *J'ai deux amours*, pour ensuite l'enregistrer sur un 78-tours. Cette chanson, suivie de *La petite Tonkinoise*, tourne sans arrêt sur les ondes. Joséphine brille de tout son éclat et de tout son panache partout où elle passe.

Elle encourage beaucoup de grands musiciens de jazz américains à venir se produire à Paris et elle travaillera avec certains d'entre eux, comme Sidney Bechet.

L'auteur Georges Koger (1895-1975) a débuté sa carrière en écrivant *Tango d'adieu* pour Berthe Sylva. En 1931, il enchaîne les tubes avec Maurice Chevalier *(Prosper)*, Tino Rossi *(Marinella)*, Fréhel *(La java bleue)*, Georges Ulmer *(Pigalle)*.

C'est un'rue
C'est un'place
C'est même tout un quartier
On en parle, on y passe
On y vient du monde entier
Perchée au flanc de Paname
De loin, elle vous sourit
Car elle reflète l'âme
La douceur et l'esprit
De Paris

(Refrain)
Un p'tit jet d'eau
Un'station de métro
Entourée de bistrots,
Pigalle.
Grands magasins
Ateliers de rapins
Restaurants de rupins,
Pigalle.

Au cours des décennies, de grands artistes américains, dont Nat King Cole, Dean Martin et Liza Minelli vont interpréter avec brio *J'ai deux amours*. Au Québec, Michel Noël et Alys Robi l'ajouteront à leur répertoire. Cette dernière, née à Québec en 1923, continue de chanter. À 84 ans, elle ne songe pas à la retraite. On lui réclame toujours *Laissez-moi chanter* d'Alain Morissod.

Au début des années turbulentes du yé-yé, en 1960, la pétillante Petula Clark enregistrera le grand succès de Joséphine Baker, chanson qui séduit le monde occidental. Autant dans son pays, l'Angleterre, qu'en France, elle mène une fructueuse carrière avec des tubes tels *Downtown, Roméo*, *C'est ma chanson*. On retrouve aussi *J'ai deux amours* sur les microsillons de Jacqueline François et de Charles Aznavour.

Lors de ses adieux définitifs à la scène précédant sa mort à Paris, en 1975, le public insiste pour que Joséphine chante pour une dernière fois son grand succès J'*ai deux amours*, ainsi que *La vie en rose* et *Retour à Paris*, de Charles Trenet.

PHOTO : ÉCHOS VEDETTES

Dès 1927, Joséphine Baker chante non seulement les classiques américains de l'époque, mais elle devient l'interprète préférée de Vincent Scotto, qui lui a écrit la musique de *J'ai deux amours*, en 1930, pour la revue du Casino de Paris.

1946

Retour à Paris

Paroles : Charles Trenet - Musique : Charles Trenet et Albert Lasry

Revoir Paris
Un petit séjour d'un mois
Revoir Paris
Et me retrouver chez moi
Seul sous la pluie
Parmi la foule des grands boulevards
Quelle joie inouïe
D'aller ainsi au hasard
Prendre un taxi

Qui va le long de la Seine
Et me revoici
Au fond du Bois de Vincennes
Roulant joyeux
Vers ma maison de banlieue
Où ma mère m'attend
Les larmes aux yeux
Le cœur content

Mon Dieu que tout
le monde est gentil
Mon Dieu quel sourire à la vie
Mon Dieu merci
Mon Dieu merci d'être ici

Ce n'est pas un rêve
C'est l'île d'amour que je vois
Le jour se lève
Et sèche les pleurs des bois
Dans la petite gare
Un sémaphore appelle ces gens
Tous ces braves gens
De la Varenne et de Nogent

Bonjour la vie
Bonjour mon vieux soleil
Bonjour ma mie
Bonjour l'automne vermeil
Je suis un enfant
Rien qu'un enfant tu sais
Je suis un petit Français
Rien qu'un enfant
Tout simplement

Joséphine Baker

Née Joséphine Carson, le 3 juin 1906, à Saint-Louis du Missouri (États-Unis)

La petite Joséphine ne s'est jamais attendrie sur son enfance difficile. Son père, Eddie Carson, musicien dans les spectacles de vaudeville, épouse Carrie McDonald, bon à tout faire dans les maisons des Blancs. Il abandonnera sa famille un an après la naissance de la petite Joséphine. Entassée dans une vieille cabane de bois, partageant le même lit que ses sœurs dans une chambre désaffectée et froide, la future star internationale souhaite quitter le plus tôt possible le quartier déshérité où elle se languit et étouffe.

Dans tous les établissements publics, la ségrégation règne en maître. Dans les autobus, on prévient les usagers que les Noirs doivent prendre place à l'arrière et les Blancs à l'avant et l'importante émeute raciale de 1917, dans les rues de Saint-Louis, marquera à jamais l'enfant. Lassée du racisme affiché sur le territoire américain et de son métier de serveuse peu valorisant, Joséphine se marie, à 14 ans, avec Willie Wells et se joint à une troupe ambulante comme tromboniste. Elle participe à des saynètes, cherche à s'imposer comme habilleuse en attendant de réaliser son rêve : devenir une grande danseuse. Elle suit la troupe de la Nouvelle-Orléans à Philadelphie où Joséphine se marie à nouveau avec un prénommé Willie Baker.

À 16 ans, redevenue célibataire, elle décroche un rôle dans une troupe professionnelle à *Broadway*. L'Amérique la rejette, elle ira ailleurs, en France de préférence. En septembre 1925, elle est engagée en Europe, dans la *Revue Nègre*, qui s'installe au théâtre des Champs-Élysées. Le spectacle est accueilli par des salles hétéroclites. Le public est à la fois constitué du Paris huppé, des hommes de la haute société, des dandies extravagants et des débauchés. Pour les plus excentriques, c'est la révélation, mais pour les plus conservateurs c'est le scandale. La critique réagit vigoureusement. Le 16 novembre, Robert de Flers écrira dans *Le Figaro* : « La Revue Nègre est un lamentable exhibitionnisme transatlantique qui semble nous faire remonter au singe en moins de temps que nous n'avons mis à en descendre. Je sais fort bien que des esprits ingénieux et délicats ont trouvé à ce divertissement une délectation secrète (dont) Miss Joséphine Baker en est l'étoile. » Ses numéros mêlent le burlesque à la sensualité. Ses mouvements parfois très sexualisés, entre autres, dans cette scène d'accouplement primitive, choquent certains, mais séduisent d'autres par son audace et son souffle de libération.

PHOTO : ÉCHOS VEDETTES

En plus de se produire aux Folies-Bergère et, à quelques reprises au Québec, Joséphine Baker a chanté à Bobino et à l'Olympia de Paris, temple de la renommée, dirigé par le réputé Bruno Coquatrix.

Le comte Albatino, dit Pépito, la découvre, s'éprend d'un fol amour pour Joséphine. Il rompt avec sa vie mondaine à Rome, pour s'occuper à plein temps de la carrière de cette diva d'ébène qui n'est plus considérée comme une simple danseuse de cabaret, mais comme artiste d'un mouvement qu'on appellera le modernisme primitiviste.

En 1927, elle est la vedette attitrée des Folies-Bergère dans la revue *Un vent de folie.* Elle excelle dans le charleston, sanglée d'une ceinture ornée de bananes, dans un décor de jungle africaine. En peu de temps, elle rivalise avec Gloria Swanson et Mary Pickford, les deux femmes les plus photographiées de la planète. On raconte que l'écrivain Georges Simenon fut son secrétaire-amant et que Pablo Picasso porta aux nues la sculpturale Joséphine.

En 1930, de retour d'une tournée mondiale, elle prend l'affiche du Casino de Paris comme danseuse et chanteuse, un point tournant dans sa carrière. Elle fait un tabac avec sa chanson *J'ai deux amours* et devient une vedette du music-hall français. Elle reprend un succès de Polin, *La petite Tonkinoise*, et crée des chansons taillées sur mesure comme *Dites-moi Joséphine, Si j'étais blanche, Sans amour.*

Après ses nombreux succès à la scène, elle partage la vedette avec Jean Gabin dans le film *Zouzou* de Marc Allegret. Viennent ensuite *La princesse du Tam Tam* et *Fausse alerte*. Elle est adulée par ses admirateurs qui se jettent à ses pieds et lui offrent diamants, fourrures, berlines. Au théâtre Marigny, au faîte de sa gloire, elle joue le rôle de *La Créole* d'Offenbach. C'est la première grande interprète en France à conserver son accent. Après il y aura Gloria Lasso, Maria Candido, Jane Birkin, Dalida...

En 1937, elle se marie avec un jeune industriel, Jean Léon, et devient citoyenne française. Hélas, elle perd son premier enfant et connaît une période de chagrin intense. En consacrant beaucoup de temps aux démunis, Joséphine se démarque par sa disponibilité et sa générosité. Malgré ses déboires personnels, elle poursuit sa carrière à fond de train. De nouveau au Casino de Paris, elle chante *Sur deux notes, Mon cœur est un oiseau des îles, Haïti* et *Nuit d'Alger*.

Lors de la Seconde Guerre mondiale, elle rejoint l'aviation française et se met au service de son pays d'adoption, jusqu'à la victoire des Alliés. Pour services rendus à la patrie, on lui décerne la médaille de la Résistance et le titre de Chevalier de la Légion d'honneur.

PHOTO : ÉCHOS VEDETTES

Quand l'Amérique la rejette, en 1925, Joséphine Baker triomphe à Paris dans la *Revue Nègre,* sur les Champs-Élysées, sanglée d'une ceinture ornée de bananes. Pour certains, c'est un scandale.

À la fin du conflit, elle épouse le talentueux chef d'orchestre Jo Bouillon. Dans le Périgord, le couple fait l'acquisition d'un antique château restauré à grands frais. Joséphine et Jo veulent adopter des enfants de diverses nationalités. En quelques années, elle est mère adoptive de 11 enfants. Elle s'ingénue à trouver les ressources pour faire vivre sa petite tribu, mais les obstacles non prévus sont nombreux et affligeants. Courageusement, bousculée par des impératifs financiers, elle reprend la route des chansons.

En 1951, de passage à Montréal, Jacques Normand la présente au Continental. Quatre ans plus tard, elle connaît un triomphe à la Porte Saint-Jean à Québec. Lors de sa tournée, elle chante *La vie en rose*, en hommage à Édith Piaf, *Brasil, Besame mucho, C'est lui*...

Retour à l'Olympia de Paris en 1956. Dans les années qui suivent, elle décide de consacrer plus de temps à son château des Milandes. Elle revient toutefois au Québec, en juin 1960, pour donner quelques spectacles au Faisan Bleu, spacieux cabaret de Laval, qui eut une existence éphémère. Les soucis d'argent s'accumulent. Le 9 juin 1964, c'est la fin d'un rêve : sa propriété est saisie et ses meubles sont vendus aux enchères. Le 3 mai 1968, la Justice française émet un avis d'éviction de son domaine du Périgord.

Attendrie par ses déboires, la princesse Grace de Monaco lui offre le gîte et le couvert. En son honneur, pour souligner le 65e anniversaire de naissance de la grande artiste, elle organise un gala de bienfaisance, dont les profits seront versés à la Croix-Rouge.

En 1973, Joséphine convole avec un ami de toujours, Robert Brady, artiste américain. Elle pense alors qu'il est temps de préparer ses adieux à son fidèle public. Retour éclatant à Bobino, le 24 mars 1975, devant des salles bondées. Le 12 avril suivant, entre deux spectacles, elle s'éteint à Paris, vers cinq heures du matin, victime d'un accident cérébral.

Paris qui lui a fourni un tremplin pour la gloire, apprend avec tristesse la mort de la déesse, après 50 ans de vie artistique. Inhumée au cimetière de Monaco, elle devient la première femme en France à recevoir tous les honneurs militaires.

Comme tous les humains, les artistes, si talentueux et si grands soient-ils, ne font que de brèves apparitions sur la grande scène de la vie. Ils laissent en héritage, comme le fit Joséphine Baker, des moments fulgurants d'émotions intenses.

Joséphine aurait eu 100 ans le 3 juin 2006. Pour souligner cet événement, Brian Bouillon-Baker, Berbère adopté à l'âge de six mois, a publié : *Joséphine Baker, le regard d'un fils.*

À Saint-Louis, au cœur de l'Amérique, c'est Jari, le Finlandais, qui a représenté les 11 enfants de la femme au grand cœur. Akio, d'origine coréenne, se trouvait au château des Milandes devenu un musée. Quant à Jean-Claude et Brian, ils assistaient à la messe, en l'église Saint-Roch, et présentaient des fleurs à leur inoubliable maman à la Place-Joséphine-Baker, dans le 14e arrondissement de Paris. Au-delà de la mort, elle a réussi son pari de voir tous ses enfants plus unis que jamais.

1938

Sombreros et mantilles

Paroles : Chanty
Musique : Jean Vaissade

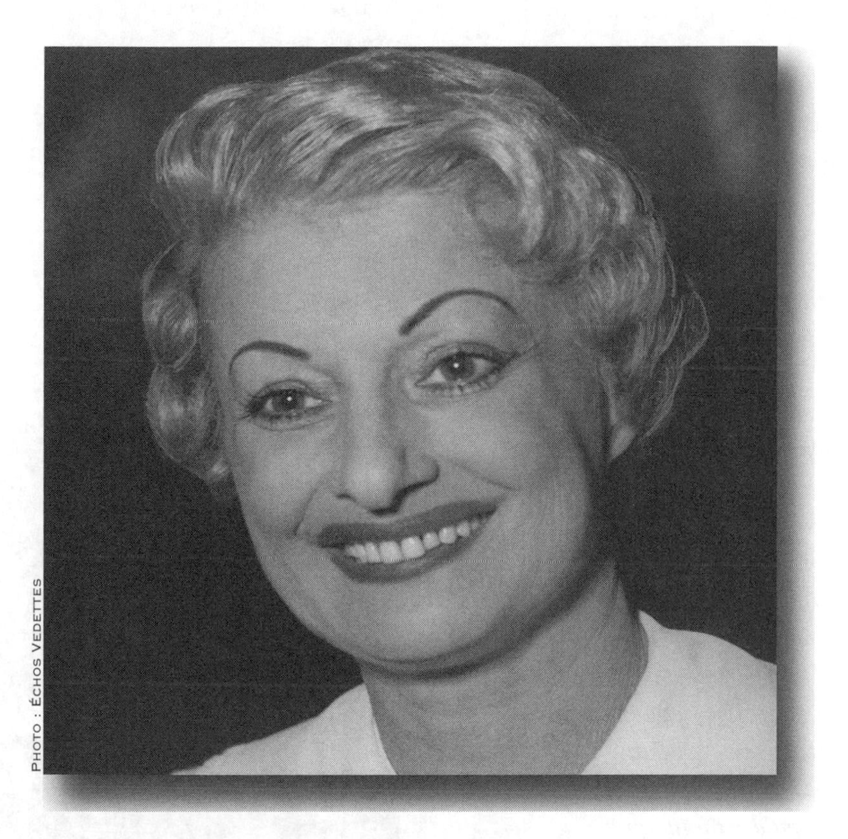
Photo : Échos Vedettes

Interprètes...

Rina Ketty

Dalida, Fredo Gardoni, Gloria Lasso, Orchestre Iberia, Orchestre Maurice Larchange...

Sombreros et mantilles

J'ai vu toute l'Andalousie
Berceau de poésie
Et d'amour
J'ai vu à Séville, à Grenade
Donner la sérénade
Sous les tours
J'ai quitté le pays de la guitare
Mais son doux souvenir,
en mon âme s'égare
Dans un songe, souvent,
tandis que mon cœur bat,
Il me semble entendre tout bas,
Une chanson qui vient de là-bas

(Refrain)
Je revois les grands sombreros
Et les mantilles
J'entends les airs de fandangos
Et séguedilles
Que chantent les señoritas
Si brunes
Quand luit, sur la plaza
La lune
Je revois, dans un boléro
Sous les charmilles,
Des « Carmen » et des « Figaro »
Dont les yeux brillent
Je sens revivre dans mon cœur
En dépit des montagnes
Un souvenir charmeur
Ardent comme une
fleur d'Espagne

La nuit se meurt avec mon rêve
La vision trop brève
Déjà fuit
O jour, verse dans ton aurore
Le refrain que j'adore
Et chéri
Malgré tout le chemin
qui me sépare
Du pays andalou
et des tendres guitares
Je veux vibrer encore
au rythme flamenco
Qui m'évoque, dans son écho
L'amour, sous un ciel
toujours plus beau

(Au refrain)

Cette chanson colle tellement bien à la peau et au tempérament de Rina Ketty que très peu d'interprètes osent la chanter en public et encore moins l'enregistrer. Rares sont les mélodies qui deviennent l'exclusivité d'un seul artiste.

C'est différent en ce qui concerne le public, qui a toujours le dernier mot sur la longévité et la popularité d'une chanson. Son verdict est sans appel. On se souvient de *Sombreros* et *Mantilles*, qui nous entraîne de Séville à Grenade et dans toute l'Andalousie.

Quand le compositeur Jean Vaissade, accordéoniste réputé, rencontre Rina Ketty, c'est le coup de foudre. Il lui écrit aussitôt, en 1938, cette chanson qui va lui ouvrir les portes des grands music-halls. À la radio, on entend aussi souvent *Sombreros et Mantilles* que les refrains de Maurice Chevalier (*Valentine*) et de Charles Trenet (Y'*a d'la joie*) :

(1er refrain)

Y'a d'la joic bonjour bonjour les hirondelles
Y'a d'la joie dans le ciel par-dessus le toit
Y'a d'la joie et du soleil dans les ruelles
Y'a d'la joie partout y a d'la joie

Tout le jour, mon cœur bat, chavire et chancelle
C'est l'amour qui vient avec je ne sais quoi
C'est l'amour bonjour, bonjour les demoiselles
Y'a d'la joie partout y'a d'la joie

Jean Vaissade veut à tout prix que son épouse, Rina Ketty, devienne une vedette internationale. Il lui écrit la musique de *Rien que mon cœur,* qui obtiendra le Grand Prix de l'Académie Charles-Cros. Beaucoup de chanteuses à accent suivront ses pas.

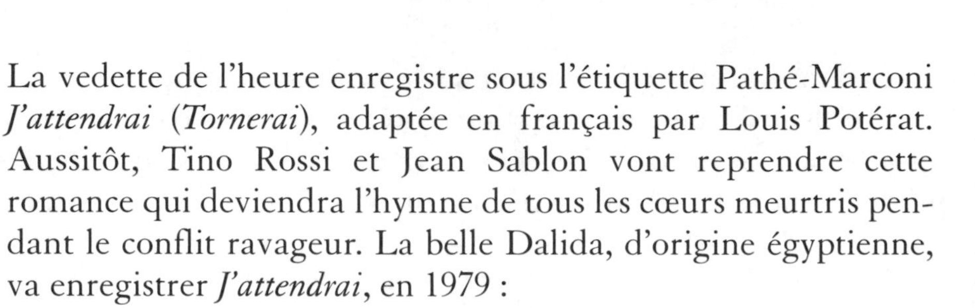

La vedette de l'heure enregistre sous l'étiquette Pathé-Marconi *J'attendrai* (*Tornerai*), adaptée en français par Louis Potérat. Aussitôt, Tino Rossi et Jean Sablon vont reprendre cette romance qui deviendra l'hymne de tous les cœurs meurtris pendant le conflit ravageur. La belle Dalida, d'origine égyptienne, va enregistrer *J'attendrai*, en 1979 :

(Refrain)

J'attendrai
Le jour et la nuit
J'attendrai toujours...
Ton retour
J'attendrai
Car l'oiseau qui s'enfuit
Vient chercher l'oubli
Dans son nid
Le temps passe et court
En battant tristement
Dans mon cœur plus lourd !
Et pourtant
J'attendrai
Ton retour !

Les fleurs pâlissent, le feu s'éteint
L'ombre se glisse dans le jardin
L'horloge tisse des sons très las
Je crois entendre ton pas
Le vent m'apporte des bruits lointains
Guettant ma porte j'écoute en vain
Hélas plus rien, plus rien ne vient

(Au refrain)

Pendant l'Occupation, les succès de Rina Ketty ont une connotation patriotique. Dans toute la francophonie, on les apprend par cœur. Les soldats raffolent de l'accent turinois de la nouvelle prima donna. Les auteurs et compositeurs Chanty et Vaissade ne fréquentent pas les grands salons en se pavanant comme des paons. Ils vivent modestement sans faire de vagues.

Durant les années de conflit (1939-1945), peu de chansons sont répertoriées par les organismes comme la SACEM, chargée de prendre les intérêts des artisans et pionniers de la chanson, qui préfèrent, dans bien des cas, gagner leur vie en exerçant d'autres métiers plus lucratifs. Il a fallu l'arrivée triomphale de Charles Trenet pour que la chanson populaire renaisse en France et traverse les frontières. Rina Ketty a contribué à sa façon en créant d'autres jolies mélodies de Chanty et Vaissade : *Berceuse de rêve bleu, La madone aux fleurs*, mais aussi des refrains de différents auteurs : *Les cloches de mon village, Montevideo, Sérénade sans espoir, La petite Américaine, Tout s'efface, Printemps et beaux jours.*

À la fin de la Deuxième Guerre mondiale, Rina Ketty a voulu rendre hommage à Édith Piaf en lui dédiant l'*Hymne à l'amour*, sur la scène de l'Alhambra, en 1950. La grande Édith avait écrit ce texte sublime en l'honneur de l'homme de sa vie, le boxeur Marcel Cerdan, mort accidentellement en avion, le 28 octobre 1949.

Hymne à l'amour

1949

Paroles : Edith Piaf - Musique : Marguerite Monnot

Le ciel bleu sur nous
peut s'effondrer
Et la terre peut bien s'écrouler
Peu m'importe si tu m'aimes
Je me fous du monde entier
Tant que l'amour
inond'ra mes matins
Tant que mon corps
frémira sous tes mains
Peu m'importe les problèmes
Mon amour puisque tu m'aimes

J'irais jusqu'au
bout du monde
Je me ferais teindre
en blonde
Si tu me le demandais
J'irais décrocher la lune
J'irais voler la fortune
Si tu me le demandais

Je renierais ma patrie
Je renierais mes amis
Si tu me le demandais
On peut bien rire de moi
Je ferais n'importe quoi
Si tu me le demandais

Si un jour la vie t'arrache à moi
Si tu meurs que tu
sois loin de moi
Peu m'importe si tu m'aimes
Car moi je mourrais aussi
Nous aurons pour nous l'éternité
Dans le bleu de toute l'immensité
Dans le ciel plus de problèmes
Mon amour crois-tu qu'on s'aime
Dieu réunit ceux qui s'aiment

L'INOUBLIABLE EDITH PIAF

Rina Ketty

Née Cesarina Picchetto, en 1911, à Turin (Italie)

Fraîchement arrivée en France, vers 1930, pour visiter l'une de ses tantes installée à Montmartre, elle décide de s'y implanter à son tour. Rina Ketty obtient un premier engagement au Lapin à Gill, en 1934, où elle chante sans micro les tubes de son pays et des chansons françaises du début du siècle : *À la Bastoche* (Aristide Bruant), V*a danser* (Gaston Couté) *La Paimpolaise* (Théodore Botrel), *La petite église* (Paul Delmet), créée en 1902 :

Je sais une église au fond d'un hameau
Dont le fin clocher se mire dans l'eau
Dans l'eau pure d'une rivière
Et souvent, lassé, quand tombe la nuit,
J'y viens à pas lents bien loin de tous bruits
Faire une prière

En peu de temps, les Français sont ébahis par la voix ensoleillée et exotique de Rina Ketty. Sa rencontre avec Jean Vaissade a été décisive tant pour sa carrière que pour son mariage, qui fut de courte durée. Fini le temps où elle se contente de chanter des versions italiennes ou espagnoles. Il la couve de baisers et de bienveillance et l'aide à fabriquer sur mesure un répertoire qui convient à sa personnalité.

Juste avant la Seconde Guerre mondiale (1939-1945), elle se produit à l'ABC, à l'Européen, à Bobino et à l'Olympia. Ressortissante d'un pays en désaccord avec la France, elle se fait forcément discrète pendant toute l'Occupation et chante surtout en Suisse. À la fin du conflit meurtrier, elle reprend sa place à l'Alhambra, enchaînant avec une longue tournée en France et dans les pays limitrophes. Elle ajoute à son répertoire *Je t'aimerai*, *La roulotte des gitans, Mama te quiero,* l'*Hymne à l'amour* d'Edith Piaf. Le public insiste pour qu'elle chante *Sous les ponts de Paris* de Jean Rodor et Vincent Scotto, avec son accent de Turin :

Pour aller à Suresnes
Ou bien à Charenton
Tout le long de la Seine
On passe sous les ponts
Pendant le jour, suivant son cours
Tout Paris en bateau défile
L'cœur plein d'entrain, ça va, ça vient
Mais l'soir, lorsque tout dort tranquille

Sous les ponts de Paris
Lorsque descend la nuit
Tout's sort's de gueux se faufil'nt en cachette
Et sont heureux de trouver une couchette
« Hôtel du courant d'air »
Où l'on ne paye pas cher
L'parfum et l'eau c'est pour rien, mon Marquis
Sous les ponts de Paris

Que se passe-t-il en 1954 pour qu'elle décide de s'exiler au Québec et d'y rester jusqu'en 1965 ? On a dit qu'étant devenue aphone, elle aurait mis un frein à sa carrière, ce qui est complètement faux. *France Dimanche* prétend que l'arrivée de nouvelles chanteuses étrangères aurait complètement assombri la popularité de Rina Ketty. C'est maintenant au tour de

Gloria Lasso (*Bon voyage, Padre Don Jose*), de Maria Candido (*Les cloches de Lisbonne, Le bateau de Tahiti*) et de la séduisante Dalida, qui a connu une montée fulgurante dès son arrivée à Paris, en 1954.

Pendant plus de 10 ans, les Québécois adoptent la nouvelle venue, Rina Ketty, qui obtient un éclatant succès partout où elle passe, dans tous les cabarets, que ce soit à la Porte Saint-Jean ou Chez Gérard à Québec, aux théâtres National, Canadien ou Gaiety à Montréal. Durant son long séjour au Québec, en compagnie de son mari Jo Harman, artiste-peintre d'origine allemande, elle est la tête d'affiche de plusieurs tournées de Jean Grimaldi au Canada français, en Nouvelle-Angleterre, aussi bien que dans les réserves indiennes et chez les Inuïts.

PHOTO : ÉCHOS VEDETTES

Le journaliste Philippe Laframboise, à gauche, et Germaine Dugas recevaient Rina Ketty, au milieu d'eux, à leur émission sur les ondes de Radio-Canada. À droite, le fantaisiste Joël Denis était aussi l'un de leurs invités.

Lors de son retour en France, en 1966, Rina Ketty a l'espoir de recommencer une nouvelle carrière en Europe, à l'âge de 55 ans. Elle chante à l'Alkazar, chez Don Camilio, à Paris, dans les cabarets de la Côte d'Azur. Du côté de Nice, elle prend la direction d'un restaurant, où elle se produit régulièrement.

En 1991, le ministre de la Culture, Jack Lang, lui décerne la médaille de Chevalier des Arts et Lettres de France, ce qui lui donne des ailes pour revenir sous les feux de la rampe. Elle donne son dernier tour de chant en mars 1995, peu de temps avant son décès, à l'hôpital des Broussailles de Cannes, en décembre de la même année. Elle avait 85 ans et plein de souvenirs à raconter.

L'auteur de *La Manic*, Georges Dor (1931-2001), lui a également rendu un bel hommage, dans l'une de ses compositions, *Aimé Grondin*, qui se termine ainsi : « La vie c'est mieux que la poésie. Dans les chansons... de Rina Ketty. »

1945

La mer

Paroles : Charles Trenet
Musique : Charles Trenet, Albert Lasry

PHOTO : JACQUES GRÉGORIO, ÉCHOS VEDETTES

Interprètes...

Paolo Noël

Gérard Barbeau, Alain Barrière, Denis Champoux, Dalida, Clémence DesRochers, Roland Gerbeau, Fernand Gignac, Julio Iglesias, Patricia Kaas, Danièle Licari, Jean-Pierre Légaré, Mireille Mathieu, Alain Morisod et Sweet People, Jacques Normand, Edith Piaf, René Simard, Roger Sylvain...

La mer

1945

La mer
Qu'on voit danser le long
des golfes clairs
A des reflets d'argent
La mer
Des reflets changeants
Sous la pluie

La mer
Au ciel d'été confond
Ses blancs moutons
Avec les anges si purs
La mer, bergère d'azur
Infinie

Voyez
Près des étangs
Ces grands roseaux mouillés
Voyez
Ces oiseaux blancs
Et ces maisons rouillées

La mer
Les a bercés
Le long des golfes clairs
Et d'une chanson d'amour
La mer
A bercé mon cœur pour la vie

PHOTO : ÉCHOS VEDETTES

Pour chanter *La mer*, Paolo Noël avait demandé à Claude Valade, à gauche, et Claudette Dion de se joindre à lui. Il ne pouvait trouver meilleurs choristes au Québec.

La mer

1945

Après la Libération, il y a beaucoup d'effervescence, de poésie et de folie dans l'air. La belle chanson populaire éclate de joie dans toute la francophonie. Paris danse et chante; ses succès retentissent aussi bien à Montréal qu'à Bruxelles et Lausanne. Édith Piaf mène le bal avec *La vie en rose*, Maurice Chevalier avec *Fleur de Paris* et Charles Trenet avec *La mer*.

On sait bien que toutes les chansons ont une histoire, une face cachée. Certaines sont un livre sans fin. En effet, il existe plus de 4000 versions recensées dans le monde depuis la création de *La mer*. L'aventure commence en 1939, lorsque Charles Trenet la compose, avec l'assistance de son pianiste Léo Chauliac. Deux ans plus tard, il va la créer au théâtre de l'Avenue, mais sans succès puisque le public préfère cent fois *Mes jeunes années* et *Que reste-t-il de nos amours?*

(Refrain)
Que reste-t-il de nos amours
Que reste-t-il de ces beaux jours
Une photo, vieille photo
De ma jeunesse
Que reste-t-il des billets doux
Des mois d'avril, des rendez-vous
Un souvenir qui me poursuit
Sans cesse

Lors d'un concert en Hollande avec une chorale, le Fou chantant la reprend en chœur. Cette fois, c'est un triomphe. De retour à Paris, l'éditeur Raoul Breton obtient l'autorisation de Trenet pour éditer sa chanson. Ce n'est qu'en 1945 qu'il l'enregistrera chez Pathé-Marconi. Albert Lasry consignera la

musique de *La mer*. Elle va aussitôt traverser l'Atlantique. Aux États-Unis, elle devient *Beyond the Sea* ; Georges Benson est le premier à la chanter. Au Québec, Paolo Noël suivra l'exemple de son mentor, Tino Rossi, en la chantant dans tous ses spectacles depuis 1950.

Au cours de sa longue carrière, Paolo Noël rendra souvent hommage à Charles Trenet et à Tino Rossi en reprenant leurs succès à la scène et sur disques : *Le plus beau tango du monde, La petite Tonkinoise, Que reste-t-il de nos amours, Après toi je n'aurai plus d'amour* et *J'avais vingt ans*.

L'abbé Paul-Marcel Gauthier a continué l'œuvre de son père Conrad, folkloriste réputé, en chantant et en composant de jolies mélodies. Voici ce qu'il disait : « Même dans la chanson, il faut avoir la fierté de ses convictions. Car une chanson, c'est l'expression même de l'âme d'un peuple et c'est ainsi qu'est né le folklore. »

Paolo Noël a été le créateur de l'une de ses chansons, *Le petit voilier* chez RCA Victor. Il l'a chantée à la Place des Arts, lors du tournage du film *Un enfant comme les autres*, mettant en vedette René Simard. Les bonnes chansons ont souvent plusieurs vies. Après Jacques Aylestock et Gilles Gosselin, Carmen Campagne et Florian Lambert l'ont enregistrée après 1990. Elle est devenue une pièce de choix pour les nombreuses chorales du Québec et au-delà de nos frontières. Le refrain est facile à retenir :

Vogue, vogue
Tout au long de la rivière
Vogue, vogue
Mon joli petit bateau

L'abbé Paul-Marcel Gauthier, ainsi que l'abbé Charles-Émile Gadbois ont tout fait pour promouvoir la belle chanson française, dans nos familles, auprès de la jeunesse, à la scène et dans les médias. À son talent d'auteur-compositeur, l'abbé Gauthier s'est fait aussi connaître comme peintre, sculpteur, photographe et écrivain, sous le nom de Jean-Baptiste Purlenne. Il avait tous les talents. Il tenait bien de son père, Conrad Gauthier, rendu célèbre par ses fameuses *Veillées du bon vieux temps* au Monument-National.

Tino Rossi fut à la fois le mentor et l'ami de Paolo Noël, qui lui rendait hommage dans tous ses spectacles en interprétant les succès de son idole : *Tant qu'il y aura des étoiles, Petit papa Noël, Ma ritournelle, Amapola, Vieni vieni, Marinella, Pescador, Bohémienne aux grands yeux noirs...*

PHOTO : ÉCHOS VEDETTES

Avec le temps, Paolo Noël et Tino Rossi sont devenus des amis. Lucienne, la mère de Paolo, remerciait le ciel d'avoir donné à son fils une voix ressemblant à celle de Tino, qu'elle idolâtrait comme un Dieu.

J'avais vingt ans

Paroles : Jean Tavéro - Musique : Camille Devos

Je croyais vraiment
que l'amour n'aurait
pour moi seulement
qu'un seul visage
Qu'une seule voix
qu'une seule éternité
que d'illusions
j'avais vingt ans

J'avais vingt ans,
pour les yeux d'une femme
Un mot d'amour faisait
battre mon cœur
Pour être aimé, j'aurais
vendu mon âme
Et de mon sang j'eus payé
ce bonheur
Je vous voyais, mesdames
toutes belles
Je confondais l'automne
et le printemps
Je vous croyais aussi
toutes fidèles
Que je voudrais avoir
encore vingt ans

Je vous croyais aussi
toutes fidèles
Que je voudrais
avoir encore vingt ans

De la beauté,
je chantais les louanges
J'avais vingt ans;
je les chante toujours
Moi qui croyais
n'adorer que les anges
Aujourd'hui j'aime
à chanter leurs amours
Tous comptes faits,
vous êtes bien aimantes
Et vos attraits
sont toujours séduisants
Plus je vieillis,
plus je vous vois charmantes
Et je voudrais avoir encore vingt ans

Plus je vieillis,
plus je vous vois charmantes
Que je voudrais,
mais je n'ai plus vingt ans

Paolo Noël

Né le 4 mars 1929, à Montréal (Québec).

Grâce à son romantisme et à sa passion, Paolo Noël n'a pas eu besoin de sa ressemblance physique et vocale avec le célèbre Tino Rossi pour entrer dans le cœur de tous les francophones rencontrés sur son chemin. Il est le rescapé de la carrière mouvementée d'un phénomène, qui ne s'est pas donné le beau rôle dans ses deux ouvrages à grand tirage, *Entre l'amour et la haine* et *Entre l'amour et l'amour*. « Je ne croyais pas que l'on puisse tant souffrir à raconter sa vie. »

Dans la peau d'un tueur à gages, Tony Potenza, lors de la télésérie *Omerta*, en 1999, Paolo a acquis ses titres de noblesse, non seulement comme chanteur, mais aussi comme comédien. Il est enfin reconnu par le milieu théâtral et par un certain public qui l'avait ignoré...

Paolo naît à Montréal, près du Parc Frontenac dans la maison et le lit de ses grands-parents maternels le jour même de l'anniversaire de son grand-père Therrien. Sa mère, Lucienne Therrien, en éprouve tellement de joie qu'elle lui donnera un frère, Claude, et une sœur, Lucille, sans prévoir qu'ils auront une enfance douloureuse. Son père, Émile Noël, est un récidiviste endurci. Voleur, bagarreur, collecteur de dettes non payées dans le milieu de la pègre montréalaise et contrebandier d'alcool provenant clandestinement de Saint-Pierre-et-Miquelon, il fait beaucoup d'allers-retours en prison pour toutes sortes de méfaits.

« Ma mère, raconte Paolo, a eu raison de le remplacer par un bon gars, Paul Vadeboncœur, qui traversera l'Atlantique pour aller combattre les Allemands. »

La famille, installée à Montréal, dans un modeste logis éclairé à la lampe à l'huile, vit alors un terrible drame. Une bagarre entre Lucienne, enceinte et Émile, se termine par un avortement brutal. Avec une mère à l'hôpital et un père emprisonné, les enfants sont pris en charge par l'assistance sociale et placés dans un orphelinat dont Paolo et son frère s'évaderont à plusieurs reprises. On finira par les transférer à Saint-Jean-Iberville loin de Montréal. Malgré les mauvais traitements des religieuses, ce fut tout de même l'une d'elles qui découvrit son talent de chanteur en lui apprenant un grand succès de Tino Rossi, *Réginella*. Il en sortit à l'âge de 12 ans, mais Paolo gardera toute sa vie un souvenir amer de ces sept années de son enfance, gaspillées si injustement.

Quand maman Lucienne retrouve la santé, dont elle a tant besoin pour lutter, les enfants reviennent à la maison, en 1941. Comme Paolo est l'aîné de la famille, il travaillera, dès l'âge de 14 ans, pour aider les siens, car le paternel n'est plus dans leur vie. Tant pis pour les études ! Il sera commis d'épicerie, employé dans les fabriques de bottines et de chaloupes et, finalement, dans une imprimerie jusqu'à l'âge de vingt ans.

Le gamin a plus d'un tour dans sa besace. Il subtilise 10 paires de patins de l'Armée du Salut pour faire l'acquisition de sa première guitare chez les brocanteurs de la rue Craig. Maman Lucienne est heureuse de l'entendre fredonner les refrains de son idole, Tino Rossi. Elle aurait bien voulu que le chanteur corse soit le père de son fils.

Chez les Noël-Vadeboncœur, on change d'adresse pour une maison à la campagne. Paolo met de côté sa vieille mandoline et porte en bandoulière son précieux instrument à cordes, il griffonne des poèmes et des chansonnettes où il est question de la Vierge Marie et de sa Gaspésie d'amour. C'est comme ça que naît le premier chanteur romantique québécois à s'accompagner à la guitare que l'on surnommera : le Tino Rossi canadien. Sa mère remercie le ciel, la mer et la nature de l'avoir doué de la voix de celui qu'elle idolâtre comme un dieu.

Le fantaisiste Jean Rafa le fait débuter au cabaret Le Tourbillon, en interprétant *Marinella* et *Amapola*, mais aussi ses propres compositions faisant l'éloge de son quartier ouvrier et de la vie des marins : *Légende de la mer, Ma prière, Valse des rues dans la nuit, Carré Saint-Louis* et *Vierge Marie*, que Tino Rossi enregistrera, beaucoup plus tard, à Paris.

Pour la compagnie Star, il enregistre deux 45-tours : *Belle étoile d'amour, Térésa, Ne dis pas non, Puisque je t'aime*. Et puis, le voici en tournée au Québec et au Canada français avec la troupe de Jean Grimaldi, qui le présentera durant sept ans à ses théâtres : Canadien et Radio Cité (ancien Gaiety). C'est sur place que l'artiste instinctif apprendra réellement son métier avec Olivier Guimond, Manda, Claude Blanchard et La Poune comme professeurs.

Paolo sera forcé, par les beaux-parents, d'épouser leur fille Thérèse, le 21 janvier 1950. Elle lui donnera trois beaux enfants : Ginette, Mario et Johanne. Pour les faire vivre, il n'hésite pas à chanter dans les cinémas louches de la rue Saint-Laurent et à travailler comme un forçat, au pic et à la pelle. Suite à une grève de l'imprimerie, Paolo se trouve sans travail la semaine de Noël. Après une audition, Jean Grimaldi qui deviendra son père spirituel, l'engage pour le théâtre cette même semaine, d'un seul coup il quitte le métier d'imprimeur pour devenir chanteur à plein temps.

C'est à l'émission *Music-hall*, de Michelle Tisseyre, à Radio-Canada, qu'il apparaît au petit écran et au firmament des étoiles, en 1955. Les portes des grands cabarets s'ouvrent pour la nouvelle tête d'affiche. On ne veut plus laisser partir le bel oiseau de nuit, que ce soit à la Porte Saint-Jean ou Chez Gérard à Québec.

Il enregistre son premier microsillon chez RCA Victor, *L'amant de la mer*. Plusieurs autres suivront jusqu'en 1975, notamment *Noël en mer, Le bateau s'en va, Le marin et la rose, Chante ma guitare*. Sur les ondes de CKVL, il anime une émission et interprète chaque jour quatre chansons, de Tino, Mariano, Claveau et Paolo. Un cachet de 100$ par semaine, un vrai pactole pour l'époque.

Paolo saute souvent la clôture et donne des maux de tête à Thérèse, qui le quittera avec les enfants et les meubles de la maison. Elle ne peut plus supporter sa liaison avec la belle chanteuse Lucille Serval, qui donnera aussi bien des maux de tête à Paolo. Elle n'aime surtout pas le voir entouré de danseuses et de courtisanes à la Casa Loma, populaire boîte de nuit montréalaise, où il prendra régulièrement la place de Jen Roger pendant cinq ans.

Pour mettre du baume sur ses plaies et tenter de refaire sa vie, il envisage de faire carrière en France. Jean Grimaldi, son épouse Fernande et Lucille Serval l'accompagnent jusqu'au port de

New York, où il s'embarquera à bord du luxueux paquebot Liberté. Cette dernière décidera, à la dernière minute, de faire le voyage avec son amoureux et de tenter aussi sa chance dans la Ville lumière. Félix Leclerc, qui est aussi du nombre des passagers, prévient Paolo de ce qui l'attend à Paris, en 1959.

Grâce à Georges Guétary et à Jacques Normand, « le Corse canadien à Paris », c'est ainsi qu'on désigne Paolo, décroche quelques spectacles en province et dans les cabarets de la rive gauche. Il revoit avec joie son compatriote Raymond Lévesque (*Quand les hommes vivront d'amour*), qui ne roule pas sur l'or. On les voit flâner, pour ne pas dire vagabonder, sur les quais longeant la Seine, dans des bistros et des caves de Saint-Germain-des-Prés et de Pigalle. Tout le monde chantonne *Milord* (Édith Piaf), *Scoubidou* (Sacha Distel), *Bambino* (Dalida). Même s'il est à l'aube d'une carrière européenne prometteuse avec une ouverture à l'opéra comique, le mal du pays le taraude. Il s'embarque de nouveau sur le Liberté, sans la ravissante Lucille Serval. Heureux de retrouver sa maman, appelée affectueusement « la grosse Lucienne », son frère et sa sœur, et son bateau.

Aussitôt arrivé au Québec, l'enfant prodigue est élu comme le meilleur interprète de la chanson française au Canada. Sa cote de popularité augmente d'année en année. La tournée des grands cabarets de Trois-Rivières, Hull, Sorel, Île-Perrot, Chicoutimi... reprend de plus belle.

La vie de Paolo changera du jour au lendemain, après sa rencontre avec Diane Bolduc, hôtesse et mannequin à la télévision et dans les grands défilés de mode. Un coup de foudre inattendu pour le séducteur impénitent, qui a bourlingué sur des mers agitées. Il oubliera pour toujours les chanteuses Lucille Serval, Ginette Ravel et les autres pour enfin épouser la femme de ses rêves et de sa vie, en 1965. De cette union romantique naîtront Constantino et Vanessa. Pour le meilleur ou pour le pire, Diane sera sa bouée de sauvetage, sa nacelle et son gouvernail dans la vie de tous les jours, sur la scène et sur son navire.

Après avoir animé *Toast et café* avec Dominique Michel et Frenchie Jarraud et le *Music-hall des jeunes* à Télé-Métropole, il est élu Monsieur Radio-Télévision, en 1968. Il a son émission quotidienne à CJMS et se produit à la Place des Arts avec Mathé Altéry. Il y reviendra trois ans plus tard en solo à guichets fermés.

PHOTO : JACQUES GRÉGORIO, ÉCHOS VEDETTES

De nombreux artistes du Québec et de la France ont fait courir les foules au Théâtre des Variétés de Gilles Latulippe, à gauche. Paolo Noël et Doris Lussier, dans son personnage de Père Gédéon, sont parmi ceux-là.

Une tournée suivra au Québec et l'amènera en Floride, son nouveau port d'attache. Animateur de l'émission de télé *Les tannants*, aux côtés de Gilles Latulippe, il compose des chansons folichonnes, *Flip, flop et fly, Flouche flouche, T'as ben des beaux bip-bops*, qui remportent un énorme succès. Il crée également le personnage du clochard Bouchon, en 1975.

Lors de l'événement international des Grands voiliers à Québec, en 1984, Paolo Noël et le comédien Gilles Pelletier, deux marins authentiques, animent *Salut Capitaine!* à la télévision. Après ce bel été ensoleillé, bercé par la houle, il mettra le cap sur le large, à bord de son nouveau bateau baptisé du nom de Le Pêcheur d'Étoiles. Le rêve de sa vie! partir sur les mers du sud avec son éblouissante sirène, Diane, loin de tous les problèmes terrestres. Ce sera un grand moment pour le navigateur, lorsque tenant la barre avec sa femme et ses enfants, il verra l'étrave de son bateau fendre les premières grandes vagues de l'océan.

En 1992, Paolo a réalisé un autre rêve : chanter en Corse et visiter le pays de Napoléon et de son mentor, Tino Rossi. L'épouse de ce dernier, Lilia Vetti, l'a reçu comme un roi dans son domaine d'Ajaccio. Son fils Laurent lui a servi de guide et rendu un bel hommage dans son livre, *Tino Rossi, mon père* publié en 1993.

En 2002, il refait surface avec un nouvel album, *Paolo Noël chante Tino Rossi*. Puis un autre, *Les plus belles chansons de ma vie*, 18 nouveaux enregistrements de ses grands succès : *Le petit voilier, Le prisonnier, Le bateau de Tahiti, Quand le soleil dit bonjour aux montagnes* et, bien entendu, *La mer* de Charles Trenet.

Le public adore Paolo Noël pour sa simplicité, sa franchise, ses écarts de langage. En vieillissant, il faut bien dire que le diable se fait moine. À la fin de 2005 et au début de la suivante, il a chanté à guichets fermés aux casinos de Hull et de Charlevoix, à l'Habitat Saint-Camille, de Montréal, au théâtre Hector-Charland de l'Assomption, à L'écluse de Saint-Jean-sur-Richelieu, au centre d'art La Chapelle de Québec...

Amoureux fou de la vie de marin, il continue de naviguer, de chanter et de semer la joie partout où il passe. Il finira bien par mettre un terme à la rédaction du troisième tome de ses mémoires. Heureusement, il trouve le temps de remplir son plus beau rôle de grand-père neuf fois et d'arrière grand-père sept fois. Voilà le secret mal gardé de son éternelle jeunesse.

PHOTO : JOCELYN CHEVALIER, ÉCHOS VEDETTES

Après sa rencontre avec la jolie Diane Bolduc, la vie de Paolo Noël a changé du jour au lendemain. Elle est devenue sa nacelle et son gouvernail sur scène et dans la vie. Un couple uni après 42 ans de mariage.

Le ciel se marie avec la mer

Paroles et musique : Jacques Blanchet

PHOTO : F.J MENTEN., RADIO-CANADA

Interprètes...

Lucille Dumont

Jacques Blanchet, Chorale de la clé des champs de Compton, Marc Gilbert, Sylvain Lavoie, Rémi Mignault, Paul Monette, Pascal Normand, Marc-André Paré, Marie Denise Pelletier, Québecissime, Roger Rancourt...

Le ciel se marie avec la mer

La mer a mis sa robe verte
Et le ciel bleu son œillet blanc
Elle a voulu être coquette
Pour dire au ciel en s'éveillant
N'oublie pas mon cœur
Ni la fleur ni le jonc
N'oublie pas surtout
Que demain nous nous marierons

Les pieds dans les sables des dunes
Je les ai vus qui s'embrassaient
A l'ombre des joncs des lagunes
Et puis la mer qui lui disait
N'oublie pas mon cœur
Ni la fleur ni le jonc
N'oublie pas surtout
Que demain nous nous marierons

(Musique)

Une fleur à la boutonnière
Le lendemain se mariait
Le ciel au bras de la mer fière
D'avoir du soleil en bouquet
Il y avait leurs cœurs
Et les fleurs et le jonc
Chaque jour depuis
Mille fois revit cette chanson

Voilà un bel exemple d'une chanson qui méritait, en 2005, d'entrer au Panthéon des Auteurs et Compositeurs, 48 ans après sa naissance. Un hommage bien mérité au créateur de ce petit chef-d'œuvre ensoleillé, *Le ciel se marie avec la mer* de Jacques Blanchet.

La chanson québécoise connaît une année faste et exceptionnelle en 1957. Lors du concours de la chanson canadienne à Radio-Canada, 12 mélodies retiennent l'attention du public et du jury. Lucille Dumont remporte la palme avec ce texte poétique de Jacques Blanchet, et un autre prix avec *Mon Saint-Laurent si grand*, dont les paroles et la musique sont de René Tournier.

Faisons donc l'inventaire des autres chansons primées à cette occasion. Rollande Désormeaux est acclamée pour son interprétation de *Gaieté printanière* et de *La croix du Mont-Royal*. Colette Bonheur en fait autant avec *Violettes des champs* et *Mon petit caporal*. Pour sa part, Michel Noël obtient un éclatant succès avec *Le voyage de noces* et *Le perceur de coffres-forts*. Jacques Blanchet mérite un autre prix pour *Les étoiles*, sur une musique de Lucien Hétu. Quant à Dominique Michel, elle est arrivée tout près du filet avec *Sur l'perron* de Camille Andréa :

En veillant sur l'perron
Par les beaux soirs d'été
Tu me disais c'est si bon
De pouvoir s'embrasser

Assis l'un contre l'autre
Sans s'occuper des autres
On se faisait du plaisir
En parlant d'avenir

Quand les gens de l'autre palier
Étaient prêts à entrer
Il fallait se serrer
Pour les laisser passer

On était les derniers
À aller se coucher
Les soirs n'étaient pas longs
En veillant sur l'perron...

Rappelons brièvement quelques étapes de la carrière de Jacques Blanchet, né à Montréal, le 14 avril 1931. Après de solides études musicales, il débute comme auteur, compositeur et interprète, en 1945. De nombreux prix d'excellence lui sont décernés. Il remporte de nouveau les honneurs du Concours de la chanson canadienne avec *L'Île Sainte-Hélène*.

Au cours de son séjour en France, il étudie au Petit conservatoire de Mireille et chante dans les boîtes parisiennes, Chez Patachou, au Lapin agile et à l'Échelle de Jacob. À la télévision française (RTF), il est l'animateur d'une série intitulée *Entre vous et moi*.

Dès son retour au Québec, il se joint au groupe Les Bozos, en remplacement de Claude Léveillée, qui a accepté l'offre d'Edith Piaf de s'installer chez elle, à Paris, et d'être à son service comme parolier et compositeur. Auteur de six comédies musicales, Jacques Blanchet a joué dans quelques téléromans et animé *Le Québec chante* et *Qui sont-ils donc?* à Télé-Métropole.

Vers 1970, il effectue deux importantes tournées en URSS (Union soviétique) et est lauréat du concours *Chansons sur mesure* avec *Le geste*. Ses chansons sont enregistrées par de

nombreux artistes : Aglaë, Guylaine Guy, Robert L'Herbier, Muriel Millard, Paolo Noël, Estelle Caron, Jen Roger, Marie Denise Pelletier...

En 1982, l'écrivaine Marie-Josée Thériault, excellente interprète, lui consacre un merveilleux album, avec le concours du pianiste André Gagnon. Que de beaux textes intelligents il nous a laissés en héritage avant de nous quitter définitivement le 9 mai 1981. Place au joli poème de Jacques Blanchet : *Tête heureuse.*

Dessous ma salade en pomme
Sans même lever le doigt
Je voulais être personne
Mais j'en avais pas le droit.
J'eus le choix entre un grain d'orge
Ou bien la force du vent
Devenir maître de forge
Ou encore rêve d'enfant...

J'aurais pu être vicomte
Mais je n'aime pas les rois
Je devais pondre le monde
Mais Dieu l'a fait avant moi
On m'offrit d'être un saint homme
Ou poète malgré moi
J'aurais préféré en somme
Être ton cœur ou ta loi....

Créée en 1983, la Médaille Jacques Blanchet a été décernée par la succession portant son nom, durant cinq années, à Sylvain Lelièvre, Clémence DesRochers, Michel Rivard, Daniel Lavoie et Gilles Vigneault. Après une interruption de trois ans due à la

santé précaire de sa fondatrice, Michelle Blanchet-Thériault, la sœur de l'artiste, une entente est intervenue entre la Succession Jacques Blanchet et le Festival international de la Chanson de Granby. La Médaille Jacques Blanchet a pu être décernée conjointement pendant six autres années, soit jusqu'en 1996, un an après le décès de Michelle Blanchet-Thériault.

Depuis, c'est Marie-José Thériault, nièce de Jacques Blanchet, qui est la seule représentante de la succession de son oncle. En 2003, elle fondait les Éditions du dernier havre qui se donnent pour mission de publier à nouveau les œuvres de son père Yves Thériault, de sa mère Michelle, de même que celles de son oncle Jacques. Quand ses chansons seront devenues facilement accessibles aux interprètes, il sera possible de raviver aussi la Médaille Jacques-Blanchet.

Au tout départ, il a fallu que Lucille Dumont enregistre les premières chansons de Blanchet pour que le public reconnaisse son immense talent. Elle aurait pu faire carrière en Europe et se mesurer aisément avec les vedettes des années 30 et 40 : Lucienne Boyer, Lucienne Delyle, Marjane, Line Renaud, Lily Fayol. Merci à Lucille Dumont pour tous ses enregistrements de si belles chansons françaises : *Clopin-clopant, Le p'tit bal du samedi soir, C'était un jour de fête*, sans oublier ce refrain d'Henri Contet et Aimé Barelli, *Si tu viens danser dans mon village*.

Si tu viens danser dans mon village

1949

Paroles : Henri Contet - Musique : Aimé Barelli

Si tu viens danser dans mon village
Je ferai chanter tous les oiseaux
Je dirai ton nom aux blancs nuages
Et pour toi mon amour changerai
les détours du ruisseau

Tous mes vieux amis
sur ton passage
Te diront bonjour à leur façon
Et le soleil sur les toits
Fera des merveilles pour toi
Si tu viens danser
dans mon village
la la la...la la la...

La jeunesse en chantant
Fait danser le printemps
L'herbe claire vole bas
La musique et l'amour
Font danser les beaux jours
Ah la jolie farandole

Si tu viens danser
dans mon village
Je noierai ma peine
au fond du puits
Je dirai ma joie au
vert feuillage
Et pour toi dans le bal
volerai les étoiles de la nuit

Tous les feux follets sur ton passage
Brilleront pour nous de mille éclats
Et le matin chantera
Quand tu me prendras dans tes bras
Si tu viens danser dans mon village
Viens danser, viens danser, viens danser.

Lucille Dumont

Née Lucel Dumont, le 20 janvier 1919, à Montréal (Québec)

Les années passent et Lucille Dumont conserve toujours avec modestie son titre de Grande dame de la chanson. Elle n'a jamais cherché la gloriole et à faire de vagues, notre Miss Radio, élue par les lecteurs de *Radiomonde*, en 1947. Interprète par excellence et professeure de chant émérite, elle méritait bien cette décoration de l'*Ordre national du Québec*.

Cette femme élégante et romantique, à l'œil pétillant, a toujours eu la délicatesse d'écrire des petits mots de remerciements aux journalistes et réalisateurs, qui pouvaient compter sur sa disponibilité et générosité. Elle aura été la chanteuse et animatrice ayant participé au plus grand nombre d'émissions des débuts de la télévision au Québec.

Née dans un quartier ouvrier, en plein cœur de Montréal, rue Saint-Timothée, elle s'épanouit et trouve sa voie au sein d'une famille réservée et croyante. À part le badminton et le tennis, ce n'est pas une fervente du sport. Beaucoup plus tard, après son mariage avec Jean-Maurice Bailly, célèbre commentateur de *La soirée du hockey*, du samedi soir, à la télévision de Radio-Canada, elle deviendra une spectatrice enflammée de l'équipe des Canadiens, au Forum de Montréal.

Comme bien des adolescentes rêveuses de son temps, elle copie, dans des cahiers scolaires lignés, les paroles des chansons entendues à la radio. Au restaurant du coin, en sirotant ses premiers Coca-Cola, elle met toute sa monnaie dans le juke-box.

À la maison, Lucel, son vrai prénom, remet sans cesse les 78-tours de Lys Gauty (*Le chaland qui passe*), de Tino Rossi (*Le plus beau tango du monde*)... Au début des années 30 et 40, la radio et le disque sont installés dans nos maisons. Dans les grands magasins, on voit les affiches de Maurice Chevalier, Mistinguett, Jean Lalonde...

Sa maman voit bien qu'elle a le tempérament d'une artiste et l'encourage fortement à chanter et à jouer la comédie. Elle a le don d'imiter les interprètes féminines qui ne sont pas légions en 1935, à part Mistinguett, Suzy Solidor, Mireille, Marie Dubas et sa préférée, Lucienne Boyer, dont elle connaît tout le répertoire : *Mon cœur est un violon, Parlez-moi d'amour, Un amour comme le nôtre* d'Alex Farel et Borel Clerc :

PHOTO : ÉCHOS VEDETTES

À Télé-Métropole aussi bien qu'à Radio-Canada, la gracieuse Lucille Dumont recevait à ses émissions de grande écoute les populaires chanteurs d'ici et d'ailleurs. On la voit ici en compagnie de Salvatore Adamo.

Pourquoi lis-tu tant de romans ?
Pierre Benoit ou Paul Morand ?
Penses-tu trouver dans leurs livres
De qui rêver des nuits des jours
Quand le plus beau roman d'amour
Nous sommes en train de le vivre
N'avons-nous pas assez lutté
Pour vivre ensemble et nous aimer ?
Ferme les yeux, recueille-toi...
Car tu sais aussi bien que moi

(Refrain)
Un amour comme le nôtre
Il n'en existe pas deux
Ce n'est pas celui des autres
C'est quelque chose de mieux
Sans me parler
Je sais ce que tu veux me dire...
À mon regard
Tu vois tout ce que je désire...
Pourquoi demander aux autres
Un roman plus merveilleux ?
Un amour comme le nôtre
Il n'en existe pas deux...

Lucel, âgée de 13 ans, aurait bien voulu assister au spectacle de son idole, qui est venue à Montréal, pour la première fois, au théâtre Stella, en 1932. Elle a tout de même réussi à obtenir son autographe et à se faire photographier en sa compagnie.

Après avoir suivi des cours d'art dramatique chez Jeanne Maubourg, elle participe à un concours d'amateurs, sous le pseudonyme de Micheline Lalonde, avant de s'appeler définitivement Lucille Dumont.

Dès 1935, elle fait la conquête du public de CKAC, première station d'Amérique de langue française, fondée par le journal quotidien *La Presse*, en 1922. Elle décroche ensuite sa première série en anglais, *Loonger a While*, à CFCF. Au cours de ses programmes radiophoniques, *Tambour battant, Le p'tit bal du samedi soir, Aux rythmes de Paris, Les chansons de Lucille*, elle interprète avec intelligence et simplicité, sans hausser la voix inutilement et sans faux gestes, des chansons américaines et françaises : *Darling je vous aime beaucoup, Brin d'amour, Ah ! c'qu'on s'aimait, Le bonheur est entré dans mon cœur* de Michel Vaucaire et Gaston Grœner :

(Refrain)

Le bonheur est entré dans mon cœur
Une nuit par un beau clair de lune
Tu m'as dit quelques mots enjôleurs
Et nos vies désormais n'en font qu'une
J'ai compris dans tes grands yeux rêveurs
Que l'amour vaut mieux que la fortune
Et depuis cet instant le bonheur
Pour toujours est entré dans mon cœur.

Un bon jour, le pianiste Léo Lesieur, un des premiers auteurs compositeurs à nous faire découvrir autre chose que du folklore, la prend sous son aile. Au moment d'une répétition de la prestigieuse émission *Sweet Caporal*, il lui dit sans ambages : « Vous imitez trop Lucienne Boyer. Ça suffit. Désormais, vous y allez avec votre propre style. Pour devenir une vedette et durer dans ce métier, il faut d'abord être soi-même, ma petite. » Elle n'a que 16 ans, mais n'oubliera jamais ce précieux conseil. C'est ce qu'elle répète encore aujourd'hui à ses étudiantes qui veulent devenir des Céline Dion.

En 1945, Lucille Dumont a le bonheur d'interpréter *Insensiblement*, en présence de ses auteurs Paul Misraki et Ray Ventura, venus à Montréal pour présenter quelques représentations au théâtre Saint-Denis. Cette chanson connaîtra un succès international et sera traduite en plusieurs langues. Pendant la Seconde Guerre mondiale, elle est interdite en France par la Gestapo, son auteur Misraki étant juif. Après la Libération, Jean Sablon et Lucille Dumont vont lui redonner la vie.

À la fin des années 40, avant l'arrivée de la télévision, Lucille Dumont et Jean Lalonde, surnommé le Don Juan de la chanson, font la tournée des sous-sols d'église, kermesses et salles municipales. En mai 1946, elle est en vedette dans la revue musicale Coquetel au Monument-National, avec Fernand Robidoux, Jacqueline Plouffe, Gérard Paradis, André Rancourt...

Pour la compagnie de disques, RCA Victor, elle enregistre *Cheveux au vent, La guitare à Chiquita, Le petit rat, Votre avion va-t-il au Paradis?, Le gros Bill (Polly-wolly-doodle)*, sur des paroles françaises de Francis Blanche et *Maître Pierre* :

Il fait bon chez vous maître Pierre
Il fait bon dans votre moulin
Le froment vol'dans la lumière
Et partout ça sent bon le grain
J'avais douze ans et j'étais haut comme trois pommes
Qu'en me voyant vous me disiez d'un ton bonhomme

Voyez-moi ce sacré p'tit drôle
Le métier lui semble à son goût
Prends ce sac, mets-le sur l'épaule
Maître Pierre, il fait bon chez vous
Hardi ! Hardi petit gars
Bonnet sur l'œil, sourire aux lèvres
Hardi ! tant qu'il a deux bras
Un bon meunier ne s'arrête pas...

Cette chanson de Pierre Plante et Henri Berri a été enregistrée, en 1949, par Lucille Dumont, Tohama et Yvette Giraud. Chez les hommes, Georges Guétary et Fernand Gignac encore adolescent, l'ont repris sur disque et à la scène. À 14 ans, Gignac faisait ses débuts au Faisan doré, à Montréal, en compagnie de Pierre Roche et Charles Aznavour, Monique Leyrac, Jacques Normand...

PHOTO : MICHEL GAGNÉ, ÉCHOS VEDETTES

Lucille a toujours eu la délicatesse de remercier les journalistes, qui pouvaient compter sur sa disponibilité. Elle a été l'artiste ayant participé au plus grand nombre d'émissions au début de la télévision au Québec.

Lorsque la télévision fait son apparition en 1952 et dans les années qui suivent, Lucille anime de multiples émissions à Radio-Canada : *À la romance, Feux de joie, Intimité*. Télé-Métropole (CFTM) s'en accapare et lui offre sur un plateau d'argent : *Entre vous et moi, Lucille Dumont reçoit, Le temps d'aimer et Histoire d'une étoile*, où elle fait défiler sur son plateau : Luis Mariano, Tino Rossi, Annie Cordy, Juliette Gréco...

Tout au long de sa brillante carrière, elle a pu compter sur la collaboration du pianiste Rod Tremblay, de Philippe Laframboise, auteur de biographies sur Tino Rossi, Fernandel, Clairette...

Avant d'interpréter les auteurs québécois comme Léo Lesieur, Pierre Letourneau, Gilles Vigneault, Pierre Calvé, Lucille a puisé dans le répertoire des grands noms de la chanson française...

PHOTO : JEAN-PIERRE KARSENTY, RADIO-CANADA

L'animatrice Monique Giroux a réalisé un coffret de 43 chansons de Lucille Dumont. Entre elle et le public, l'histoire d'amour se poursuit. L'enseignement de la chanson a occupé son temps pendant 35 ans.

En 1969, Lucille Dumont a reçu le Grand Prix du Gala des Artistes pour souligner ses talents d'interprète, mais aussi de professeure de chant dans son studio du quartier Côte-des-Neiges, à Montréal, où elle travaillait encore, récemment, pendant des heures interminables.

Auprès de ses fils Sylvain et Martin, la Grande dame de la chanson joue à merveille son rôle de grand-mère. Trouve-t-elle le temps d'écouter ses 43 chansons que l'on retrouve dans un coffret réalisé, en 1999, par l'animatrice Monique Giroux, de Radio-Canada ? Entre elle et le public, la belle histoire d'amour se poursuit toujours... À 88 ans, elle a encore des projets et des rêves plein la tête et le cœur.

PHOTO : ÉCHOS VEDETTES

Il n'est pas téméraire d'affirmer que Lucille Dumont et Fernand Robidoux (1920-1998) furent des pionniers de la chanson québécoise. Ils ont été les premiers à chanter les œuvres de Jacques Blanchet, Raymond Lévesque...

L'eau vive

Paroles et musique : Guy Béart

Interprètes...

Guy Béart

Marcel Amont, Claudette Auchu, Fernand Gignac,
Lise Roy, Colette Renard...

L'eau vive

Ma petite est comme l'eau, elle est comme l'eau vive
Elle court comme un ruisseau, que les enfants poursuivent
Courez, courez vite si vous le pouvez
Jamais, jamais vous ne la rattraperez

Lorsque chantent les pipeaux, lorsque danse l'eau vive
Elle mène les troupeaux, au pays des olives
Venez, venez, mes chevreaux, mes agnelets
Dans le laurier, le thym et le serpolet

Un jour que, sous les roseaux, sommeillait mon eau vive
Vinrent les gars du hameau pour l'emmener captive
Fermez, fermez votre cage à double clef
Entre vos doigts, l'eau vive s'envolera

Comme les petits bateaux, emporté par l'eau vive
Dans ses yeux les jouvenceaux voguent à la dérive
Voguez, voguez demain vous accosterez
L'eau vive n'est pas encore à marier

Pourtant un matin nouveau à l'aube, mon eau vive
Viendra battre son trousseau, aux cailloux de la rive
Pleurez, pleurez, si je demeure esseulé
Le ruisselet, au large, s'en est allé.

Le réalisateur François Villiers tourne *L'eau vive*, d'après le roman de Jean Giono, en 1958. C'est un magnifique film, qui relate les travaux gigantesques entrepris en France, dans les Alpes, pour détourner le cours de la rivière Durance. La chanson de Guy Béart tient lieu de trame sonore de cette œuvre cinématographique présentée au Festival de Cannes.

À Paris, Marcel Amont et Colette Renard sont les premiers à l'enregistrer. Au Québec, Lise Roy et Fernand Gignac ne tardent pas à la faire connaître. C'est ainsi que, très rapidement, toute la francophonie s'est mise à fredonner cette berceuse où l'image d'un cours d'eau s'entremêle au thème de la séduction. Dans le cas de Guy Béart, tout commencera à l'Olympia, en 1958, lorsqu'il chante *L'eau vive* en première partie de Caterina Valente, d'origine italienne, née en France, dont le succès *Malaguëna* s'est vendu à quatre millions d'exemplaires.

En toute humilité, l'auteur raconte dans son livre, *Guy Béart, L'espérance folle*, publié chez Laffont : « Si l'eau vive était sortie telle qu'elle, sans le support du film (...) je ne crois pas qu'elle serait devenue si populaire, alors que je venais de débuter. Une chanson c'est comme une idée. Elle existe, elle est bonne, son succès immédiat dépend beaucoup des circonstances, du climat général (...) et de l'attente du public... »

Que se passe-t-il en 1958 ? Charles de Gaulle devient président de la France, on parle du premier satellite soviétique Spoutnik qui se désagrège dans l'espace et le roi Beaudoin inaugure l'Exposition universelle de Bruxelles. Nous sommes dans une vague de renouveau politique, astronomique et culturel, la France a le cœur à chanter. *L'eau vive* coule à flot et bénéficie d'une renommée internationale, notamment au Japon, où son succès est à peine moindre qu'ailleurs.

Écrite d'un seul jet par Béart, elle est immédiatement adoptée par tous les publics. Elle tourne sans cesse à la radio et s'inscrit aussitôt dans le répertoire enfantin. La mélodie caresse l'imaginaire de chaque gamin qui la joue à la flûte à bec et, grâce aux faciles accords de guitare qui la caractérisent, elle fait concurrence à tout ce qui monte au palmarès.

Dans *Femmes d'aujourd'hui*, Janine Pradeau écrit : « Pour celles qui aiment la bonne chanson : un goût inné de l'humour et un sens poétique assez particulier depuis *Le Bal chez Temporel* et *L'eau vive* ont apporté un sang nouveau à la chanson française. Il nous surprend toujours. Sa cocasserie, son étrangeté, son charme vous convaincront. » Pour sa part, Yves Salgues signe dans *Jours de France* : « Ce sont d'authentiques chefs-d'œuvre où l'on retrouve ces qualités rares qui font le charme incomparable de Béart ! Sa sensibilité pudique, son amertume juste et sans désespoir, sa quête insatiable d'amour, sa pureté. »

Il n'est pas surprenant que, 50 ans après sa création, cette chanson soit inscrite au programme de plusieurs institutions scolaires et des chorales du monde entier. Il y a fort à parier que *L'eau vive* reste accrochée aux lèvres des amoureux de la belle chanson française pour des siècles à venir. Elle fut couronnée, en 1965, par l'Académie Charles-Cros. C'est tout dire...

Guy Béart adore les vieilles chansons de France. Pour lui, ce ne sont pas des belles au bois dormant, mais des véritables diamants. Il en a enregistré des douzaines : *Aux marches du palais, Brave marin, À la claire fontaine, Le roi a fait battre tambour...*

Le roi a fait battre tambour

ou « La marquise empoisonnée »

Dix-septième siècle

Le roi a fait battre tambour,
Le roi a fait battre tambour,
Pour voir toutes ces dames,
Et la première qu'il a vue
Lui a ravi son âme.

« Marquis, dis-moi
la connais-tu ? (bis)
Qui est cette jolie dame ? »
Le marquis lui a répondu :
« Sire roi, c'est ma femme... »

« Marquis, tu es plus
heureux qu'moi (bis)
D'avoir femme si belle !
Si tu voulais me l'accorder,
Je me chargerais d'elle.

-Sire, si vous n'étiez pas le Roi, (bis)
J'en tirerais vengeance !
Mais puisque vous êtes le Roi
À votre obéissance...

-Marquis, ne te fâche donc pas ! (bis)
Tu auras ta récompense :
Je te ferai, dans mes armées,
Beau Maréchal de France.

-Adieu, ma mie, adieu,
mon cœur ! (bis)
Adieu, mon espérance !
Puisqu'il te faut servir le Roi,
Séparons-nous d'ensemble. »

Le roi l'a prise par la main, (bis)
L'a menée dans sa chambre ;
La belle en montant les degrés
À voulu se défendre.

« Marquise, ne pleurez pas tant ! (bis)
Je vous ferai Princesse ;
De tout mon or et mon argent,
Vous serez la maîtresse.

-Gardez votre or ! Et votre argent (bis)
N'appartient qu'à la Reine ;
J'aimerais mieux mon doux Marquis
Que toutes vos richesses ! »

La reine a fait faire un bouquet (bis)
De belles fleurs de lys,
Et la senteur de ce bouquet
A fait mourir Marquise...

Guy Béart

Né Guy Béhar, le 16 juillet 1930, au Caire (Égypte)

Son enfance est marquée par les déménagements autour de la Méditerranée et jusqu'au Mexique. Son père, David, expert-comptable et administrateur de sociétés, participe à la création de grandes entreprises, en Grèce, en Italie, au Liban, où l'adolescent fera ses études secondaires. Il passe son temps à relire les dictionnaires et à annoter des tas de romans et de livres d'art. La famille s'installera définitivement à Nice, sur la Côte d'Azur.

À l'âge de 17 ans, Guy s'amène à Paris et s'inscrit à l'École Nationale des Ponts et Chaussées, fameux établissement d'ingénierie. Il en ressort, à 21 ans, diplômé et spécialisé dans des secteurs qui lui tiennent à cœur. Mais Guy Béart est un amalgame de cultures, de traditions; un adolescent qui a grandi sur des sols différents et qui ne peut se résoudre à orienter sa vie dans un seul chemin. Il garde ainsi en lui plus d'une passion et ne ferme pas entièrement la porte sur son attrait pour l'art en s'inscrivant parallèlement à l'École nationale de Musique.

En 1952, son père meurt prématurément d'une crise cardiaque. Le jeune homme arrive pour de bon dans la Ville lumière, avec sa mère Amélie et sa sœur Doris. Pour aider sa famille, ce champion de billard et d'échecs sera tour à tour barman sur un paquebot, copiste de musique, professeur de géométrie et ingénieur dans une usine de béton armé.

L'ingénieur se laisse peu à peu séduire par la vie d'artiste. Il se laisse pousser la barbe, joue de la mandoline et du violon. La nuit venue, il écrit toujours des articles techniques dans les

Annales des travaux publics, mais se libère aussi dans la poésie. Le poète flirte avec le théâtre. Il hésite un bon moment entre deux carrières qui s'ouvrent à lui : la chanson ou le béton ?

En 1954, Guy change l'orthographe de son nom de famille, Béhar, pour celui de Béart. Il fait ses débuts parisiens dans les boîtes de la rive gauche, en s'accompagnant à la guitare. Il chante *Qu'on est bien* à la Colombe, petit bistro derrière la cathédrale Notre-Dame, et au Port-du-Salut. Patachou le fait connaître en enregistrant *Poste restante* et *Bal Temporel* :

Si tu viens jamais danser
Chez Temporel un jour ou l'autre,
Pense à ceux qui tous ont laissé
Leurs noms gravés auprès du nôtre...

PHOTO : ÉCHOS VEDETTES

Guy Béart a tissé des liens d'amitié avec plusieurs artistes québécois, notamment Clémence DesRochers et Jacques Blanchet. Il lui arrivait parfois de séjourner, à Vaudreuil, chez son grand ami Félix Leclerc.

Maurice Chevalier, Zizi Jeanmaire et Juliette Gréco ajoutent des textes du troubadour dans leur répertoire. Parmi les 400 chansons que Guy Béart a composées, plusieurs restent en mémoire : *Le quidam, Il y a plus d'un an, Laura, Ma vieille, La chabraque, Le chapeau...*

C'est en 1957 que le découvreur de vedettes, Jacques Canetti, lui fait enregistrer son premier 45-tours et l'engage aux Trois Baudets, où il se lie d'amitié avec Félix Leclerc, Jacques Brel, Georges Brassens, Juliette Gréco, Mouloudji, Francis Lemarque Boris Vian et l'écrivain Louis Nucéra. Avec le succès spontané de ses premières chansons, Bruno Coquatrix le fait débuter à l'Olympia, temple de la renommée.

PHOTO : MARCEL COGNAC, ÉCHOS VEDETTES

Avec Boris Vian et Antoine, Guy Béart fait partie de ces ingénieurs-musiciens-chanteurs qui ont marqué la chanson française. L'auteur de *L'eau vive* est vite devenu l'idole des enfants et des adultes.

Au début des années 60, avec la concurrence féroce du rock'-n'roll, du yéyé et du twist, le chanteur connaît des difficultés avec les grandes maisons de disques, qui boudent la belle chanson traditionnelle. Il décide donc, en 1963, de fonder sa propre compagnie. Deux ans plus tard, sa conjointe Geneviève Galée donnera naissance à leur fille, Emmanuelle Béart, qui deviendra l'une des plus grandes actrices françaises. Connue d'abord dans *Manon des sources*, elle est bouleversante dans *Un cœur en hiver* avant d'atteindre Hollywood avec *Mission impossible*.

Guy ne reste pas en place. Après avoir enregistré un microsillon de vieilles chansons françaises, il va créer l'émission de télévision, *Bienvenue*. Pendant huit ans, il reçoit dans les studios de la RTF les grands noms du spectacle et de la littérature : Louis Aragon, Duke Ellington, Yves Montand, Félix Leclerc, Raymond Devos, Daniel Gélin...

Après cette belle aventure, il reprendra son bâton de pèlerin pour sillonner la route des chansons, en France et à l'étranger, et sortira huit autres albums durant la décennie 70. Vedette sans l'avoir voulu, le poète de l'amour et de l'humour adore le folklore d'autrefois. Sur deux de ses disques, *Vive la rose* (1966) et *V'la l'joli vent* (1968), on y trouve *Le roi a fait battre tambour*, *Aux marches du palais, Le pont de Nantes, Brave marin*, dont voici quelques phrases :

Brave marin revient de guerre
Tout mal chaussé tout mal vêtu
Brave marin d'où reviens-tu ?
Madame je reviens de guerre
Qu'on apporte ici du vin blanc...

Après avoir écrit un album pour les jeunes, *Guy Béart chante l'espace,* il monte un nouveau spectacle, *Chansons d'hier et d'aujourd'hui*, qu'il présente au Théâtre des Champs-Élysées, en 1967. À ce sujet, Louis Aragon signe dans *Lettres françaises* : « C'est le charme, comment dire autrement ? Le charme et le talent. L'extraordinaire présence, si complexe, de cet homme seul sur la scène... » Avant les troubles de mai 68, il écrit une chanson prémonitoire, *Le grand chambardement* :

La Terre perd la boule
Et fait sauter les foules
Voici, finalement
Le grand, le grand,
Voici finalement
Le grand chambardement...

PHOTO : ÉCHOS VEDETTES

Sûrement que Guy Béart est toujours d'accord avec les propos de Pauline Julien (1928-1998), auteure de *L'âme à la tendresse* : « La lutte des femmes ne doit pas se faire contre les hommes. »

En 1976, la poésie des chansons de Béart séduit le couple Madeleine Renaud et Jean-Louis Barrault. Ensemble, ils enregistrent un album sur lequel ils lisent plusieurs des 31 textes du poète.

De sérieux problèmes de santé vont l'obliger à se retirer dans sa villa de Garches, en banlieue parisienne. Il refera surface, en 1986, avec son album *Demain je recommence*, et effectuera un heureux retour à l'Olympia et dans quelques pays francophones. En juillet 1991, il est en vedette au Festival de Pau, puis au Festival de Sauve.

Suite à de graves ennuis de santé, il se retire de la scène pendant trois ans. Cela ne l'empêche pas d'écrire de nouvelles chansons toujours aussi belles.

PHOTO : MAX MICOL

L'auteur, Marcel Brouillard, recueille les propos et confidences de Guy Béart, alors qu'il s'apprêtait à enregistrer son émission de télévision hebdomadaire, *Bienvenue*, dans les studios de la RTF.

En mars 1994, c'est chez lui à Garches qu'on organise un concert et le lancement d'un nouvel album. On lui décerne le Grand Prix de l'Académie Charles-Cros pour l'ensemble de son œuvre. En 1995, il refait l'Olympia avec un autre disque, *Il est temps*, comprenant 12 chansons inédites.

Après une longue absence au Québec, il s'amène à la Place des Arts, en août 1996, dans le cadre des FrancoFolies de Montréal. Cette année-là, il sort l'intégrale de son dernier concert à l'Olympia, *L'eau vive de la vérité*. En 1999, c'est à Bobino qu'il va attirer des foules considérables.

Il est difficile de cataloguer le chanteur dans une quelconque catégorie. Le ton de Guy Béart est tellement personnel. Il a une griffe, une couleur bien à lui.

PHOTO : JOCELYN CHEVALIER, ÉCHOS VEDETTES

Guy Béart prend plaisir à discourir avec son imprésario au Québec, Guy Latraverse, à gauche, mais aussi avec ses copains d'hier et d'aujourd'hui : Gille Vigneault, Jean-Pierre Ferland, Raymond Lévesque...

Biographie

Dans son autobiographie, *Guy Béart, l'espérance folle*, publiée en 1987, il raconte comment il a vaincu une grave maladie qu'il a dû combattre pendant des années. Il parle aussi de son amour de la beauté, de Dieu et des femmes. Ses folles amours en témoignent d'ailleurs largement. Après Geneviève, Carmen, Irène... il finit par épouser Cécile. De cette union naîtra Ève. Quelques années plus tard, le couple se séparera.

Puis, Dominique, poétesse et chanteuse, entrera dans sa vie. Il aura ensuite un coup de foudre pour Isabelle. On voit bien que l'amour n'est pas qu'un sentiment, c'est un art aussi, comme disait Balzac. Inutile de préciser que toutes ces histoires sentimentales dévoilées dans son livre, lui ont inspiré des chansons émouvantes et parfois cocasses. Guy Béart n'a pas craint d'étaler toute sa vie de chaleureux bourreau des cœurs.

1960

Parlez-moi de lui

Adaptation française de **The Way of Love**
par Michel Rivgauche et Jack Dieval

PHOTO : RADIO-CANADA

Interprètes...

Renée Martel

Dalida, Nicole Croisille, Françoise Hardy, Ginette Reno...

Parlez-moi de lui

1960

Parlez-moi de lui
Vous le savez bien
Il est toute ma vie
Oh, je vous en prie
Ne me cachez rien
Que fait-il là-bas ?
S'ennuie-t-il sans moi?
A-t-il des amis ?

Parlez-moi de lui
Dites-moi les mots
Les mots qu'il a dits
Dites-moi pourquoi
Il ne m'écrit plus
Je ne comprends pas
Je ne comprends plus
J'ai si mal de lui

Parlez-moi de lui
Quand vous l'avez vu
Hier, dans la rue
Avait-il quelqu'un ?
Quelqu'un à son bras
Regardez-moi bien
Et répondez-moi
Vous ne dites rien

Alors dites-moi
Si elle est jolie
Plus jolie que moi
Et lui, dans ses yeux
Etait-il heureux ?
Oh, je vous en prie
Même si j'ai mal
Parlez-moi de lui

Parlez-moi de lui

Parlez-moi de lui

En reprenant sur disque et à la scène, *Parlez-moi de lui*, énorme succès de Dalida, en 1960, Renée Martel relève tout un défi et démontre qu'elle peut s'aligner avec les grandes interprètes, Françoise Hardy, Ginette Reno, Nicole Croisille, qui ont également enregistré cette adaptation française, dans des versions parfois différentes.

Michel Rivgauche, traducteur de la chanson originale, *The Way of Love*, n'en est pas à ses premières armes. Pour Edith Piaf, il a écrit ou adapté 11 textes, notamment *La foule*, *Mon vieux Lucien, Boulevard du crime* sur une musique de Claude Léveillée. Il s'est illustré aussi par l'écriture de sketches, d'émissions de radio et de télévision et de tubes pour Maurice Chevalier, Juliette Gréco, Charlotte Rampling... Né à Paris en 1923, il s'en est allé avec des œuvres connues et inédites, le 21 juin 2005.

Renée Martel a eu la bonne idée de refaire à sa manière *C'est mon histoire*, enregistrée par Nana Mouskouri, en 1983. Il s'agit du succès américain *Nickels and Dimes* de Dolly et Floyd Parton, traduit en français par Pierre Delanoë et Claude Lemesle. Ce texte convient parfaitement à la voix et à la façon de vivre de la chanteuse québécoise :

Enfant déjà, je chantais pour les gens de chez-moi
C'était mon plaisir et ma vie, je ne pensais qu'à ça
Et je me demande, aujourd'hui
quand je chante, si je n'ai pas rêvé
Quand je suis là et quand je vois le rideau, sur vous, se lever

C'est une histoire trop jolie pour y croire mais c'est mon histoire
Au fil des années, c'est vous qui l'écrivez pour moi, chaque soir
Et moi, je la vis, je la lis, j'en remplis ma mémoire
Merci à la chance de votre présence et
merci d'être dans mon histoire

En plus d'écrire des chansons personnelles et des versions de tubes anglophones, Renée a enregistré des airs inoubliables de Louis Amade (*Je t'appartiens*), Borel-Clerc (*Un amour comme le nôtre*), Pierre Barouh et Francis Lai (*Un homme et une femme*), popularisés respectivement par Gilbert Bécaud, Lucienne Boyer et Nicole Croisille.

Sur ses 30 microsillons et albums, on l'entend chanter en duo avec Fernand Gignac, Pascal Normand, Michel Pagliaro, René Simard, Johnny Farago et Patrick Norman. Tout comme Gildor Roy, Roger Miron, Lucille Star et Marie King et bien d'autres, elle a gravé une chanson rivée au cœur de tous les amateurs de country : *Quand le soleil dit bonjour aux montagnes* (paroles Annette Richer...) Et que la nuit rencontre le jour. Je suis seule avec mes rêves, sur la montagne. Une voix m'appelle toujours...

Qui n'a pas fredonné le refrain de cette chanson d'espoir, *Un jour à la fois*. Elle a été enregistrée et entendue des milliers de fois, au Québec, par André Breton et, bien entendu, par Renée Martel, qui la chante avec tellement de sincérité.

Un jour à la fois

1971

Paroles : André Breton, René Ouellette - Musique : Kristferson, Wilkin

Un jour à la fois, Oh mon Dieu
Je n'suis qu'un homme, rien qu'un pauvre homme
Aide-moi à croire à c'que je peux être, à ce que je suis
Montre-moi le chemin pour progresser
Mon Dieu, pour mon bien
Guide-moi toujours un jour à la fois

(Refrain)
Un jour à la fois, ô mon Dieu
C'est tout ce que je demande
Le courag'de vivre, d'aimer
D'être aimé, un jour à la fois
Hier, c'est passé, ô mon Dieu
Et demain ne m'appartient pas
Mon Dieu aide-moi, aujourd'hui
Guide-moi un jour à la fois
Guide-moi un jour à la fois

Tu m'as tout prêté,
la vie, la santé
Je veux croire en toi
En toutes tes bontés
pour l'humanité
Une voix pour chanter,
une âme pour aimer
Aide-moi à vivre , oui,
aide-moi à vivre
Un jour à la fois.

Renée Martel

Née le 26 juin 1947, à Drummondville (Québec)

Renée Martel, pour beaucoup, c'est une victime, une mythomane, une idole... Mais c'est avant tout une enfant blessée, une femme amoureuse, fragile, dont la vie n'a pas été facile. Qu'on pense seulement à ses problèmes de santé, d'alcool, de drogues douces, de viol et d'escroquerie. Tous ces drames l'ont amenée à des tentatives de suicide, à des remises en question de sa brillante carrière de chanteuse.

Dans un livre autobiographique troublant, révélateur, publié avec l'aide de son fils, Jean-Guy Chapados, elle n'est pas tendre pour elle-même et pour ses proches. Elle raconte tout ou presque sur sa vie intime, ses amours sans lendemain, ses excellents parents adoptifs, Robert et Clara Sawyer, ses conflits familiaux, surtout avec son père, Marcel Martel, vedette de la chanson western. La vie professionnelle de Renée, avec son lot de difficultés financières, de faillite, est étalée au grand jour.

À quelques reprises, elle a dû se retirer de la vie publique pour tenter de refaire sa vie, différemment, loin des projecteurs, des studios d'enregistrement, des cabarets malfamés. Il lui fallait beaucoup d'argent pour satisfaire son appétit vorace des beaux vêtements et des voitures de luxe.

À l'aube de ses 60 ans et de ses 50 ans de carrière, a-t-elle enfin trouvé la sérénité, le grand bonheur ? Elle ne tient pas rancune à ceux qui l'ont blessée, exploitée, manipulée. « Dans la vie, déclare-t-elle, il faut apprendre à pardonner, à aimer davantage, à s'accepter avec tous ses défauts, pour survivre, pour avancer. Tout le monde commet des erreurs, moi la première. Il faut s'accrocher à la vie et la vivre en harmonie avec son prochain. »

L'Association pulmonaire du Québec, dont elle est la porte-parole, lui a permis d'exorciser le démon de la maladie de son père et de son état actuel. Elle s'est enfin trouvé une cause à sa mesure. Voyons comment tout a commencé pour ce premier enfant de la chanteuse Noëlla Therrien et de Marcel Martel, auteur, compositeur et interprète. De cette union naîtra, en 1958, son frère Mario. Les ménestrels sillonnent le Québec, le Nouveau-Brunswick et la Nouvelle-Angleterre en chantant à l'unisson : *Villes en villages, Blottis l'un contre l'autre, Valser dans tes bras* ...

À cause de la maladie de son père, atteint de la tuberculose, elle passe une année difficile à l'orphelinat de Nicolet avant de suivre ses parents, en 1960, aux États-Unis, à Los Angeles, à Glen Falls, dans l'État de New York, puis ensuite aux Massachusetts, à Springfield, où vivent des centaines de milliers de Canadiens français, en exil depuis 1860. Dans cette ville, le climat est plus propice au rétablissement du chanteur. « Ma mère et moi devions nous habiller à l'Armée du Salut. Durant les fins de semaine, nous donnions des spectacles pour la communauté franco-américaine. »

À son retour au Québec, Marcel Martel anime sa propre émission de télévision à Sherbrooke. Sa fille Renée refait surface à ses côtés, trois fois par semaine, comme chanteuse attitrée de l'orchestre. Le public n'a pas oublié la gamine qui dansait à claquettes et chantait *Un coin de ciel* de son paternel et *Le petit cordonnier* de Francis Lemarque.

Elle enregistre son premier 45-tours, *C'est toi mon idole* et *Parle mon cœur* en 1964. Après cinq autres disques et des fiançailles rompues, elle veut retourner aux études et devenir assistante dentaire comme sa copine Claudette Cadoury. Un bien joli rêve.

Avec Liverpool présenté à *Jeunesse d'aujourd'hui,* à Télé-Métropole, elle connaît un énorme succès. Le prix Orange en poche, décerné par TV-Hebdo, pour sa gentillesse auprès des médias, elle est élue Révélation féminine de 1968 au Gala des artistes. Sa rencontre avec Adamo reste l'un de ses plus beaux souvenirs. « Il est venu me chercher et nous avons ouvert la danse par un *slow*. Un vrai conte de fées. »

Durant quelques saisons estivales, elle participe à la tournée *Musicorama* avec Dick Rivers, Patrick Zabé (*Agadou-dou-dou* et *Señor Météo*), Karo et Stéphane. En 1971, elle ne parvient pas à résoudre ses problèmes d'alcool et de drogue et tente de mettre fin à ses jours, après sa rupture avec le chanteur et animateur Jean Malo. L'année suivante, elle remonte la pente avec *Un amour qui ne veut pas mourir*, son plus grand succès en carrière, qui s'envole à 400 000 exemplaires.

En 1974, c'est une femme en amour qui donne naissance, le 13 avril, à son fils Dominique, issu de son union avec le talentueux musicien, Jean-Guy Chapados, qui a partagé sa vie pendant près de cinq ans. Elle devient une tête d'affiche au cabaret et dans les festivals. Pour son spectacle à la Place des Arts, en 1975, Robert Charlebois lui écrit *Cowgirl dorée*, version française de *Rhinestone Cowboy* de Glen Campbell. Un an après, elle est une des vedettes des grandes Fêtes nationales du Québec, au Stade olympique de Montréal, avec André Gagnon, Colette Boky, Robert Savoie, Anne Létourneau et son grand ami Pascal Normand.

De 1978 à 1981, elle coanime l'émission *Patrick* (Norman) *et Renée*, à Télé-Métropole et se joint à *La grande rétro* avec René Simard, Les Classels, Johnny Farago... En 1983, elle remporte le Félix pour le meilleur album country, *C'est mon histoire*. On y entend *Dors bien mon ange, Divorce* et *Nous on aime la musique country*, enregistré sous l'étiquette Star avec son père.

Tous les deux présenteront une émission spéciale à TVA et un remarquable spectacle au Grand théâtre de Québec et à la Place des Arts, à Montréal.

Malgré tous ses déboires, la popularité de Renée Martel n'a jamais cessé de s'accroître. Le public est toujours là pour l'acclamer et l'encourager à passer à travers ses épreuves.

PHOTO : ÉCHOS VEDETTES

Patrick Norman et Renée Martel sont encore aujourd'hui, les vedettes qui attirent le plus de spectateurs dans tous les festivals country du Québec, de l'Ontario et du Nouveau-Brunswick.

Après avoir quitté sa grande maison de ferme, à Richelieu, elle déclare une faillite personnelle de 125 000$. Un vrai cauchemar. Il ne lui reste plus que son fils Dominique. Ses retrouvailles avec Pascal Normand arrivent au bon moment. Elle anime avec lui des défilés de mode dans tout le Québec.

Avec le concours de Linda Nantel, elle publie *Renaissance*, en 1984, récit bouleversant relatant sa lutte contre l'alcoolisme et délaisse momentanément le monde du music-hall. Après avoir connu des problèmes financiers et sentimentaux, elle est en pleine possession de ses moyens et voit l'avenir avec confiance et optimiste. Elle entreprend une nouvelle carrière d'animatrice à la radio de Québec et de Montréal.

Cupidon, dieu de l'amour, va se manifester. Elle surmonte d'autres obstacles avec sa nouvelle liaison sentimentale. Le 15 août 1987, elle épouse Georges Lebel, en l'Église Unie de Saint-Lambert. Elle s'envole avec lui au Maroc, en Afrique du Nord, où son travail l'y oblige. Comme vice-président de Vidéotron, il a reçu le mandat d'aider à l'implantation de la première chaîne de télé privée au Maroc.

Qui prend mari prend pays, disait-on à une certaine époque. Le 29 décembre 1987, à Casablanca, elle donne naissance à sa fille Laurence. Le bonheur entre pour de bon dans la famille reconstituée, qui comprend aussi Dominique et les enfants de son époux : Mathieu et Catherine.

Dès son retour à Montréal, en 1990, elle enregistre l'album *Authentique*, comprenant uniquement des chansons inédites. Deux ans plus tard, elle en refait un autre, *Je reviens*. En 1994, elle anime une télésérie à Radio-Canada. Cette émission, diffusée de Moncton, au Nouveau-Brunswick, pendant trois ans, met en vedette des artistes francophones du monde country; Bobby Hachey, Georges Hamel, la famille Daraîche, Manon Bernard, Roger Miron avec son *P'tit cœur après neuf heures*, enregistrée il y a 50 ans. On choisit Renée comme présidente d'honneur du Festival western de Saint-Tite.

Il semble bien que l'heure de la retraite soit arrivée en ce début d'année 1996. Elle s'en va toute seule à Knowlton, le temps de se ressourcer et de penser à l'avenir de Laurence, qui n'est pas heureuse dans leur condo de Saint-Lambert. Elle va donc la chercher pour l'amener dans la grande maison de l'Estrie et l'inscrire à l'école du village.

PHOTO : MICHEL MARCIL, ÉCHOS VEDETTES

Trois grandes figures du monde country, Willie Lamothe, (1920-1992), Renée Martel et Roger Miron, qui ont remporté de nombreux trophées durant toute leur carrière.

En 1997, son producteur André Di Cesare insiste pour qu'elle revienne dans la métropole et enregistre un album, en hommage à Paul Brunelle, Willie Lamothe et Marcel Martel. Elle assistera au lancement de *Country* munie de deux béquilles et d'une orthèse. Son accident de ski aurait pu lui être fatal.

En mars 1999, elle entre à l'hôpital pour une bronchite et parle au téléphone avec son père pour la dernière fois. Il décède, un mois plus tard, à l'hôpital de Drummondville. Elle était devenue sa confidente, sa gérante et sa complice. Tous les deux avaient une foi vive pour passer à travers leurs difficultés de santé. Malgré sa peine, Renée a continué de chanter et de semer la joie autour d'elle.

PHOTO : ÉCHOS VEDETTES

Quand Marcel Martel anime ses propres émissions à la télévision de Sherbrooke, Renée refait surface à ses côtés, comme chanteuse attitrée de l'orchestre. Sa mère Noëlla Therrien est toujours là pour encourager son mari et sa fille.

Une quinzaine de jours plus tard, André Di Cesare lui propose de rendre hommage à son père en enregistrant ses plus grands succès. Après la production de l'album *À mon père*, couronné par la suite au Gala de l'ADISQ, elle entre à l'abbaye de Saint-Benoit-du-Lac. À sa sortie, elle entreprend une longue psychothérapie. Le 1er juin, elle subit une embolisation nécessitée par ses problèmes pulmonaires.

Pour un certain temps, le beau couple Lebel-Martel se sépare. Elle s'achète un petit condo à Knowlton pour y vivre avec sa fille Laurence. Le 10 juin 2000, son fils Dominique se marie en l'Église Unie de Saint-Lambert, le même lieu où elle a épousé Georges 13 ans auparavant.

Photo : Michel Marcil, Échos Vedettes

Avec le comédien Gildor Roy qui, tout comme Renée Martel, est en demande comme animateur à la télévision. Il a également fait sa marque en enregistrant *Quand le soleil dit bonjour aux montagnes*, en français, en anglais, en espagnol.

Radio-Canada lui rend hommage en lui consacrant une émission spéciale, *Avec simplicité*, animée par Claude Charron. C'est le titre de sa chanson préférée, de Richard Cocciante, interprétée à son mariage par Céline Dion. Elle voit bien que le public, et ses nombreux amis présents, lui sont restés fidèles.

À l'automne, la petite famille au complet est de nouveau réunie. En 2001, elle est l'heureuse grand-mère d'Henri, premier enfant de Dominique et d'Isabelle. Un rôle qu'elle joue à merveille et avec grand bonheur.

Pour la Saint-Valentin, le 14 février 2002, elle offre une compilation de ses principaux tubes et une chanson inédite, *Chez-moi*. Avec la complicité et la compréhension de son fils, Dominique Chapados, elle lance *Ma vie, Je t'aime* aux Éditions Publistar. On la voit peu dans la métropole et sur les routes du Québec.

Au début de 2006, elle mijote d'autres beaux projets. Pas question d'un retour sur scène. Elle ne tient pas à ce que l'on entre à l'improviste dans son jardin secret. Comble de malchance, Renée est victime d'un terrible accident de la route, le 23 février, à Saint-Pie-de-Bagot, alors qu'elle se rend chez elle au Lac Brome. On la transporte au Centre hospitalier Honoré-Mercier de Saint-Hyacinthe. Selon sa maman, Noëlla Therrien-Martel, qui aura bientôt 80 ans, elle a trois côtes, le nez et une main fracturés et l'oreille gauche à moitié arrachée. Après une intervention chirurgicale et un stage en maison de convalescence, elle reprendra ses forces et son courage à deux mains pour affronter de nouveau la vie avec sérénité et détermination. À l'hebdomadaire *La Semaine*, elle déclarait le 6 mai 2006 : « C'est véritablement un accident. Je n'ai jamais envisagé l'idée du suicide après ma tentative de l'automne dernier. »

La vie sentimentale continue de faire les manchettes de la presse du cœur. En novembre 2006, elle se confie de nouveau à *La Semaine* : « J'ai un nouvel homme dans ma vie, qui a 14 ans de moins que moi. Je n'aurais jamais pensé que cela puisse m'arriver. Il est père d'une fille de 16 ans, alors que moi, j'en ai une de 18 ans. Bruno, tel est son prénom, travaille à Bromont, dans le domaine de l'aéronautique, depuis 21 ans. Avec mon nouvel amoureux, je me sens vraiment revivre. Pour le moment, je vis dans mon nouvel appartement à Granby... On ne veut pas brûler les étapes. Alors, je laisse les choses couler doucement... »

À la fin de l'année, Renée Martel luttait plus fort que jamais contre les mauvais sorts, avec l'aide du prénommé Bruno, des gens bien intentionnés sont tout près d'elle en tout temps. Elle veut à tout prix vaincre sa maladie pulmonaire. Elle a eu 60 ans en juin 2007. « Je continue de refaire le bilan de ma vie et me remettre en question chaque jour, *Un jour à la fois*. Il ne faut pas que j'arrête de chanter et d'entrer en studio pour enregistrer d'autres albums, là où je suis en possession de tous mes moyens. »

Dans nos vieilles maisons

Paroles et musique : Muriel Millard

PHOTO : ÉCHOS VEDETTES

Interprètes...

Muriel Millard

Aglaë, Bottine souriante, Chansonniers de Gloucester, Famille Daraîche, Famille Dion, Jean-Paul Filion, Groupe Makina, Horloge sans temps, La jungle, Les légendaires, André Proulx, Québecissime, René Simard...

Dans nos vieilles maisons

Si vous voyagez un brin du côté de St-Quentin
Dites bonjour à mes parents qui habitent le cinquième rang
Vous ne pouvez pas les manquer prenez le chemin pas pavé
Près d'la maison vous verrez y a une croix qu'on a plantée
En vous voyant arriver m'an ôtera son tablier
Et dira mais entrez donc, passez donc dans le salon
Le plancher tout frais ciré qu'on ose à peine à marcher
Le bouquet de fleurs des champs embaume l'appartement
Que c'est charmant chez nos parents
C'que ça sent bon dans nos vieilles maisons

Sitôt que vous serez rentrés, il faudra vous dégreiller
On vous garde pour le souper car ce soir y a une veillée
On vide la chambre des garçons roule le tapis du salon
Heureux, l'père tire une bouffée en attendant les invités
Les voisins arrivent gaiement avec leurs douzaines d'enfants
On monte en-haut les coucher, cinq par lit, on est tassés
Quand ils sont bien endormis, on ferme la porte sans bruit
On descend le cœur joyeux en entendant les violoneux
Ah ! qu'c'est gai dans nos veillées
C'que ça sent bon dans nos vieilles maisons

Pour ceux qui prennent un p'tit coup papa sort son caribou
Quand on est bien réchauffés, on s'invite pour danser
Ti-Jean avec Joséphine, le grand Jos et Caroline
Thérèse avec Poléon et pis les maîtres de la maison
Les violons sont accordés, les musiciens tapent du pied
C'est Nésime qui va câler l'premier set de la veillée
Swinger là sus c'plancher-là, les gigueux sont un peu là
Thérèse qui étouffait est allée ôter son corset
Dansons gaiement, c'est l'bon temps
Du rigodon dans nos vieilles maisons

Dans nos vieilles maisons

Puis c'est le temps du réveillon,
la mère a fait des cretons
Du ragoût de pattes de cochon,
des tourtières et du jambon
Pour dessert y a sur la table,
notre bon sirop d'érable
Des beignes, d'la crème d'habitant,
les ceintures changent de cran
Après avoir trop mangé
qu'on peut à peine souffler
Des histoires on va conter :
rire ça fait digérer
Déjà cinq heures du matin,
la veillée tire à sa fin
On réveille les enfants, on s'dit
« Au revoir » en bâillant
Au Canada,
ça s'passe comme ça
La vie a du bon,
dans nos vieilles maisons

C'est la tradition
dans nos vieilles maisons

MURIEL MILLARD

Quand Muriel Millard écrit les paroles et la musique de sa chanson, *Dans nos vieilles maisons*, elle ne se doute pas qu'elle entrerait, 45 ans plus tard, au Panthéon des Auteurs et Compositeurs canadiens. C'est une reconnaissance bien méritée pour une artiste exceptionnelle, qui a donné 65 années de sa vie à chanter et à rendre les gens plus heureux.

Muriel a toujours mené le combat de ses ancêtres et de la survivance de notre culture et de nos vieilles coutumes, sans tomber dans le passéisme. Elle se rappelle, encore aujourd'hui, que son grand-père Millard, d'origine écossaise, avait beaucoup de difficultés à s'exprimer en français. Il répétait à sa petite-fille l'importance de bien s'exprimer, d'écrire correctement et de défendre sa langue maternelle.

PHOTO : ÉCHOS VEDETTES

Figures marquantes de l'histoire de la chanson et du théâtre au Québec : Muriel Millard et Gratien Gélinas, créateur de Ti-Coq et de Fridolin. Tous les deux ont présenté des revues au Monument-National et à la Comédie Canadienne.

Lors du quatrième Gala du Panthéon, télévisé d'un océan à l'autre à Radio-Canada, le 28 janvier 2007, les animateurs Sophie Durocher et Andrew Craig ont rendu un bel hommage à Muriel Millard, mais aussi à Diane Juster pour *Je ne suis qu'une chanson*, immortalisée par Ginette Reno.

Parmi les autres Québécois à l'honneur, on retrouve Marc Hamilton avec *Comme j'ai envie d'aimer*, Georges Langford avec *Le frigidaire* chanté notamment par Tex Lecor, Edith Butler avec *Paquetville*. À lui seul, Jean-Pierre Ferland cumule cinq de ses succès au Panthéon : *Je reviens chez nous, Le petit roi, Un peu plus haut, un peu plus loin, T'es mon amour, t'es ma maîtresse* et *Ton visage* reprise par Félix Leclerc.

C'est un bonheur de pouvoir s'entretenir avec Muriel Millard. Karine Charbonneau lui a arraché quelques confidences. « Il y a beaucoup de chance dans ma réussite, mais surtout beaucoup de travail. Pour faire du spectacle, il faut aimer la misère et même en redemander. Quand on veut vraiment quelque chose, on prend le temps nécessaire pour y arriver. Le travail devient alors un loisir. Et puis la misère, ça donne de l'expérience. C'est ce qui nous pousse à aller plus loin. Ç'a été dur de m'arracher au théâtre. J'en ai eu pour deux ans à m'en remettre. Doucement, inconsciemment, c'est la peinture qui m'a sauvée. »

Comme auteure-compositeure, cette perfectionniste a remporté, à deux reprises, la palme du concours *Chansons sur mesure* à Radio-Canada. Quelques-unes de ses mélodies ont été reprises sur disque, notamment *Quadrille au village*, par Rollande Désormeaux et Robert L'Herbier. Elle a tourné dans *Mustang*, de Marcel Lefebvre et joué, entre autres, dans la comédie musicale, *La quincaillère de Chicago*, au théâtre Saint-Denis.

Muriel garde un souvenir inoubliable de son premier prix à Télé-Métropole, qui invitait les paroliers à écrire un hymne national, en 1960. Elle s'illustre une fois de plus avec *Le Chant du Québec* :

(Refrain)
Québec, Québec, Québec
Tu resteras toujours
Québec, Québec, Québec
Mon beau pays et mes amours (bis)

Québec, tes villes et tes villages
Québec, voilà notre héritage
Que de trésors dans tes rivières
Dans tes forêts et sous la terre
Marchons, marchons la tête fière
Vers l'avenir, vers la lumière

(Au refrain)

Québec est fier de son drapeau
Québec sait le porter bien haut
« Je me souviens » disaient nos pères
On l'a payé ce coin de terre
Pour nos aïeux et leur courage
Il faut s'unir bien davantage

(Au refrain)

Québec, à l'accueillant sourire
Québec, tu sais danser et rire
Résonnent toujours dans nos têtes
Les gigues et les chansonnettes
Gens du pays dit le poète
Chant'ta fierté à tue-tête

(Au refrain)

En 1995, son imprésario Jean Simon, qui a fait débuter Ginette Reno à 14 ans, réussit l'impossible en convainquant Muriel, âgée de 73 ans, d'entrer en studio pour enregistrer ce texte patriotique avec des mots de tous les jours, sur les arrangements musicaux de Georges Tremblay. Finira-t-on un jour par le trouver cet hymne national rassembleur ?

Alors qu'elle chantait en compagnie de Charles Aznavour, elle lui a demandé à brûle-pourpoint s'il lui permettrait d'enregistrer *Je m'voyais déjà*. Un très long texte difficile à interpréter, surtout après son créateur. « Vous seriez sûrement la première femme à lui donner une autre dimension féminine et personnelle. C'est aussi en quelque sorte votre histoire. J'étais là à vos côtés quand vous veniez chanter au Faisan doré de la rue Saint-Laurent. Ce sont des souvenirs qu'on n'oublie pas. »

Jean Rafa, Muriel Millard, Edmond Martin, patron du Faisan doré, et Jacques Normand se retrouvaient régulièrement à ce cabaret de la rue Saint-Laurent pour y chanter *Les nuits de Montréal*, en compagnie de Pierre Roche, Charles Aznavour, Fernand Gignac...

Je m'voyais déjà

Paroles et musique : Charles Aznavour

À dix-huit ans j'ai quitté ma province
Bien décidé à empoigner la vie
Le cœur léger et le bagage mince
J'étais certain de conquérir Paris

Chez le tailleur le plus chic j'ai fait faire
Ce complet bleu qu'était du dernier cri
Les photos, les chansons et les orchestrations
Ont eu raison de mes économies

Je m'voyais déjà en haut de l'affiche
En dix fois plus gros que n'importe qui mon nom s'étalait
Je m'voyais déjà adulé et riche
Signant mes photos aux admirateurs qui se bousculaient

J'étais le plus grand des grands fantaisistes
Faisant un succès si fort que les gens m'acclamaient debout
Je m'voyais déjà cherchant dans ma liste
Celle qui le soir pourrait par faveur se pendre à mon cou

Mes traits ont vieilli, bien sûr sous mon maquillage
Mais la voix est là, le geste est précis et j'ai du ressort
Mon cœur s'est aigri un peu en prenant de l'âge
Mais j'ai des idées, j'connais mon métier et j'y crois encore

Rien que sous mes pieds de sentir la scène
De voir devant moi le public assis, j'ai le cœur battant
On m'a pas aidé, je n'ai pas eu d'veine
Mais au fond de moi, je suis sûr d'avoir du talent

Ce complet bleu, y a trente ans que j'le porte
Et mes chansons ne font rire que moi
J'cours le cachet, j'fais du porte à porte
Pour subsister j'fais n'importe quoi

Je n'ai connu que des succès faciles
Des trains de nuit et des filles à soldats
Les minables cachets, les valises à porter
Les p'tits meublés et les maigres repas

Je m'voyais déjà

1961

Je m'voyais déjà en photographie
Au bras d'une star l'hiver dans la neige, l'été au soleil
Je m'voyais déjà racontant ma vie
L'air désabusé à des débutants friands de conseils

J'ouvrais calmement les soirs de première
Mille télégrammes de ce Tout-Paris qui nous fait si peur
Et mourant de trac devant ce parterre
Entré sur la scène sous les ovations et les projecteurs

J'ai tout essayé pourtant pour sortir de l'ombre
J'ai chanté l'amour, j'ai fait du comique et d'la fantaisie
Si tout a raté pour moi, si je suis dans l'ombre
Ce n'est pas ma faut'mais cell'du public qui n'a rien compris

On ne m'a jamais accordé ma chance
D'autres ont réussi avec un peu de voix mais beaucoup d'argent
Moi j'étais trop pur ou trop en avance
Mais un jour viendra, je leur montrerai que j'ai du talent

CHARLES AZNAVOUR ET MIREILLE MATHIEU

Muriel Millard

Née le 3 décembre 1922, à Montréal (Québec)

Les Français se souviennent de leur Mistinguett avec ses gambettes et les Québécois n'oublient pas leur Muriel Millard avec ses paillettes. La Reine du Music-hall puisqu'il faut l'appeler par son titre mérité, monte sur la scène du Parc Dominion et du théâtre National, en 1935. Elle a l'audace, à 13 ans, d'imiter Joséphine Baker chantant *J'ai deux amours* et Mireille avec *Couchés dans le foin* :

Couchés dans le foin
Avec le soleil pour témoin
Un p'tit oiseau qui chante au loin
On s'fait des aveux
Et des grands serments et des vœux
On a des brindill's plein les ch'veux
On s'embrasse et l'on se trémousse
Ah que la vie est douce, douce
Couchés dans le foin avec le soleil pour témoin.

Muriel fait l'effet de vouloir prendre sa place rapidement à CKAC, à l'émission d'Henri Letondal et d'Henri Deyglun, *Vie de famille*. Elle remporte le premier prix des *Jeunes talents Catelli*, une belle montre Bulova plaquée en or. La voilà en tournée, à 18 ans, avec la troupe de Jean Grimaldi. Dans la rue, on fredonne le succès de son premier 78-tours, *Y'a pas de cerises en Alaska*, chanson loufoque reprise, en 1982, par Antoine, le hippie aux cheveux longs et en chemise à fleurs qui chante *Les élucubrations*. Il y a 33 ans , il a pris la mer pour sillonner les océans. Il revient pour présenter ses livres et albums inspirés de ses voyages.

Un vrai coup de foudre fut la rencontre de Muriel Millard avec l'excellent et charmant danseur à claquettes Jean Paul. Elle l'épouse, en 1942, et le couple reçoit en cadeau des billets de faveur pour assister au début de la carrière de Maurice Richard, au Forum de Montréal. On est en pleine Seconde Guerre mondiale et les Québécois manifestent contre la conscription imposée de force par le parlement d'Ottawa.

De cette union heureuse, qui va durer jusqu'à la mort de Jean Paul, en 1980, naîtront Jocelyne, future avocate, et Marie-Claude, qui n'est plus de ce monde. Dans la famille des Millard, on chante et on danse à en perdre haleine. Louise King, France Bernard et Michel Paris vont exercer avec brio, le même métier que leur grande sœur Muriel.

PHOTO : ÉCHOS VEDETTES

La cravate à pois de Gilbert Bécaud est entrée dans les annales de la chanson française, dès 1954. Chaque fois qu'il venait à Montréal, Muriel Millard ne manquait jamais d'assister aux premières de ses spectacles.

Comme elle se débrouille bien dans la langue de Bing Crosby, elle tente sa chance sur Broadway, en 1944, au cabaret *Old Europe* et, plus tard, au *Latin Quarter*. Le public composé d'Américains et de touristes en visite à New York lui demande de chanter les succès des chanteurs français connus aux États-Unis. Elle en a fait un joli bouquet des refrains de Jean Sablon, *J'attendrai* et *Sur le pont d'Avignon*, de Charles Trenet, *La mer, Que reste-t-il de nos amours* et d'Edith Piaf, qui vient tout juste d'écrire *La vie en rose* :

Quand il me prend dans ses bras,
Il me parle tout bas
Je vois la vie en rose,
Il me dit des mots d'amour
Des mots de tous les jours,
Et ça me fait quelque chose
Il est entré dans mon cœur,
Une part de bonheur
Dont je connais la cause,
C'est lui pour moi,
Moi pour lui dans la vie
Il me l'a dit, l'a juré
Pour la vie.
Et dès que je l'aperçois
Alors je sens en moi
Mon cœur qui bat...

Deux ans aux États-Unis, c'est suffisant, même si on lui offre un contrat d'exclusivité à long terme. Elle veut retrouver ses véritables racines et être reconnue par ses compatriotes comme chanteuse, mais aussi comme auteure de ses propres chansons. En 1947, elle reprend l'affiche de l'*Esquire*, à Montréal, et triomphe avec les succès du film *The Jolson Story*, tout en rodant le matériel de ses prochains 45-tours chez RCA Victor : *C'est mon quartier, Mon homme ne sort que la nuit, La samba du tramway*...

Élue Reine de la radio 1950, par les lecteurs de l'hebdomadaire *Radiomonde*, on la réclame partout au Québec, à la Casa Loma, au Faisan doré, à la Porte Saint-Jean et dans les salles paroissiales. Avec les Forces armées canadiennes, elle part en tournée en Corée, au Japon et, de nouveau, aux États-Unis.

Lors de ses premières émissions de télévision, *Feu de joie* et *G.M. vous reçoit*, à Radio-Canada, on découvre une Muriel Millard chaleureuse, drôle, débordante d'énergie et d'une voix fraîche et piquante à la fois. La station de radio CKVL lui confie *L'heure du coke* où défilent les grands noms du spectacle, Mistinguett, Luis Mariano, Annie Cordy... Son répertoire prend de l'ampleur avec *Le régiment des mandolines, La rumba de Cuba, Léon*...

Entre 1957 et 1961, Muriel participe régulièrement au Concours de la chanson canadienne comme auteure-compositeure de *L'automne laurentien, Dans ma calèche, À la saison des pommes, Dans nos vieilles maisons*. Ensuite, elle enregistre quelques microsillons comprenant plusieurs de ses compositions: *Les chutes Niagara, J'vends des légumes, Les noces de ma sœur, Quand tu m'embrasses*... Au début de la décennie 1960, elle remporte, à deux reprises, le trophée de la meilleure chanteuse populaire au Gala des artistes des Publications Péladeau, avant de se réfugier dans le giron de l'empire Quebecor.

Avec son tralala et son déploiement de costumes, de plumes et paillettes, de coiffures excentriques et de sa troupe de danseurs, Muriel devient productrice de ses propres revues de music-hall.

Elle veut en mettre plein la vue aux spectateurs, qui n'ont pas les moyens de s'offrir des vacances à Paris pour y applaudir Line Renaud et Zizi Jeanmaire aux Folies-Bergère et au Moulin Rouge.

Elle investit tout son savoir et ses économies dans les spectacles qu'elle présente à la Place des Arts et à la Comédie Canadienne, au Forum de Montréal, à l'Expo 67, au Palais Montcalm à Québec, et au *Latin Quarter* à New York, 25 ans après s'y être produit en 1944. Après avoir connu la gloire, l'amour du public et des difficultés financières avec ses idées avant-gardistes de meneuse de revues, elle déclare forfait, en 1971, et décide de repenser à sa carrière. La guerrière en dentelle se retire de la scène pour se consacrer au dessin et à la peinture, sa nouvelle raison de vivre.

PHOTO : ÉCHOS VEDETTES

Quand Muriel Millard a demandé à Charles Aznavour le droit d'enregistrer *Je m'voyais déjà*, il lui a répondu : « Vous serez sûrement la première femme à lui donner une dimension féminine et personnelle. »

La voilà installée en Floride, six mois par année, avec un chevalet, des toiles et des cadres de tous formats, même si elle n'a jamais tenu un pinceau entre ses doigts. Son mari lui demande de peindre un clown pour égayer l'entrée de son école de danse. « Sitôt dit, sitôt fait... » comme dans la chanson de Line Renaud, *Où vas-tu Basile?* « Il a bien fallu que j'apprenne l'histoire des clowns pour pouvoir les rendre vivants. » Depuis ce temps, elle en fait des centaines et sa renommée n'a jamais cessé de s'accroître, tout comme son talent. On l'admire maintenant pour la qualité de ses œuvres colorées et diversifiées. Après la mort de son mari, en 1980, elle déploie toutes ses forces, avec l'aide de son imprésario Jean Simon, pour exposer ses tableaux au Québec comme à l'étranger. Toujours aussi sereine et fort occupée, à 85 ans, elle ne voit pas le temps passé...

« Quand je pense à ma mère (Marie-Paule Gendron mariée à Alfred Millard) qui nous a quittée à l'âge de 99 ans et neuf mois, après avoir élevé huit enfants, dans des conditions souvent difficiles, dont je suis l'aînée, je me dis que j'ai encore tout mon temps pour la rejoindre. Sa joie de vivre, malgré de longues années de maladie, sa fierté et sa force morale ne s'effaceront jamais de ma mémoire. Avec son talent, aussi bien pour le tricot que pour la musique, elle aurait pu faire une brillante carrière dans le domaine des arts. Le bonheur de sa famille passait avant tout. »

1964

Tombe la neige

Paroles et musique : Salvatore Adamo

PHOTO : JACQUES GRÉGORIO. ECHOS VEDETTES

Interprètes...

Adamo

500 artistes ont enregistré cette chanson, notamment :
Daniel Guérard, Alain Morisod et Sweet People,
Michaël Postian, Julio Sanpio...

Tombe la neige

Tombe la neige
Tu ne viendras pas ce soir
Tombe la neige
Et mon cœur s'habille de noir
Ce joyeux cortège
Tout en larmes blanches
L'oiseau sur la branche
Pleure le sortilège

Tu ne viendras pas ce soir
Me crie mon désespoir
Mais tombe la neige
Impassible manège

Tombe la neige
Tu ne viendras pas ce soir
Tombe la neige
Tout est blanc de désespoir
Triste certitude
Le froid et l'absence
Cet odieux silence
Blanche solitude

Tu ne viendras pas ce soir
Me crie mon désespoir
Mais tombe la neige
Impassible manège

Qui n'a pas fredonné un jour une ballade de Salvatore Adamo? Combien de couples se sont rapprochés pour la vie en dansant sur l'un de ses tubes qui ont fait le tour du monde : *Vous permettez monsieur, Mes mains sur tes hanches, Tombe la neige*? Mais connaît-on vraiment cet homme d'âge mûr aux allures d'un jeune homme rêveur et romantique?

Lorsqu'on parle moins de lui en Belgique, en France ou au Québec, c'est qu'il poursuit sa course folle aux quatre coins du monde, que ce soit à Leningrad ou à Moscou, où 25 000 personnes sont allées l'applaudir au stade Lénine. Au Japon, il est réellement devenu une idole. Inévitablement, au début de chaque hiver, son immense succès *Tombe la neige* (*Yuki Wafuru*) revient sur les ondes. On dit que c'est le *Petit papa Noël*, de Tino Rossi, ou le *Noël Blanc* (*White Christmas*), de Bing Crosby, repris en chœur au pays du soleil levant.

Les fans inconditionnels d'Adamo se rappelleront qu'une grande agence de voyages, en collaboration avec Air France et Japan Air Lines, organisait des tournées en France. Sur leurs affiches promotionnelles, on y voyait la tour Eiffel, les Champs-Élysées et l'emblématique photo d'Adamo. Sa carrière l'a mené en Afrique, en Asie, au Moyen-Orient, dans les Amériques, bref, son envol s'est fait sur tous les cieux.

« Quand je chante dans un pays de dictature, je chante pour le peuple opprimé, pour les victimes. » C'est dans cette optique que l'auteur de *Manuel, Inch'Allah, Sans domicile, Quand la liberté s'envole*, s'est engagé dans sa mission d'ambassadeur de l'UNICEF. Il a la capacité de comprendre les souffrances des peuples affligés par le malheur et les guerres fratricides et c'est sur scène qu'il les traduit avec émotion et sincérité.

Lorsque Adamo clame tout haut la voix d'un peuple, c'est en italien, en anglais, en espagnol et en allemand, langues dans lesquelles il peut non seulement chanter, mais aussi écrire. Il a enregistré des chansons en portugais, en turc, en néerlandais et, bien entendu, en polonais. De quoi rendre jaloux le pape Benoît XVI, élu en 2005. Pas surprenant que le chanteur belge ait vendu 100 millions de disques. *Tombe la neige* a permis à Adamo de collectionner pas moins de 38 billets d'avion aller-retour Paris-Tokyo.

Voyons ce qu'écrit Luc Perrot dans *L'Aurore*, résumant ainsi à merveille les centaines de reportages et d'interviews que les médias du monde lui ont consacré : « Son public n'a pas d'âge ; à 80 ans ou à 6 ans, on fredonne ses refrains. Il ne sait pas danser comme Claude François, il n'est pas beau comme Johnny Hallyday. Le public l'aime parce qu'il est gentil, pâlot, et gauche comme un jeune pensionnaire. Avec ses admirateurs, c'est aussi Adamo, le consciencieux, qui ne refuse jamais un autographe, et qui tremble chaque soir de décevoir ceux qui sont venus faire sa connaissance... »

Comment l'idée lui est-elle venue de composer cette mélodie ? Ce jour-là, en hiver 1962, il faisait froid et il neigeait à Tournai, petite ville belge. Installé devant sa machine à écrire, cadeau d'anniversaire de ses parents, il recopiait au fur et à mesure les paroles qui lui venaient en tête. Les mots tombaient sur la feuille comme une douce poudreuse de nos hivers. Puis, il s'arrêtait un moment pour gratter sur sa guitare la rengaine en train de naître qui apaisait sa tristesse face à son rendez-vous manqué avec sa petite amie qui lui avait fait faux bond.

Il a ensuite retravaillé à la main son texte imprimé à la dactylo. Jusque tard dans la nuit, il a chantonné « Tombe la neige, tu ne viendras pas ce soir ». Au volant de sa voiture, il l'a reprise à tue-tête. C'est un autre de ses endroits de prédilection, comme à la plage déserte au crépuscule, pour accoucher de ses chefs-d'œuvre.

Tombe la neige est un refrain de cinq syllabes enregistré dans 500 versions différentes. Il correspond, dans sa métrique, à la découpe des poèmes japonais en prose appelés *haïkus*. Voilà pourquoi les nippons se sont vite approprié cette chanson comme appartenance de leur patrimoine. Durant 72 semaines, elle a été sur tous leurs palmarès. Ce tube est dans la lignée de *Comme d'habitude* (*My way*) de Claude François et de *Et maintenant* (*What now my love*) de Gilbert Bécaud. Trois succès repris des milliers de fois sur notre planète, suivis par *C'est ma vie*.

PHOTO : ÉCHOS VEDETTES

Adamo a grandi sur la scène, entouré de ses frères et sœurs, des enfants du voisinage et de tous les écoliers de la terre. Son énorme succès ne lui a jamais monté à la tête.

C'est ma vie

Paroles et musique : Salvatore Adamo

Notre histoire a commencé
Par quelques mots d'amour
C'est fou ce qu'on s'aimait
Et c'est vrai tu m'as donné
Les plus beaux de mes jours
Mais je te les rendais
Je t'ai confié sans pudeur
Les secrets de mon cœur
De chanson en chanson
Et mes rêves et mes je t'aime
Le meilleur de moi-même
Jusqu'au moindre frisson

(Refrain)
C'est ma vie, c'est ma vie
Je n'y peux rien
C'est elle qui m'a choisi
C'est ma vie
C'est pas l'enfer,
C'est pas l'paradis

Ma candeur et mes vingt ans
Avaient su t'émouvoir
Je te couvrais de fleurs
Mais quant à mon firmament
J'ai vu des nuages noirs
J'ai senti ta froideur
Mes rires et mes larmes
La pluie et le soleil
C'est toi qui les régis
Je suis sous ton charme
Souvent tu m'émerveilles
Mais parfois tu m'oublies

(Au refrain)

J'ai choisi tes chaînes
Mes amours, mes amis
Savent que tu me tiens
Et devant toi, sur scène
Je trouve ma patrie
Dans tes bras, je suis bien
Le droit d'être triste
Quand parfois j'ai l'cœur gros
Je te l'ai sacrifié
Et devant toi j'existe
Je gagne le gros lot
Je me sens sublimé

(Au refrain)

Salvatore Adamo

Né le 1er novembre 1943, à Comiso, en Sicile (Italie)

Comme la situation financière de l'après-guerre est des plus critiques en Italie, Antonio Adamo décide de s'exiler en Belgique. Il se trouve un emploi de mineur puis revient chercher son épouse, Concela, et son fils Salvatore. Le ciel souvent gris de Jemappes remplace le soleil lumineux et chaud de la Sicile.

Sept ans après leur arrivée aux Pays-Bas, sur la mer du Nord, naîtra Delizia. Suivront ensuite Eva, Sabrina, Giovanna, Titita, Franca, Giuseppe et la cadette Peppina. À l'âge de sept ans, une méningite cloue Salvatore au lit durant treize mois. Heureusement que son père possède tous les enregistrements des ténors italiens. Caruso et Gigli rendent ses journées moins douloureuses. Par miracle, après avoir égrené bien des chapelets et brûlé beaucoup de lampions, le gamin retrouve l'usage de ses jambes et le chemin de l'école. Il chante à la chorale paroissiale et accompagne, avec la guitare léguée par son grand-père, toute la famille.

Quand Radio-Luxembourg organise un concours de découvertes (radio-crochet) à Bruxelles, Salvatore tente sa chance en interprétant *L'amour est un bouquet de violettes*, succès de Luis Mariano et sa première composition, *Si j'osais*. À la grande finale de Paris, il mérite le premier prix, lequel lui est remis par Charles Aznavour.

Sans abandonner ses études et son sport préféré, le football, il écrit les paroles et la musique de ses chansons. Au début des années 60, la nouvelle idole triomphe dans son pays et en Hollande avec *Sans toi ma mie, En blue jeans et blouson d'cuir, Les filles du bord de mer, Une mèche dans tes cheveux, Ton nom*. Mais pour conquérir la France, c'est une autre paire de manches.

Ton nom
Résonne dans ma tête
Aussi beau qu'un poème
Aussi doux qu'un je t'aime
Ton nom
Posé en diadème
Sur un ciel de guinguette
Brille comme une fête
Ton nom
Est brodé de sourires
Sur la voile turquoise
Qui vogue sur mes rêves
Ton nom... Ton nom...
Quand les fleurs le prononcent
Quand le printemps s'annonce
Brûle comme un soleil

Les médias ne parlent que d'Adamo, au point d'en oublier son prénom. Bruno Coquatrix l'invite à passer à l'Olympia de Paris, le 12 janvier 1965, lors d'une soirée Musicorama. Le déclic se produit lorsqu'il entame *Vous permettez, monsieur* ? Le 16 septembre de la même année, il va passer trois semaines dans ce temple de la renommée. Le public parisien est ravi et chaviré. Il y reviendra à maintes reprises. En 1966, Adamo fait sa première visite à Montréal, à la Comédie Canadienne. C'est le délire !

Lors d'une tournée en France, il est victime d'un accident de voiture à Poitiers. On le retire d'un amoncellement de ferraille ; il a le visage fracturé. Durant 20 jours, il reste dans l'obscurité, ne pouvant ni parler, ni bouger. Le paternel veille à son chevet, l'empêchant de sombrer dans le coma et le désespoir. L'heure n'est pas encore venue pour l'immortel chansonnier.

Quand son père se noie, en 1966, en portant secours à une fillette, Salvatore, à peine remis de son accident, croit mourir de chagrin. Il affronte pourtant sa situation avec courage et accepte la responsabilité d'être nouveau chef de famille. Son retour se fait en 1967, dans le film *Les Arnaud* avec Bourvil et c'est alors qu'il publie un premier bouquin : *Salvatore Adamo raconte aux enfants*. Même s'il est sollicité par de nombreuses et jolies admiratrices, de riches héritières, il épouse, deux ans plus tard, son amie d'enfance, Nicole. Jamais n'y a eu de scandale sur leur vie. Sa vie privée, c'est un autre aspect qu'il tient à garder pour lui.

PHOTO : ÉCHOS VEDETTES

Une bonne amie d'Adamo, Nicoletta, née en France en 1944. Elle s'est fait connaître avec *La musique* suivie d'une chanson de Pierre Delanoë, *Il est mort le soleil*, en 1968. Elle est revenue en force, en 1995, avec sa voix forte et ample.

La plupart des chansons d'Adamo grimpent au palmarès, *J'ai raté le coche, Quand les roses, L'amour te ressemble, Dolce Paola*, en l'honneur de la reine des Belges, *N'est-ce pas merveilleux*. Il sillonne l'Europe, le continent américain, le Moyen-Orient avec des textes plus engagés : *Pauvre liberté, J'avais oublié que les roses, Inch'Allah* :

J'ai vu l'orient dans son écrin
Avec la lune pour bannière
Et je comptais en un quatrain
Chanter au monde sa lumière
Mais quand j'ai vu Jérusalem
Coquelicot sur un rocher
J'ai entendu un requiem
Quand sur lui je me suis penché...

PHOTO : ÉCHOS VEDETTES

Deux voix inoubliables : Adamo et Mathé Altéry, née à Paris en 1933. Elle a créé l'opérette *Les trois valses* à Montréal, en compagnie d'Olivier Guimond et de Guy Provost. Elle reprenait le rôle d'Yvonne Printemps.

De 1968 à 1980, le producteur Michel Gélinas, en collaboration avec Charley Marouani, a présenté Adamo à la Place des Arts de Montréal, à 10 reprises. Partout au Québec, les salles sont combles. Des ennuis de santé le forcent à ralentir la cadence à la scène, mais sur disque, sa carrière continue de plus belle. Il prend le temps de s'occuper de sa ménagerie : chiens et chats, perroquets, moutons, cygnes et canards.

Lors d'un séjour à Québec, en avril 1993, il donne quatre représentations au Capitole. Il traverse le pont de la capitale qui mène à l'Île d'Orléans pour voir l'endroit où Félix Leclerc avait entrepris, en 1988, son ultime voyage vers l'au-delà.

Adamo reste le doux poète décrit par son compatriote Jacques Brel : « Tendre Salvatore, tu es un jardinier. Et notre temps qui

PHOTO : ÉCHOS VEDETTES

Adamo cultive l'amitié et se fait des amis partout où il passe. À Martine St-Clair et Serge Laprade, il raconte qu'il est allé se recueillir sur la tombe de Félix Leclerc à l'Île d'Orléans.

ressemble à Sarcelles en conserve trop peu. Et les fleurs que tu provoques gardent la fraîcheur et la sauvagerie des bouquets au bord de la route. Tendre jardinier de l'amour... »

Depuis l'an 2000, il s'est produit dans bon nombre de pays, notamment au Québec à plusieurs reprises. Il est retourné au Japon en chantant *Tombe la neige* et a publié quelques ouvrages romantiques. Pour cet homme, bon et généreux, il reste que la famille est ce qu'il y a de plus important. En 2007, il passe plus de temps auprès de ses petits-enfants et ses enfants, Anthony, 38 ans, Amélie, 28, Benjamin, 27. « Ce sont les êtres les plus précieux de ma vie et j'aurais bien aimé les voir grandir davantage. C'est le prix que j'ai eu à payer... » Pourtant et heureusement, Adamo n'est pas près de prendre sa retraite puisque toujours la neige continuera de « tomber... »

PHOTO : JACQUES GRÉGORIO, ÉCHOS VEDETTES

« Je n'étais pas fait pour ce métier, dit-il volontiers. Je suis un être timide et je dois me faire violence. Tout, dans ce milieu, va à l'encontre de ma nature. C'est un métier où il faut sans cesse se mettre en avant... »

Départ

Paroles : Guy Godin
Musique : André Lejeune

PHOTO : RADIO-CANADA

Interprètes...

André Lejeune

Guy Godin

Départ

Crois-tu qu'on peut encore
Essayer d'être heureux ?
Rebâtir ces châteaux
Éteints dedans nos yeux ?

Crois-tu qu'on peut refaire
Ce que l'on a détruit ?
Habiller de soleil
Tous ces matins de pluie ?

Je ne veux plus rien croire
Laisser couler le temps
Mon cœur est sans espoir
Mon âme est
sans printemps...

Je ne veux plus rien vivre
Ne plus jamais aimer
Ne plus me souvenir
Et ne plus espérer...

Est-ce cela la fin
Quand plus rien
ne commence ?
Est-ce cela la mort
Quand on n'a
plus de chance ?

Est-ce cela le glas
Des amours décédés
Qui n'ont plus
rien à faire
Des jours ensoleillés ?

Je crois que c'est cela
La fin d'une aventure
S'étant toujours menti
Se menant la vie dure...

Le cœur ne peut tromper
Le cœur de la nature
Et point n'est de maison
Lorsque l'amour ne dure...

Nous allons donc partir
Sans même nous quitter...
Puisque jamais ensemble
Ne sommes demeurés...

André Lejeune, Félix Leclerc,
Guy Mauffette, Paolo Noël à Vaudreuil.

André Lejeune éprouve des problèmes sentimentaux en 1964. Son beau couple romantique, fleur bleue, se détériore de jour en jour. Gaby, avec laquelle il a enregistré *Deux solitudes*, en 1960, ne peut plus supporter ses absences et son comportement auprès des admiratrices qui lui font la cour. Le torchon brûle : ça ne peut plus durer. À son ami d'enfance, Guy Godin, il se confie : « Crois-tu qu'on peut encore essayer d'être heureux ? »

Il n'en faut pas plus pour que son copain, en entrant chez lui, écrive d'un premier jet un texte inspiré d'une dure réalité de la vie. Quelques jours plus tard, il le donne à André, qui trouve la musique appropriée et choisit de l'intituler tout simplement : *Départ*. C'est bien connu, toutes les chansons ont leur histoire et cette histoire est un peu « celle des amours décédés qui n'ont plus rien à faire des jours ensoleillés. »

Viendra le jour où les jeunes générations reprendront cette mélodie qui n'a pas de rides. On devrait s'en emparer et lui donner une nouvelle vie. Les nouveaux interprètes, à la recherche de bon matériel, auraient tout intérêt à en faire autant avec cet autre diamant du répertoire Godin-Lejeune, *Une promesse*. En 2006, le comédien Rémy Girard, au moment de recevoir la médaille de Chevalier de l'Ordre de la Pléiade, au Parlement du Québec, déclarait : « Cette chanson est parmi les 10 plus belles de la francophonie. » En 2007, elle vient tout juste d'être enregistrée par Cindy Daniel.

À celui qui en veut
À toutes choses heureuses
Et caresse avec joie
Les malheurs qu'il provoque
Se riant bêtement
Des abîmes qu'il creuse
Et ne sachant trop plus
Ce qui fait rire ou choque

À celui-là, je dis :
Il est une promesse
Une fleur d'amour
Un sourire d'enfant
Logés au cœur même
De ton âme en détresse
Sois heureux du soleil
Et des nuages autour…

À celui qui au cœur
Ne garde nulle place
Aux joyeux souvenirs
Que notre enfance crée
Aucun tendre remords
Nul accord de guitare
Nous faisant souvenir
Qu'on a déjà aimé...

Dès l'âge de 12 ans, Guy Godin se délecte des vers de Sully Prud'homme. Il écrit sans cesse des poèmes et des chansons. Le poète, à la voix chaleureuse, décroche des rôles importants au théâtre, dans les radioromans et, plus tard, dans les téléromans, notamment *Nérée Tousignant* de Félix Leclerc, *La famille Plouffe* de Roger Lemelin, *L'or du temps* de Réal Giguère. Au cinéma, on le voit au générique de *Valérie*, *Deux femmes en or*, *L'arrache-cœur*, *Maria Chapdelaine*... Homme de radio et de télévision, il reçoit à son micro les grands noms de la chanson tels que Gilbert Bécaud, Barbara, Charles Trenet, Serge Lama, Juliette Gréco, mais aussi ses compatriotes, Claude Léveillée, Ginette Reno, Diane Dufresne, Pauline Julien...

De 1977 à 1988, Guy anime *C'était l'bon temps*, à Télé-Métropole, ce qui ne l'empêche pas de faire des tournées avec son propre spectacle de monologues et de chansons. Jusqu'en

2000, il est à l'affiche de plusieurs théâtres d'été, dont celui d'André Lejeune, à Marieville, dans la comédie de Jean Daigle : *Le paradis à la fin de vos jours*.

Godin a publié aux Éditions Héritage, un recueil de poésie, en 1978. Il finira bien par écrire ses mémoires, un projet qui lui tient à cœur. Pour le moment, il vit paisiblement à l'Île-Perrot, dans son condominium près de la rivière Outaouais. On le voit souvent à Vaudreuil, chez sa charmante compagne, Ginette Lalumière.

Le public aimerait le revoir sur scène chanter *Une fille, Quand tu auras raté le train, Je vous aime,* succès de Julie Arel... Mais en attendant, prenons le temps d'écouter le dernier disque du temps des fêtes d'André Lejeune, sur lequel il chante *La destinée la rose au bois, Minuit, chrétiens* !, Les enfants oubliés de Gilbert Bécaud...

PHOTO : ÉCHOS VEDETTES

Cent fois, André Lejeune est parti en tournée avec les grands noms du music-hall québécois, notamment Réal Béland (Ti-Gus) et Denise Emond (Ti-Mousse), mais aussi avec Les Jérolas (Jean Lapointe et Jérome Lemay)...

Les enfants oubliés

Paroles : Louis Amade - Musique : Gilbert Bécaud

Les enfants oubliés traînent
dans les rues
Sans but et au hasard
Ils ont froid, ils ont faim,
ils sont presque nus
Et leurs yeux sont
remplis de brouillard

Comme une volée
de pauvres moineaux
Ils ont pour rêver le
bord des ruisseaux
Recroquevillés sous
le vent d'hiver
Dans leur pull-over
de laine mitée

Les enfants oubliés n'ont
pour seuls parents
Que les bruits des grands boul'vards
Dans le creux de leurs mains
Ils tendaient aux passants
Des objets dérobés au bazar

Ils ont pour s'aimer d'un naïf amour
La fragilité des mots de velours
Ils ont pour palais tout un univers
Dans les courants d'air
des vastes cités

Les enfants oubliés
traînent dans les rues
Tout comme de petits vieux
Ils ont froid, ils ont faim,
ils sont presque nus
Mais ce sont les enfants du Bon Dieu

GILBERT BÉCAUD

André Lejeune

Né André Lajeunesse, le 15 avril 1934, à Sainte-Anne-de-Bellevue (Québec)

En peu de temps, la carrière d'André Lejeune a atteint une vitesse de croisière vertigineuse. Il a surmonté bien des embûches pour garder son nom en haut de l'affiche. On n'arrive pas encore, en 2007, à le cataloguer comme chanteur, comédien, animateur, chef d'entreprise. Il assimile tous les genres musicaux, le chant religieux, l'opérette, le rock'n'roll, le jazz, le folklore, le yéyé, la ballade et le country.

Il peut être fier de son ancêtre Emma Albani Lajeunesse, qui a quitté son village de Chambly, au Québec, pour conquérir la gloire sur les plus grandes scènes lyriques du monde. À l'âge de huit ans, André chante dans les églises, les cirques ambulants et les salles paroissiales, ainsi qu'à la radio. En s'accompagnant à la guitare, il compose la plupart de ses chansons, paroles et musique, et se produit en cachette au cabaret.

Le petit dernier des Lajeunesse n'est pas de tout repos. Il est le plus grouillant d'une modeste famille de huit enfants : Albert, Gérard, Paul-Émile, Gilles, Yvette, Thérèse, Hélène. « Ma mère, Juliette Aubin, avait de la classe et du goût pour s'habiller et mon père, René, dépensait une fortune pour qu'elle soit la femme la mieux vêtue de Sainte-Anne-de-Bellevue et, ensuite, de l'Île-Perrot. »

C'est très rare de nos jours de voir un fonceur, un bagarreur avoir autant de ressources physiques et morales et de bons amis par surcroît. Il sait comme pas un se faire pardonner ses erreurs. C'est normal qu'il en fasse, quand on voit tout ce qu'il construit en innovant dans des entreprises à risque.

Dans tout ce qu'il réalise à tour de bras, il démontre clairement comment il est ancré dans notre culture, notre patrimoine. Il est tricoté serré dans la plus pure laine du pays. « Quand on est de la race des pionniers... » chante son grand ami Raymond Lévesque.

Ce n'est pas parce qu'il exagère en enjolivant les faits qu'on doit lui tenir rigueur. C'est son métier qui le force à raconter de belles histoires. Donnez-lui un micro et vous verrez de quel bois il se chauffe. L'avez-vous entendu personnifier Pierre Dudan ou Alibert, lorsqu'il interprète leurs succès, *Mélancolie, Clopin-clopant* ou *Adieu Venise provençale* et *Le plus beau tango du monde:*

Le plus beau
De tous les tangos du monde
C'est celui
Que j'ai dansé dans vos bras
J'ai connu
D'autres tangos à la ronde
Mais mon cœur
N'oubliera pas celui-là
Son souvenir me poursuit jour et nuit
Et partout je ne pense qu'à lui
Car il m'a fait connaître l'amour
Pour toujours
Le plus beau
De tous les tangos du monde
C'est celui
Que j'ai dansé dans vos bras

Pour gagner sa croûte et faire vivre son épouse, Gaby Poirier et son fils Yvan, il doit cumuler, en 1955, plusieurs emplois, dans une buanderie, une bijouterie et une ferronnerie. Tôt le matin, il se rend à la ferme des riches cultivateurs pour faire l'entretien et le nettoyage des chevaux.

En 1957, André connaît le succès avec *Prétends que tu es heureux*. Plusieurs de ses compositions montent au palmarès : *Approche, Il suffit de peu de choses, Le chant des grèves, Ils étaient six marins, Une promesse*. Cette dernière, dont les paroles sont signées par son ami d'enfance, Guy Godin, remporte le grand prix du disque de CKAC. Le voilà en grande demande dans tous les cabarets du Québec, à la Casa Loma et à la Comédie Canadienne, à Montréal, et dans la capitale, à la Porte Saint-Jean et Chez Gérard. Dans ces établissements défilent les grands noms du music-hall francophone : Charles Trenet, Édith Piaf, Gilbert Bécaud, Jacques Normand, Rina Ketty...

PHOTO : CFTM TV

Trois spécialistes de la chanson et de la musique folklorique, Monsieur Pointu (Paul Cormier), Édith Butler et André Lejeune s'entretiennent avec le réputé sculpteur de Saint-Jean-Port-Joli, Jean-Julien Bourgeault, à droite.

Après l'un de ses spectacles enlevant, devant une foule enthousiaste, Jean-Pierre Marquet, agent de Charles Aznavour l'invite à Paris en lui promettant mer et monde. Il s'envole pour l'Europe, en 1964, et fait les premières parties de plusieurs vedettes de l'heure, Annie Gould, Annie Cordy, Mathé Altéry... on insiste pour qu'il s'installe dans la Ville lumière et fasse venir sa petite famille. Sans ressources financières et seul dans cette jungle, où règne la loi du plus fort, il revient dans sa terre natale.

À son retour on s'empresse de parler de lui dans les médias. À CKAC, Jean Duceppe raconte : « Lejeune, c'est le gars à éclipse, il part souvent, mais il reviendra toujours, car il a du talent. » Quant à Jean Rafa, il ajoute : « Lejeune ! Avec un nom, pareil, il a beaucoup de chance. Un jour, on l'appellera le vieux Lejeune ».

C'est à la Sucrerie de la montagne, à Rigaud, qu'André Lejeune a enregistré *La veillée chez l'père Jos*, qui revient régulièrement sur les ondes de TVA. Le grand patron Pierre Faucher accueille aussi avec plaisir Angèle Arsenault et Yves Rousseau.

D'autres propositions surgissent du côté des É.-U. Comme il s'exprime dans la langue de Shakespeare, on l'invite aux émissions télévisées de Joe Franklin Show et de *Jack Parr Show*. André signe un contrat lucratif avec des imprésarios qui lui prennent presque tous ses cachets. Devant l'attitude autoritaire et intransigeante de ces messieurs sans scrupules, il rue dans les brancards et se révolte. On le force à respecter ses engagements et à continuer sa tournée dans les endroits de second ordre. Seul à New York, le chanteur désabusé appelle ses parents et son ami Jean Bertrand, producteur de ses premiers microsillons. On vient donc le chercher à la gare d'Albany, où il s'est rendu par autobus, avec sa guitare et quelques effets personnels. Il était grand temps que l'on vienne à son secours; il n'avait plus de monnaie pour se payer un petit déjeuner.

PHOTO : TÉLÉ-MÉTROPOLE

Durant l'émission d'André Lejeune, *La veillée chez l'père Jos*, tournée à la Sucrerie de la montagne du légendaire Pierre Faucher, qui avait connu, dès sa mise en ondes, un succès retentissant.

Personne ne l'a oublié au Québec. De nouveau à sa table de travail ou près de la rivière, il trouve l'inspiration pour écrire *Si tu n'as guère souvenance, Le vagabond, Les marins du Portugal*, seul ou avec d'autres paroliers : Guy Godin, Georgette Lacroix, Fernand Robidoux. L'imprésario Jean Grimaldi l'invite à se joindre à ses tournées avec Claude Blanchard, Ti-Gus et Ti-Mousse, Margot Lefebvre, Olivier Guimond, les Jérolas...

André Lejeune ouvre sa première boîte à chansons, *La clé de sol*, à Montréal, avec Suzanne Valéry, Guy Godin, François Dompierre. De 1966 à 1968, il anime *À la catalogne*, à l'antenne de Télé-Métropole, en compagnie du regretté comédien Jean Coutu. De 1974 à 1978, il est aux commandes de l'émission folklorique, *À la Canadienne*. On le retrouve également tous les jours à *Dîner chaud*, aux côtés de Monique Vermont et Jean Faber.

PHOTO : TÉLÉ-MÉTROPOLE

Romantique à ses heures, le touche-à-tout André Lejeune aurait pu faire carrière comme chanteur folklorique. Plus que personne, il sait faire danser la parenté. Il l'a prouvé au cours de ses émissions *À la catalogne* et *À la Canadienne*.

Après avoir connu le succès au Totem, à Piedmont dans les Laurentides, avec ses partenaires de La clé de sol, il se porte acquéreur de la célèbre boîte Le Patriote, à Montréal. Il produit quelques revues satiriques de Raymond Lévesque à l'enseigne du Patriote à Lejeune.

De 1975 à 1990, ce diable d'homme trouve l'énergie pour fonder et diriger des dizaines d'établissements où l'on chante à cœur joie : Le Vicomte de Laval, La Rétrothèque de l'aéroport de Dorval, L'Éphéméride de Longueuil... Chaque fois qu'il ouvre un nouvel endroit, il affirme s'y installer pour la vie entière. Dieu sait que le public est fidèle à ses rendez-vous. De plus, il devient producteur de disques, éditeur et imprésario. Il ouvre des galeries d'art et enregistre *Le chœur des artistes*, avec un ensemble vocal composé de 25 chanteurs à la semi-retraite.

PHOTO : JACKIE FRITZ

Toute une bande de joyeux fêtards. De gauche à droite : Serge Grenier, ex-cynique, l'imprésario Jean Simon, Danielle Oddera et sa sœur Clairette, Guy Godin et Tex Lecor.

André Lejeune ne délaisse pas pour autant ses activités sportives. Il continue de courir chaque jour et de jouer au hockey. Au cinéma, on le retrouve dans les films *Red* et *La Postière* de Gilles Carle, ainsi que dans *Le sorcier*, une production de l'Office national du film (ONF). Au petit écran, il joue dans la téléssérie *Au nom du père et du fils* et anime *Entrez la visite* à Radio-Canada.

Avec une vie active aussi mouvementée, il rompt avec l'élégante Gilberte Cantin, qui lui a donné son deuxième fils, Éric. En juin 1989, il épouse la jolie Francine Gélinas à Belœil, où il réside alors. Il est maintenant installé au pied du Mont Saint-Hilaire, en Montérégie.

PHOTO : MICHEL MARCIL, ÉCHOS VEDETTES

Le fondateur de l'Empire Quebecor Pierre Peladeau, a toujours accordé son appui à Marcel Brouillard, à gauche, et à André Lejeune. Il assista à quelques reprises à leurs lancements de disques et de livres.

André Lejeune

Concepteur et directeur du Festival international de la chanson et de la musique folklorique de Longueuil, il a présenté une quarantaine de spectacles avec des artistes venus du Chili, de la Bolivie, du Mexique, de la Russie, de l'Espagne et du Pérou. Sur les ondes de CKVL, chaque samedi soir, il a fait tourner les grands orchestres et entraîner les auditeurs aux quatre coins du monde. Le globe-trotter parle avec passion de ses tournées Santé Bel Âge, effectuées dans une centaine de villes du Québec.

André est vraiment un organisateur hors pair d'événements de toutes sortes. Pendant dix ans, il se promène, avec ses équipements de scène, dans les spacieux terrains de camping du Québec. À la télévision de Sherbrooke (CHLT), il anime *Le bivouac* et invite les troupes de scouts à venir chanter au tour d'un feu de camp les succès de La Bonne Chanson de l'abbé Charles-Émile Gadbois. Qui n'a pas chez lui un cahier de ce temps-là ? Lejeune a toujours su faire chanter et swigner la compagnie avec *Partons la mer est belle*, *Joue-moi un rigodon, La Veillée chez l'Père Jos*, dont il a écrit les paroles et la musique :

Tout le monde s'est rassemblé
Chez l'père Jos sont invités
De tous les coins du comté
Les amis, la parenté

Le père Jos est toujours gai
Pis on l'a même identifié
Par une chanson qu'il a inventée
Et que tout l'monde sait fredonner

(Refrain turluté)
Binibonbiné bonbon la bobinette
Binibonbiné bonbon la bobino (bis)

Chez l'père Jos vous arrivez
Un p'tit coup pour vous réchauffer
Pis tout l'monde vous est présenté
Pis on commence à s'amuser

Les musiciens vont s'accorder
Les danseurs vont s'accoupler
C'est l'père Jos qui va caller
En avant le set carré

(Refrain turluté)

La veillée s'est bin passée
Y'a personne qui s'est ennuyé
Le père Jos y'a pas arrêté
De tout l'monde s'est occupé

On a chanté on a dansé
Mais y'est bin tard y faut s'en aller
Un aut'tit coup pis on va chanter
Not'tit refrain pour clore la soirée

(Refrain turluté)

En 1998, l'homme-orchestre présente une série de spectacles de variétés et de pièces d'été au Théâtre de Marieville, dont il se porte acquéreur. Carmen Bouchard devient son associée en 2003. Dans un livre signé Marilou Brousseau, elle parle de cet endroit historique appelé tout simplement « la grange des sœurs », puisqu'il appartenait aux religieuses de la Présentation de Marie. De plus, au point de vue esthétique, le théâtre ressemblait plus à une grange qu'à une salle de spectacle. En dernier recours, la ville en fit l'acquisition.

Au début, ce théâtre d'été était dirigé par le réalisateur Richard Martin et le comédien Gaétan Labrèche. À la fin de chaque saison estivale, Lejeune continue de présenter des comédies et des revues musicales, des variétés. On y a vu défiler Jean Lapointe, Claude Blanchard, Pierre Labelle, Jérome Lemay, et la revue *Toc toc chez Madame Bolduc*, mettant en vedette Nancy Gauthier, après avoir connu un énorme succès avec *Ah! six bons moines*, durant quatre années consécutives.

Après avoir fait une incursion dans le jardin de notre bourlingueur, on se demande comment il a pu tenir le coup et rester aussi jeune de cœur et d'esprit. Pourquoi ne récolterait-il pas enfin la reconnaissance de tous ses pairs ? Pour avoir investi autant d'effort et d'ingéniosité dans le domaine des arts et du divertissement, le public continue de le soutenir et de lui manifester son admiration.

Dans une lettre adressée à son ami André Lejeune, Raymond Lévesque écrit : « J'ai beaucoup d'amitié pour toi et de bons souvenirs. Je suis heureux de savoir que ta carrière marche toujours bien et je te souhaite encore de belles choses ».

1964

Nathalie

Paroles: Pierre Delanoë
Musique: Gilbert Bécaud

PHOTO : JACQUES GRÉGORIO, ECHOS VEDETTES

Interprètes...

Pierre Delanoë

Gilbert Bécaud, Freddy Birset, Yves Duteil,
Éric, François Vaillant...

Nathalie

1964

La place Rouge était vide
Devant moi marchait Nathalie
Il avait un joli nom, mon guide
Nathalie

La place Rouge était blanche
La neige faisait un tapis
Et je suivais par ce froid dimanche
Nathalie

Elle parlait en phrases sobres
De la révolution d'octobre
Je pensais déjà
Qu'après le tombeau de Lénine
On irait au café Pouchkine
Boire un chocolat

La place Rouge était vide
J'ai pris son bras, elle a souri
Il avait des cheveux blonds,
mon guide
Nathalie, Nathalie...

Dans sa chambre à l'université
Une bande d'étudiants
L'attendait impatiemment
On a ri, on a beaucoup parlé
Ils voulaient tout savoir
Nathalie traduisait

Moscou, les plaines d'Ukraine
Et les Champs-Élysées
On a tout mélangé
Et l'on a chanté

Et puis ils ont débouché
En riant à l'avance
Du champagne de France
Et l'on a dansé

Et quand la chambre fut vide
Tous les amis étaient partis
Je suis resté seul avec mon guide
Nathalie

Plus question de phrases sobres
Ni de révolution d'octobre
On n'en était plus là
Fini le tombeau de Lenine
Le chocolat de chez Pouchkine
C'est, c'était loin déjà

Que ma vie me semble vide
Mais je sais qu'un jour à Paris
C'est moi qui lui servirai de guide
Nathalie, Nathalie

L'année 1964 est très importante dans le domaine de la chanson, tant au Québec, avec Gilles Vigneault (*La danse à Saint-Dilon*), Claude Léveillée (*Frédéric*), Jean-Pierre Ferland (*Marie-Claire*), que dans toute la francophonie. On doit faire face à l'invasion britannique qui fait rage avec les Beatles et les Rolling Stones.

Heureusement, Salvatore Adamo, Jacques Brel et Charles Aznavour continuent d'exporter leurs œuvres et de s'opposer à la mode yéyé et aux versions des tubes en langue étrangère. Cette année-là, Gilbert Bécaud prend la première place avec *Les tantes Jeanne, Le jour où la pluie viendra, L'orange* et *Nathalie*, qui nous fait découvrir une autre facette de celui qu'on a appelé Monsieur 100 000 volts, né François Silly, le 24 octobre 1927, à Toulon, en France.

Depuis longtemps, Gilbert Bécaud s'intéressait aux pays de l'Est et rêvait de s'y rendre afin de raffermir les bonnes relations entre la France et l'URSS. «Avec mon ami Pierre Delanoë, j'avais envie de parler de la Russie d'une façon moderne, de celle des gens de mon âge qui voulaient un rapprochement avec des pays fermés depuis longtemps.»

Au départ, la mystérieuse *Nathalie* s'appelait Natacha. Elle vivait sous le joug des communistes un amour impossible. Les paroles de cette chanson écrite par Pierre Delanoë ont ravi des générations entières de la planète, un classique national chez les Russes et les Allemands de l'Est. Avec le temps, la petite histoire a changé bien des choses. Le texte reste vrai, et tout ce qu'il raconte pourrait de la même façon se passer encore aujourd'hui. Avec l'apport de la musique de Gilbert Bécaud, on en a fait une mélodie éblouissante de force, d'amour et d'originalité.

Alors que le producteur Jean Beaulne tourne un excellent documentaire sur la vie de Pierre Delanoë, celui-ci nous raconte que Bécaud lui avait demandé de nouvelles chansons pour une autre rentrée à l'Olympia. Il lui avait parlé cent fois de son intérêt pour le pays soviétique. Sachez que Delanoë, un homme de droite, est aux antipodes de tout ce qui rime avec ces mots: communisme et socialisme.

« Dans ma tête, la France était un tout petit pays hexagone dessiné en rose, la Russie et la Sibérie représentaient en vert la moitié du globe terrestre. Sans lui dire, j'avais envie comme Gilbert d'aller voir ce qui se passait réellement là-bas. À défaut de pouvoir m'y rendre, je fis le voyage en pensée, en m'imaginant une belle histoire d'amour. »

Ce périple de Delanoë dura six mois, à compter du jour où il proposa à Bécaud de lui écrire les paroles de *Nathalie*, à tel point que Gilbert ne pouvait plus entendre parler de ce guide en jupon de la Place Rouge, devenu le sujet de conversation et des fantasmes de son ami Pierre.

C'est après avoir entendu *La mamma* chantée par Charles Aznavour que Delanoë a décidé d'écrire *Nathalie*. En l'écoutant, il s'est écrié : « Quelle merveille, quelle ambiance ! À ce moment-là, j'ai griffonné sur un bout de papier: La Place Rouge était vide. Devant moi marchait Natacha. Il avait un joli nom mon guide : Natacha ! Un peu plus loin, je me suis arrêté pour écrire en toute hâte : La Place Rouge était blanche. La neige faisait un tapis. Et je suivais par ce froid dimanche Natacha. » Comme on le sait, Bécaud a préféré la baptiser du nom de *Nathalie*.

Ce vibrant appel à la fraternité entre les peuples a fait un malheur en France et dans la francophonie, mais aussi dans nombre de pays européens, dont les Pays-Bas. Yves Duteil, auteur émérite de *La langue de chez nous*, a réalisé une version superbe de *Nathalie*, avec des arrangements d'une remarquable sobriété.

Pour la sortie du disque, en 1964, l'animateur Georges Cravenne a eu l'idée d'en faire le lancement et d'amener le Tout-Paris en Russie, sauf le créateur de la chanson, qui fut oublié sur la liste des personnalités conviées aux agapes moscovites. « C'est bien connu, raconte Pierre Delanoë, que les auteurs ne sont pas là, la plupart du temps, pour recevoir les honneurs. Les interprètes oublient souvent de mentionner leurs noms, ce qui n'est pas le cas de Gilbert Bécaud. »

Dans les coulisses de l'Olympia, un soir de grande première, Delanoë tombe nez à nez avec l'ambassadeur de l'Union soviétique en France qui se jette dans les bras de l'auteur de *Nathalie*. Celui-ci de s'exclamer : « Monsieur Delanoë, vous ne savez pas le bien que vous avez fait à notre pays. Partout, notamment en Amérique du Sud, cette chanson a redoré notre image et facilité notre propagande. Elle a surtout contribué à la réconciliation diplomatique franco-soviétique. »

Lors d'un voyage à Berlin-Est en 1967, Delanoë et Bécaud sont reçus en grande pompe. Avant le concert, il y a de l'agressivité dans l'air. Et pour cause : un adaptateur allemand a fait de *Nathalie* une sale espionne à la solde de l'impérialisme américain. Une fois la vérité rétablie, le public a fait un triomphe magistral à la chanson et à ses créateurs.

En 1987, Delanoë accepte l'invitation de l'Association France-URSS de se rendre à Moscou. Il fait la connaissance de la journaliste Tatiana Boutchoskaïa, véritable encyclopédie de la chanson française. Elle l'invite à dîner dans un restaurant situé en face d'une immense statue de l'écrivain Alexandre Pouchkine qui fut tué en 1837 lors d'un duel avec le Français Georges d'Anthès, qui courtisait sa femme.

À la fin du repas, la belle Tatiana se lève et déclare : « Voici l'auteur de *Nathalie*. C'est grâce à lui que cet endroit s'appelle le café Pouchkine ! » Ému et fier de son succès, Delanoë salua les convives de ce lieu de rendez-vous des artistes de Moscou, grâce à la magie d'une chanson inoubliable.

C'est loin d'être facile d'établir une liste complète des milliers d'interprètes qui ont enregistré des refrains signés Pierre Delanoë. Au Québec seulement, on relève les noms d'Isabelle Boulay, Nanette, René Simard, Denis Champoux pour *Et maintenant*. Clairette, Patrick Norman et Jean-Pierre Légaré ont inscrit à leurs albums *Les vieux mariés*. Quant à Fernand Gignac et Monique Saintonge, ils ont choisi, entre autres, d'enregistrer *L'amour en héritage*. Shirley Théroux et Marie Michèle Desrosiers ont suivi le pas avec *Fais comme l'oiseau*. Ajoutons à cette nomenclature les noms de Ginette Reno, Jacques Normand, Richard Huet, Evan Joanness, Claude Steben, Michel Louvain, Guylaine Guy...

Pierre Delanoë, avec cette voix juste, forte et caressante, aurait pu exercer le métier de chanteur, en plus d'être auteur. Il y a une dizaine d'années, il est entré en studio pour enregistrer 15 grandes chansons en collaboration, pour la musique, avec Charles Aznavour, Gérard Lenorman, Joe Dassin, Alice Dona, Michel Sardou, Claude Lemesle... Heureux ceux qui possèdent ce disque de collection, comprenant *En chantant, La ballade des gens heureux, Mes mains, Ça va pas changer le monde...* et *Je n'aurai pas le temps*, dont le compositeur est Michel Fugain, avec lequel il a signé une soixante de chansons: *Bravo monsieur le monde, Tout va changer, On s'envole...*

Voyons ce que Charles Aznavour écrit dans la petite brochure insérée dans le boîtier de ce disque : « C'est un artisan pur et dur qui travaille à sa façon, à l'ancienne. Il vous fait du prêt à chanter, mais attention à la main « sur mesure ». Il coupe des idées pour bâtir une histoire, coud des mots à des mots qui finissent en phrases. Puis il brode des rimes et les fait converser avec la mélodie pour en faire une chanson. Quand elle est terminée, qu'enfin elle s'envole pour faire le tour des ondes et faire le tour des cœurs et faire le tour du monde, il en écrit une autre et une autre et une autre encore. Pierre Delanoë : ne le dérangez pas, il chante. Avant de reprendre la plume.»

Sa chanson *Je n'aurai pas le temps*, dont vous trouverez les paroles à la page suivante, a été enregistrée par une vingtaine d'interprètes, notamment Michel Sardou, Fernand Gignac, Alain Morisod et Sweet People, Les B.B., Roger Rancourt...

Je n'aurai pas le temps

Paroles : Pierre Delanoë - Musique : Michel Fugain

Même en courant
Plus vite que le vent
Plus vite que le temps
Même en volant
Je n'aurai pas le temps

Pas le temps
De visiter
Toute l'immensité
D'un si grand Univers
Même en cent ans
Je n'aurai pas le temps
De tout faire

J'ouvre tout grand mon cœur
J'aime de tous mes yeux
C'est trop peu
Pour tant de cœurs et tant de fleurs
des milliers de jours
C'est bien trop court
C'est bien trop court

Et pour aimer
Comme l'on doit aimer
Quand on aime vraiment
Même en cent ans
Je n'aurai pas le temps
Pas le temps

Pierre Delanoë

Né Pierre Charles Marcel Napoléon Leroyer, le 15 décembre 1918, à Paris (France)

L'homme aux 5 000 chansons est probablement le parolier le plus prolifique au monde. Jusqu'à sa fin dernière, le 26 décembre 2006, à l'âge de 88 ans, Pierre Delanoë a exercé son métier avec autant d'ardeur et de passion, malgré la fatigue et la maladie qui l'accablaient depuis quelques années. Contre vents et marrées, il cachait son état de santé à ses amis et à sa famille.

« Pierre avait eu de sérieux problèmes de santé. Il avait subi un triple pontage coronarien, mais tenait plutôt bien le coup malgré un cœur faible... » selon son ami Claude Lemesle.

PHOTO : ROLAND CARRÉ

Pierre Delanoë, tout comme Charles Aznavour, a écrit des tubes pour l'inoubliable Dalida, née au Caire en 1933 et décédée à Paris en 1987. Depuis son départ tragique, on chante encore *Gigi l'amoroso, Il venait d'avoir 18 ans, J'attendrai.*

Dès ses premières chansons, cet ancien fonctionnaire des impôts, au langage aussi tranchant que ses opinions, est tombé amoureux des mots et il en a fait des phrases enrubannées pour Édith Piaf, Jean Sablon, Line Renaud, Tino Rossi, Georges Guétary. Il a su s'adapter à des artistes aussi différents que Claude François, Dalida, Gérard Lenorman. C'est toutefois pour ses complices, Gilbert Bécaud, Joe Dassin, Hugues Aufray, Nana Mouskouri, Michel Fugain qu'il écrira le plus grand nombre de tubes de la belle chanson française.

Le célèbre auteur a toujours été plus à l'aise à sa table de travail que devant les micros et les journalistes de la presse du cœur qui voulaient tout savoir sur sa vie privée et professionnelle. Dans son livre, *La vie en chantant*, il avoue avoir eu un penchant amoureux pour Petula Clark, depuis leur première rencontre en 1958.

Il va lui écrire des textes appropriés ou des adaptations de grandes chansons : *Hello Dolly, Que fais-tu là Petula, La Seine et la Tamise*. La superbe mélodie *This is my song* de Charlie Chaplin, qui en a composé la musique, a donné un nouvel élan à la belle Anglaise, lorsqu'elle enregistra la version de Delanoë, *C'est ma chanson* :

Tout, toute la terre
A composé cette chanson pour toi
L'oiseau et la rivière
L'avaient chantée bien avant moi
Ce sont des mots de tous les jours
Pourtant ce sont des mots d'amour
L'amour c'est ma chanson
Quatre saisons la chanteront pour toi

Qui est-il donc cet homme hors du commun, l'un des fondateurs de la radio Europe No.1, auteur d'une quinzaine de livres ? Il fut aussi président de la SACEM (Société des auteurs, compositeurs et éditeurs de musique). Pierre Leroyer, originaire de Château-Gontier dans l'arrondissement de la Mayenne, a toujours eu une grande admiration et une belle complicité avec son père, fils de cultivateurs angevins. À Rouen et, plus tard, à Paris, il occupa la fonction de directeur d'une grande imprimerie, la société Georges Lang.

Chaque soir, papa Leroyer apportait à la maison des tas de journaux et magazines en espérant que son fils s'y intéresse et devienne imprimeur ou éditeur. La discussion était parfois orageuse lorsqu'on abordait le rôle joué par le maréchal Pétain et le général De Gaulle, lors des conflits entre la France et l'Allemagne. Le paternel avait des idées souvent contraires à celles du fiston contestataire.

Après 13 ans de mariage (1917-1930) le père de Pierre Leroyer (Delanoë) s'est remarié. Il a eu un autre fils, qui est décédé à 20 ans, en 1954, lors d'un atterrissage raté à New York. Pendant la Deuxième Guerre mondiale, la mère a quitté le foyer, seule, pour se réfugier dans la Dordogne. Elle y a enseigné l'art de confectionner des vêtements féminins et de bien chanter les refrains à la mode de Maurice Chevalier, de Mistinguett, de Mayol ou de Berthe Sylva, créatrice de la chanson *Les roses blanches*, qui demeure, encore aujourd'hui, un des refrains les plus aimés des Français. Une cinquantaine d'interprètes l'ont enregistrée : Michèle Torr, Nana Mouskouri, Fernand Gignac, Céline Dion...

C'était un gamin, un gosse de Paris
Pour famille il n'avait qu'sa mère
Une pauvre fille aux grands yeux rougis
Par les chagrins et la misère
Elle aimait les fleurs, les roses surtout
Et le cher bambin tous les dimanches
Lui apportait de belles roses blanches
Au lieu d'acheter des joujoux
La câlinant bien tendrement
Il disait en les lui donnant:

« C'est aujourd'hui dimanche, tiens ma jolie maman
Voici des roses blanches, toi qui les aimes tant
Va quand je sera grand, j'achèterai au marchand
Toutes ses roses blanches, pour toi jolie maman »

Pierre Leroyer, alias Pierre Delanoë, a été éduqué au collège des Oratoriens, dès 1925, où la discipline était plus rigoureuse et sévère qu'à l'école publique et laïque. On y enseignait la religion, le latin et le grec, mais aussi l'athlétisme. Un grave accident de bicyclette, à l'âge de 10 ans, lui a laissé quelques séquelles, suffisamment pour qu'il ne soit pas admis à l'école militaire de Saint-Cyr. Après l'obtention de sa licence en droit, Pierre est devenu fonctionnaire de l'État. Il a pris très au sérieux son emploi de percepteur d'impôts.

Pendant la guerre de 1939-1945, le jeune homme, en état de choc comme tous les Français, écoute religieusement les nouvelles et la voix du général De Gaulle à Radio-Londres. Il est aussi branché sur les ondes de Radio-Paris pour découvrir Édith Piaf, Charles Trenet et Marlene Dietrich, qui s'était emparée de *Lily Marlene*, refrain interprété par une Yougoslave à Radio-Belgrade.

C'est l'époque où le beau Pierre danse sur les rythmes de *In the Mood* ou des hits de Bing Crosby, Duke Ellington et Louis Armstrong. Quand il quitte Rouen, en 1947, pour s'installer à Paris, il continue d'exercer son métier de fonctionnaire jusqu'en 1954. Sous l'influence de son beau-frère, Frank Gérald, excellent musicien et compositeur, il découvre le monde de la chanson. Avec celui-ci, il forme un duo de chanteurs fantaisistes et écrit une première chanson loufoque, en 1948, intitulée : *Y a un pli dans le tapis du salon*.

Par l'entremise de Jean Nohain, dit Jaboune, auteur de *Couchés dans le foin* et de *Quand un vicomte*, il fait la connaissance de Mireille, fondatrice du Petit Conservatoire de la chanson. Sa rencontre avec Marie Bizet (1912-1998) est capitale. Il va lui écrire, en 1950, *Je cherche un mari*, suivie de *Quand vous reviendrez chez moi*. La grande fantaisiste de l'époque fait démarrer sa carrière d'auteur, sous le nom de Pierre Delanoë.

De fil en aiguille, il rencontre François Silly, alias Gilbert Bécaud. Ensemble, ils vont écrire et composer des centaines de rengaines inoubliables: *Je t'appartiens, Je reviens te chercher, Dimanche à Orly* et *Mes mains*, qui sera interprétée par Lucienne Boyer à l'Alhambra, en 1953. Pour Jean-Claude Pascal, Colette Renard et Fernand Robidoux, il va signer *Croque-mitoufle* sur des arrangements musicaux de Raymond Bernard. En 1958, André Claveau gagne le concours Eurovision avec un autre titre de Delanoë : *Dors mon amour*, repris la même année au Québec par Michel Louvain.

Nathalie est sûrement le tube qui a marqué le plus son auteur toujours aussi jouvenceau. « Cette chanson fétiche m'a rapporté plus de satisfaction que toutes les mélodies, comédies musicales, romans, opéras que j'ai pu écrire ou traduire durant toute ma carrière. Quant aux droits d'auteurs, n'en parlons pas. On serait surpris d'apprendre combien les créateurs sont malmenés ou carrément floués dans ce domaine. »

Toute sa vie, Pierre Delanoë a défendu de toutes ses forces les poètes et écrivains exploités par des éditeurs et producteurs sans scrupules. À trois reprises, il a occupé des fonctions officielles au sein de la SACEM. De nombreux débutants et professionnels venaient lui demander son aide dans ses bureaux à Neuilly, au bout de l'avenue Charles-de-Gaulle. Il les recevait avec simplicité et beaucoup d'humanisme.

De 1955 à 1960, Pierre Delanoë a dirigé la programmation d'Europe No.1 avec Lucien Morisse. Sous leur gouverne, la chanson connaît un bel essor en France grâce à des émissions de variétés présentées à l'Olympia comme *Salut les copains, Une étoile se lève* et surtout *Musicorama*. Ce fut le programme le plus écouté des Français. On y a reçu, à gros cachets, Frank Sinatra, Frankie Laine, Eddy Fisher, Judy Garland... Les auditeurs ont eu droit au récital d'Édith Piaf, directement du Carnegie Hall de New York. En fait, il s'agissait d'une émission pirate enregistrée la veille. Une hôtesse de l'air avait apporté à Pierre Delanoë la bobine intégrale du concert.

On a réussi l'impossible à *Musicorama* en présentant chaque soir un spectacle dans les villes du Tour de France, où les cyclistes s'arrêtaient pour se requinquer. Le public était fou de joie d'applaudir Gilbert Bécaud, Colette Renard, Sacha Distel et ses tubes de l'heure : *Scoubidou, Mon beau chapeau, Personnalités* et *Oh* ! *Quelle nuit :*

J'ai bu d'un trait deux fines à l'eau et trois whiskys
Et puis après. quelques portos avec Johnny
Derrière son bar j'le voyais tout petit
Oh ! quelle nuit

Je me souviens d'avoir dansé le cha cha cha
Avec une fille qui ressemblait à Dalida
Tout en pleurant j'lui ai confié ma vie
Oh ! quelle nuit

On était à la fine pointe de la programmation musicale à Europe No.1, qui fut la première à diffuser Elvis Presley, complètement inconnu à ce moment-là. Delanoë avait écrit une adaptation de *I need you, I love you*, en 1957. Par la suite, on s'est laissé entraîner par la vague du yéyé et du rock'n'roll avec Dick Rivers, Johnny Hallyday, Sylvie Vartan, Eddy Mitchell, Sheila...

« Malgré tout, raconte Pierre Delanoë, on n'arrivait pas à détrôner la grande Édith Piaf, qui ne sera jamais remplacée par des artistes aussi talentueuses que Céline Dion ou Patricia Kaas. »

Pour dire toute la vérité, la môme Piaf s'était beaucoup inspirée de la divine Marie Dubas (1894-1972), qui savait tout faire et mener par surcroît des revues au Casino de Paris. Chacun se tenait le ventre à deux mains pour rigoler où pleurer lorsqu'elle chantait *La prière de la Charlotte*.

Pierre Delanoë va adapter, en 1965, une quinzaine de chansons de Bob Dylan pour le microsillon d'Hugues Aufray, qui devient à son tour un apôtre de la paix et de l'antiracisme. Sa collaboration avec Delanoë va donner naissance à plusieurs tubes qu'on entendra dans toute la francophonie : *Il faut ranger ta poupée, L'épervier, La fille du Nord, Le rossignol anglais* :

Ma Mignonne, mignonnette
Promène-moi dans ta maison
Cache-moi dans ta cachette
Je te dirai des chansons
Je me ferai tout gentil
Je te promets d'être sage
Et quand tu liras la nuit
Je te tournerai les pages

Chante chante rossignol
Trois couplets en espagnol
Et tout le reste en anglais... hey !

Quand Pierre Delanoë rencontre Joe Dassin, il se fait un déclic entre les deux hommes, comme ce fut le cas avec Gilbert Bécaud. Dès lors, il veut que son protégé s'installe vite en haut du palmarès. Il va lui écrire sur mesure une centaine de chansons, au cours de la décennie 1970.

Les tubes de Joe Dassin sont nombreux: la plupart de ceux-ci appartiennent à Pierre Delanoë : *Le jardin du Luxembourg, Si tu penses à moi, Et si tu n'existais pas, Le dernier slow, Le café des trois colombes, L'été indien*, version écrite par Delanoë et Claude Lemesle. En 2006, Mara Tremblay et Stefie Schock l'ont enregistré au Québec :

On ira où tu voudras, quand tu voudras
Et on s'aimera encore, lorsque l'amour sera mort
Toute la vie sera pareille à ce matin
Aux couleurs de l'été indien

Si les chansons de Joe Dassin, décédé le 20 août 1980 à Tahiti, à l'âge de 42 ans, tournent encore sur les ondes dans toute la francophonie, c'est qu'elles sont encore d'actualité et peuvent servir de modèles aux nouvelles générations qui en ont bien besoin. Ses disques se vendent encore en quantité comme ses «*petits pains en chocolat*».

Sans trop s'en rendre compte, le public fredonne des refrains de Pierre Delanoë depuis plus de 55 ans. La chanson a été sa raison de vivre jusqu'à la fin de sa vie, en 2006. Il continue de nous faire rêver et de nous émerveiller. Cet homme énergique, bon vivant, drôle et souvent entêté a toujours défendu la langue française avec la même ardeur. Il a été l'auteur le plus chanté du 20e siècle.

PHOTO : JEAN BEAULNE

Malgré ses occupations partout dans le monde, Charles Aznavour tenait absolument à être de la fête en l'honneur de son ami Pierre Delanoë, nouveau Chevalier des Arts et Lettres de la France. Deux pionniers de la belle chanson française.

Dans ses récits biographiques, anthologies, comptines pour enfants, recueils de poèmes, le poète a toujours eu son franc-parler. Pas de dérobade ou de demi-mesure. « Dans ce nouveau siècle, raconte Delanoë, on ne fait pas de vraies chansons, à part quelques exceptions. On fricote du rap, du techno, des rugissements onomatopéiques qui rappellent la jungle ou l'homme de Cro-Magnon. Il faut combattre cette épidémie et revenir à la poésie, à des mots ficelés dans « la langue de chez nous » à l'image de la chanson d'Yves Duteil. »

Selon Jean Beaulne, producteur du documentaire sur Pierre Delanoë, cet homme fier, au langage aussi tranchant que ses opinions, a traversé tant d'époques, rencontré tant de personnalités du monde musical, et réalisé tant d'exploits. Il était nécessaire de lui rendre hommage.

PHOTO : LOUIS PHILIPPE MARTIN

Lors de la décoration de Chevalier des Arts et Lettres de France, le 31 mars 2004, événement organisé par Jean Beaulne, le récipiendaire Pierre Delanoë était entouré de ses amis Marcel Amont et Michel Fugain.

Au cours de sa longue carrière auréolée de succès, Pierre Delanoë, cet homme plus grand que nature, a rarement accordé des entrevues substantielles aux médias. Il a fait exception, en 1993, en se livrant à l'historien Alain-Gilles Minella. Pour une fois, il en avait long à raconter sur sa vie intime : « C'est vrai, confie-t-il, que j'aime ma femme, mes trois filles et mes petites-filles. J'ai un faible aussi pour les femmes que je rencontre et qui me plaisent. Est-ce un défaut d'être romantique ? J'aime les femmes ! J'ai toujours pu m'identifier à elles. Je l'ai fait pour Dalida (*Laissez-moi danser*), Sylvie Vartan (*Qu'est-ce qui fait pleurer les blondes*),Nicoletta (*Il est mort le soleil*), Nicole Croisille (*Une femme avec toi*) ».

Je fréquentais alors des hommes un peu bizarres
Aussi légers que la cendre de leurs cigares
Ils donnaient des soirées au château de Versailles
Ce n'étaient que des châteaux de paille
Et je perdais mon temps dans ce désert doré
J'étais seule quand je t'ai rencontré
Les autres s'enterraient, toi tu étais vivant
Tu chantais comme chante un enfant

Tu étais gai comme un italien
Quand il sait qu'il aura de l'amour et du vin
Et enfin pour la première fois
Je me suis enfin sentie :
Femme, femme, une femme avec toi (bis)

Quand Pierre Delanoë parle de l'amour et de la beauté des femmes, il est encore plus explicite : « Je ne peux voir passer deux jolies jambes sans les regarder, quel que soit la personne avec qui je me trouve... Le reste suit presque automatiquement. J'ai toujours en tête l'image des jambes parfaites de Marlene Dietrich.

Évidemment, les hommes à 40 ans sont à leur meilleur pour séduire. Le fait d'être toujours avec ma femme après 50 ans démontre bien que c'est une preuve de fidélité. N'allons pas plus loin. »

Pierre Delanoë pouvait-il se contenter de s'asseoir sur ses lauriers et d'admirer ses hautes décorations de la Légion d'honneur, de l'Ordre national du mérite, du Grand Prix des poètes de la SACEM, de son titre de Commandeur de l'ordre des Arts et des Lettres de France, en 2004 ? Ni lui, ni personne ne le voyait prendre sa retraite. C'était un homme actif, énergique, dynamique, drôle, séducteur, vivant dans le présent et l'avenir.

PHOTO : LOUIS PHILIPPE MARTIN

Selon Pierre Delanoë, il faut combattre cette épidémie des chansons sans âme et revenir à la poésie, à des mots ficelés dans « la langue de chez nous » à l'image du chef-d'œuvre d'Yves Duteil.

Quand nous lui demandions ce qu'il pensait de la vie à 86 ans, il répondait sans hésiter : « Si l'on n'a pas de rêves et de projets à réaliser, à n'importe quel âge de son existence, on est très vieux et sur le point de s'en aller... » Deux ans plus tard, c'était à son tour d'entrer dans la légende et de s'en aller, tout comme le Petit Prince, vivre sur son étoile. L'entendez-vous chanter : « Et pour aimer. Comme l'on doit aimer. Quand on aime vraiment. Même en cent ans, je n'aurai pas le temps. Pas le temps. »

Enrico Macias a eu bien raison d'écrire : « L'ami Pierre fait partie des grands patriarches de la chanson française. Son répertoire est grandiose. Et c'est notre docteur à nous. Le meilleur même. Quand on est malade d'inspiration, il arrive à nous donner des médicaments pour nous la redonner. »

PHOTO : LOUIS PHILIPPE MARTIN

C'est l'heure de la récréation entre deux séances de travail, lors du tournage du documentaire, tourné à Paris, sur la vie Pierre Delanoë. Jean Beaulne termine, en 2007, la production d'un autre documentaire sur la carrière éblouissante de Michel Legrand.

Dis-moi de qui ne va pas

Paroles : Jacques Demarny, Enrico Macias
Musique : Enrico Macias, Jean Claudric

PHOTO: MICHEL MARCIL, ÉCHOS VEDETTES

Interprètes...

Enrico Macias

Paul Bellemarre, Denis Champoux, Fernand Gignac, Les Crooners, Les voix de l'île, Sylvie Martel, Marie Denise Pelletier, Ginette Reno...

Dis-moi ce qui ne va pas

Dis-moi ce qui ne va pas
Car tu mets de l'ombre sur mes joies
Quand je vois tes yeux tristes ou fâchés
Je suis perdu dans mes pensées
Dis-moi ce qui ne va pas
Sais-tu que je souffre autant que toi
Ce soir nous vivons en étrangers
Pressés de finir la soirée
Si tu veux faire un effort
Je reconnaîtrai mes torts
On ne peut pas vivre, on ne peut pas vivre
Au silence du remords

Dis-moi ce qui ne va pas
Nous ne pouvons pas en rester là
Tu en as trop dit ou pas assez
Pour fuir encore la vérité
Dis-moi ce qui ne va pas
Au lieu de vivre à moitié sans moi
Quand on est à deux sur un bateau.
On doit connaître ses défauts
Nous sommes bien assez grands
Pour affronter tous les temps
On ne peut pas vivre, on ne peut pas vivre
Toujours à l'abri du vent

Viens te blottir dans mes bras
Souris-moi et puis embrasse-moi
Laisse-moi sécher tes yeux rougis
Maintenant que l'on s'est tout dit.
Dis-moi ce qui ne va pas
Chaque fois que ton cœur m'en voudra
Les reproches ne me font pas peur
Car je veux garder mon bonheur

C'est bien rare que les chanteurs renommés admettent devoir, en grande partie, leur réussite aux auteurs ou compositeurs. Ce n'est pas le cas d'Enrico Macias, qui considère Jacques Demarny comme son alter ego, l'homme-clé de son immense popularité. Comédien à ses débuts, ce dernier a monté, en 1947, un numéro de duettistes avec son frère Jean. Ils ont enregistré plusieurs disques et mis frein à leur carrière en 1959.

« C'est tout d'abord un auteur que je considère parmi les plus doués. Son langage, son vocabulaire et sa tournure d'esprit me touchent au plus profond de moi. Il a la même approche intellectuelle et poétique sur tous les sujets touchant à la vie, à l'amour, à la fidélité, aux problèmes humains. Il me connaît mieux que quiconque ».

Jacques Demarny, dit « le colonel », en raison de son apparence et de sa démarche militaire, a en horreur la guerre et les conflits fratricides. Il y a entre lui et son compatriote algérien une symbiose totale qui les unit. Toute une vie de compréhension, d'admiration et de soutien réciproque.

Dès leur première rencontre, ils ont compris qu'ils feraient un sacré bout de chemin ensemble. Tous les deux ont un sens aigu de prémonition. On peut en juger par les paroles de leur chanson, *Le grand pardon*, qui raconte ce qui arrivera entre Israël et l'Égypte, dix ans plus tard. Comment pouvait-il prévoir l'horrible drame d'un enfant martyr, qui défraya la chronique, en écrivant bien avant ces faits, *Malheur à celui qui blesse un enfant.*

Enrico n'a aucune méthode particulière pour écrire les paroles ou composer la musique d'une chanson. Ça lui vient parfois comme ça, tout bonnement, en grattant sa guitare ou en causant avec des amis. Cela arrive souvent selon les moments intenses de sa vie quotidienne.

Spontanément, il téléphone à Demarny pour qu'il intervienne sur-le-champ, afin de mettre un terme à une chanson en pleine croissance. Voilà ce qui est arrivé avec *Dis-moi ce qui ne va pas*, qui parle de souffrance, de joie, de tristesse, de remords, de vent et de bateau. Des mots simples, naturels.

Les deux perfectionnistes, installés au piano, ont accouché de ce chef-d'œuvre en quelques jours. Après ce travail de création, ils ont procédé à l'orchestration, aux répétitions et à l'enregistrement. Ensuite, ils ont convenu qu'il fallait attendre le verdict du public, qui décide toujours de la qualité et surtout de la longévité d'une chanson.

Encore une fois, les frères spirituels et professionnels ont visé en plein dans le mille. Dans toute la francophonie, *Dis-moi ce qui ne va pas* est devenu l'un des tubes de 1968. On leur doit aussi bien d'autres succès au palmarès : *Les millionnaires du dimanche, Noël à Jérusalem, La musique et moi, Mon cœur d'attache, Le violon de mon père, Non, je n'ai pas oublié...*

Demarny a insisté auprès de Macias pour qu'il fasse confiance à d'autres auteurs. Parmi ceux-là, Enrico parle avec admiration de Pierre Delanoë, ce « magicien des mots », qui lui a écrit : *Aimez-vous les uns les autres, Le mur à Jérusalem, C'est une femme, N'oublie jamais d'où tu viens.* D'autres paroliers, comme Vline Buggy, Michel Jourdan et le célèbre Eddy Marnay, décédé en 2003, ont également écrit de jolis textes à l'image de celui qui n'a pas fini de nous émerveiller. En 2007, il continue de semer la joie, d'apporter du réconfort à ses semblables de tous les pays de la terre et de chanter *Mon cœur d'attache*.

Mon cœur d'attache

Paroles et musique : Enrico Macias, Jacques Demarny

Le bateau qui s'arrache du port va sur l'eau
Vers le sud ou le nord sans savoir
Ce qui l'attend là-bas au-delà de la mer
Comme lui quand je pars chaque fois c'est la nuit
Qui ne me quitte pas et la vie
Passe à tous petits pas je m'ennuie loin de toi

(Refrain)
Mon cœur d'attache c'est toi, le toit de ma maison, c'est toi
L'histoire de mes chansons c'est toi
Mon chemin d'horizon c'est toi
Mon cœur d'attache c'est toi, le toit de ma maison, c'est toi
La voix de ma raison c'est toi
Ma vie et ma passion c'est toujours toi

Mes amis me reprochent souvent dans la vie
D'être encore un enfant car vois-tu
Ils ne comprennent pas cet amour qui nous lie
Moi sans toi je ne peux partager tous leurs jeux
Ne veux pas me brûler à ce feu
Cette rage d'aimer comédie de la vie

(Au refrain)

Quand le jour éteint ses projecteurs au retour
Je retrouve dans ton cœur une fleur
Une rose d'amour et je crie mon bonheur

(Au refrain)

Enrico Macias

Né Gaston Ghrenassia, le 11 décembre 1938, à Constantine (Algérie)

Ce futur messager de la paix grandira sous le soleil ardent de Constantine. Né d'une mère provençale (Suzanne Zaouche) et d'un père andalou (Sylvain), commerçant en textile, flûtiste et violoniste dans l'orchestre de Raymond Leyric, un chanteur folklorique et spécialiste de la musique arabo-andalouse. Comme guitariste, Gaston Ghrenassia prendra aussi sa place dans la formation du grand maître, qui deviendra son mentor et plus tard, son beau-père.

« Au début de la guerre d'Algérie, je suis venu en France pour terminer mes études, à Fontainebleau. Avec mon baccalauréat, j'ai obtenu un poste d'instituteur dans mon pays. Je me suis retrouvé dans une classe composée en grande partie de jeunes Arabes à qui j'ai appris la grammaire et le français, mais aussi le chant. À 18 ans, je me suis fiancé à ma copine d'enfance, Suzy Leyric, qui a longtemps résisté à devenir ma femme. Je ne compte pas les nombreuses lettres et cartes postales que je lui ai fait parvenir pour lui avouer mon éternel amour. »

Les familles de Gaston et de Suzy sont révoltées lorsqu'elles apprennent la mort du chef d'orchestre assassiné, en 1961, à l'âge de 48 ans. Raymond Leyric militait pour la réconciliation et la paix entre chrétiens, juifs et musulmans. « C'était un homme intègre, généreux, auquel je ne peux associer le plus petit défaut. Toute ma vie, je combattrai le racisme et chercherai à connaître les véritables meurtriers de mon beau-père. »

Comme un million de « pieds-noirs », d'allégeance française, Gaston, appelons le déjà Enrico, s'exilera en France, le 29 juillet 1962, avec plusieurs membres des familles Ghrénassia et Leyric. Pour tout bagage, il n'a qu'une seule valise et sa guitare. Il épousera Suzy à Argenteuil, lieu de séjour des peintres Manet, Monet et Degas. Un mariage intime sans cortège de voitures, ni de fleurs. Toute la parenté est en deuil. Il faudra bien que l'on reprenne goût à la vie et que l'on oublie cette nuit du 31 octobre 1961, où l'insurrection éclata et engendra la guérilla et les assassinats à n'en plus finir. Le 1er juillet 1962, l'Algérie deviendra un état indépendant par voie référendaire.

Pendant la traversée et l'arrivée dans le port de Marseille, Enrico écrit les paroles et compose la musique de sa première chanson officielle, *Adieu mon pays*. En 2006, il n'a pas oublié son Algérie natale et rêve toujours d'y retourner pour chanter et rapprocher ses frères divisés et meurtris par tant de bêtises humaines. Les premières années d'Enrico en France ne sont pas de tout repos, sans travail, ni ressources. Il chante pour une bouchée de pain à la terrasse des cafés. Des succès de Brel, Brassens, Bécaud. Il attend que les directeurs de cabarets lui ouvrent leurs portes. Lorsque sa fille, Jocya, naît le 10 janvier 1963, il décroche enfin un engagement au Drap d'Or, sur les Champs-Élysées et au Tabarin avant d'enregistrer un premier 45-tours chez Pathé. La famille s'agrandira avec la naissance de Jean-Claude, en décembre 1967. Sur les routes de France, il apprend son métier avec son nouveau nom d'artiste : Enrico Macias.

Lors de l'émission, *Cinq colonnes à la Une*, consacrée aux rapatriés, aux pieds-noirs, comme on les appelle, il crève l'écran par sa sincérité, sa forte personnalité et sa voix exceptionnelle. Grâce à Eddy Marouani, il est engagé à l'ABC, dirigé par Jacques Canetti.

La vedette du spectacle, Dario Moreno lui apprend à entrer et à sortir de scène, à bien se servir du micro, à saluer comme il se doit pour provoquer les rappels.

En mars 1964, Enrico chante en première partie des Compagnons de la chanson à l'Olympia. « Après cet arrêt au célèbre music-hall de Bruno Coquatrix, qui m'avait fait confiance, je partis en tournée avec Dalida, qui, cette année-là, faisait un long périple, ce qui avait obligé Roland Hubert, producteur du spectacle, à prévoir deux vedettes montantes dans les premières parties du programme. Je fus du voyage, prenant la place de Salvatore Adamo. J'ai raconté à Dalida que j'avais été un de ses premiers admirateurs et que j'avais souvent chanté son grand succès *Bambino* dans nos concerts familiaux. »

Les yeux battus, la minc triste
Et les joues blêmes
Tu ne dors plus
Tu n'es plus que l'ombre de toi-même
Seul dans la rue tu rôdes comme une âme en peine
Et tous les soirs sous sa fenêtre
On peut te voir

Je sais bien que tu l'adores
Et qu'elle a de jolis yeux
Mais tu es trop jeune encore
Pour jouer les amoureux...

C'est maintenant seul, avec ses musiciens et toute son équipe de soutien, que Macias entreprend de parcourir la France et les pays francophones voisins. Partout où il y a d'importantes colonies de rapatriés, le scénario se répète d'une fois à l'autre. Des spectateurs se couchent devant les roues de sa voiture pour qu'il reste auprès d'eux et écoute leurs problèmes. Il risque souvent d'être blessé par tant de débordements passionnés.

« J'avais honte, dit-il, de ces excès d'amour, je ne méritais pas cette vénération, je n'étais qu'un chanteur, pas un prophète. » Que ce soit à Toulouse, Montpellier ou à l'Ancienne Belgique de Bruxelles, il a souvent prêté son concours à des soirées pour les handicapés, les personnes âgées, les enfants abandonnés. Il avait beaucoup de difficultés à garder son sourire face à tant de souffrances. « Ses mélodies simples et harmonieuses, selon Pierre Saka, et les sons arabisants et andalous contribuent tous à exalter cette paix universelle qu'il défend inlassablement. »

PHOTO : ÉCHOS VEDETTES

Avec Jean-Pierre Ferland, né en 1934 à Montréal, qui a mis un frein à sa carrière de chanteur sur scène en 2007, ce qui est loin d'être le cas d'Enrico Macias. Leur répertoire est souvent repris par de nombreux interprètes.

C'est à ce moment-là que Jacques Demarny devient son plus fidèle parolier et ami. Il lui écrit des textes sur mesure : *J'ai quitté mon pays, La fille de mon pays*. Toujours ce thème de la patrie qui reviendra sans cesse dans ces propos que Macias mettra en musique. Dans le refrain des *Enfants de tous pays*, il y a beaucoup d'amour et d'espoir. Un million d'exemplaires de ce disque furent vendus en quelques semaines :

Enfants de tous pays, tendez vos mains meurtries
Semez l'amour et puis donnez la vie
Enfants de tous pays et de toutes les couleurs
Vous avez dans le cœur notre bonheur

Jacques Demarny est né, lui aussi, dans ce pays de soleil. Mais il a quitté l'Algérie enfant, avant les tragiques événements que l'on connaît. Il a accompagné son compatriote au Liban, en Grèce, en Turquie... Il était là au stade Dynamo de Moscou, en 1965, quand Macias a chanté devant 120 000 personnes. Une traductrice expliquait le thème de chacune de ses chansons. « Ce soir-là, raconte Demarny, j'ai compris qu'il n'était plus seulement le chanteur des pieds-noirs, il était devenu le porte-parole de tous ceux qui croient à la fraternité universelle. À Moscou et ensuite dans 40 villes soviétiques, je n'avais jamais vu ça. Des applaudissements de 10 à 20 minutes, sans exagération. Une autre fois, au Texas, j'ai vu des hommes, des durs, pleurer en l'écoutant. Ils ne comprenaient même pas les paroles. »

Macias a enregistré son premier microsillon au Québec, en moins d'une semaine. On y trouve *Enfants de tous pays*, qui monta aussitôt au palmarès. Au cours de sa tournée de promotion, il chanta ce tube et une toute nouvelle chanson, *La femme de mon ami*, qui n'est pas sur le disque.

Guy Latraverse fut le premier imprésario, en 1968, à engager Enrico, d'abord à la Place des Arts de Montréal et dans quelques grandes villes québécoises. Son album *Noël à Jérusalem* tombe à point. Il peut compter sur le bon travail de Christian Lefort. « Je n'aurais jamais pensé, dit Enrico, faire autant de succès, c'est une de mes pudeurs que de douter de moi. À chacun de mes concerts, on refusa du monde, j'en étais heureux, surtout pour Guy Latraverse qui avait pris ce risque de m'inviter dans son pays. » Depuis, ce temps, Macias a donné 49 spectacles à la Place des Arts de Montréal.

En 1971, il s'arrête de nouveau à l'Olympia de Paris et retourne au Carnegie Hall de New York, après le passage de Fernandel et de son fils Frank. Il soulève les foules avec *Mon cœur d'attache, Dès que je me réveille, L'Oriental, Les gens du Nord*, dont les paroles sont de Jacques Demarny et d'Enrico Macias :

Les gens du nord ont dans leurs yeux
le bleu qui a manqué à leur décor
Les gens du Nord ont dans le cœur
le soleil qu'ils n'ont pas dehors.
Les gens du Nord ouvrent toujours
leurs portes à ceux qui ont souffert...

Entre 1975 et 2000, il continue de parcourir le monde à un rythme effréné. De nombreux albums et d'autres chansons engagées démontrent clairement son attachement à l'enfance. Écoutons-le chanter *Malheur à celui qui blesse un enfant* :

Qu'il soit un démon, qu'il soit noir ou blanc
Il a le cœur pur
Il est toute innocence
Qu'il soit né d'amour ou par accident
Malheur à celui qui blesse un enfant...

En Égypte, au pied des pyramides, 20 000 spectateurs pleurent lorsqu'il chante *Aimez-vous les uns les autres* (paroles de Pierre Delanoë) en présence de son hôte Anouar El Sadate, président assassiné en 1981.

L'année suivante, il passe un autre mois à l'Olympia de Paris, accompagné par l'orchestre oriental de son cher papa Sylvain. Avant d'avoir été nommé Chanteur de la paix par les Nations Unies, le Premier ministre Laurent Fabius lui avait décerné la Légion d'honneur, en 1985.

C'est toujours le même accueil délirant en Israël, en Turquie, au Brésil, en Corée. En 1995, il refait l'Olympia et rend un bel hommage à Hallyday en interprétant *Et Johnny chante l'amour* de Didier Barbelivien. Au Printemps de Bourges 1999, il cherche toujours à faire un pont, entre Juifs et Musulmans, avec sa musique judéo-arabe.

Après l'annulation de sa tournée dans son pays natal qui a suscité toute une polémique orchestrée par des groupes fondamentalistes islamiques, il publie, en 2001, *Mon Algérie*, en collaboration avec la journaliste Florence Assouline. Les concerts prévus dans six villes furent annulés à la dernière minute. Cette volte-face du gouvernement algérien a approfondi la blessure qu'il portait en lui. Il garde l'espoir d'y retourner un jour et ne ferme pas la porte de l'avenir et du destin.

Enrico est très heureux du résultat de son album, *Oranges amères*, en 2003, réalisé par son fils, Jean-Claude Ghrénassia, devenu producteur. Celui-ci tient son prénom du jeune frère de Macias, tué dans un accident de la route, le 13 août 1965, en même temps que la fiancée de Serge Lama et le pianiste de

Marcel Amont. Enrico avait alors adopté Corinne, la fille de son frère.

Avec près de 650 chansons françaises, dont certaines sont enregistrées en anglais, en italien, en espagnol et en arabe, il n'a pas fini de parcourir la planète. Ce colporteur de paix, de joie de vivre et de réconfort, trouve malgré tout le temps de remplir son devoir de mari exemplaire et de grand-père attentif. « Mon combat, ajoute Enrico, c'est de faire taire la violence et de protéger tous les enfants de la terre. » Ce n'est pas surprenant qu'il ait enregistré cette chanson universelle de Raymond Lévesque : *Quand les hommes vivront d'amour.*

PHOTO : GUY PROVOST, ÉCHOS VEDETTES

Dès leur première rencontre, Serge Lama et Enrico Macias sont devenus des amis pour la vie. Ces chanteurs à voix ont surmonté bien des obstacles avant de connaître le vedettariat.

1969

Comme un million de gens

Paroles et musique : Claude Dubois

Interprètes...

Claude Dubois

Paul Daraîche, Pierre Fournier, Les oiseaux de nuit, Québecissime, Roger Roy...

Comme un million de gens

1969

Il est né un jour de printemps
Il était le septième enfant
D'une famille d'ouvriers
N'ayant pas peur de travailler
Comme un million de gens
Il a grandi dans un quartier
Où il fallait pour subsister
Serrer les dents les poings fermés

Autour de lui y avait
plus petits et plus grands
Des hommes semblables en dedans

En mangeant un morceau de pain
Il avait vu que le voisin
Avait quelque chose sur le sien
Qu'il aurait bien aimé goûter
Comme un million de gens
Il a cessé d'étudier
Car il fallait pour mieux manger
Serrer les dents et travailler

Autour de lui y avait
plus petits et plus grands
Des hommes semblables en dedans

Puis un jour il a rencontré
Une femme qu'il a mariée
Sans pour cela se demander
Si du moins il pouvait l'aimer
Comme un million de gens
Ils ont vieilli dans leur quartier
Et leurs enfants pour subsister
Serrent les dents les poings fermés

Mais autour d'eux y aura
plus petits et plus grands
Des hommes semblables en dedans

Comme un million de gens
Qui pourraient se rassembler
Pour être beaucoup moins exploités
Et beaucoup plus communiquer
Se distinguer, se raisonner
S'émanciper
Se libérer, s'administrer
Se décaver, s'équilibrer
S'évaporer
S'évoluer, se posséder

Mais autour d'eux y avait
plus petits et plus grands
Des hommes semblables en dedans.

Avec cette grande chanson, extraite de son cinquième microsillon chez Columbia, Claude Dubois ouvre la voie à la modernité sans rien perdre de son originalité et de son identité. Elle marque un point culminant dans sa carrière ascendante et se glisse au palmarès parmi les tubes de 1969.

On peut facilement juxtaposer *Comme un million de gens* à côté de *Lindberg* de Robert Charlebois et de *Comment te dire adieu* de Françoise Hardy, en passant par *Le sable et la mer* de Ginette Reno et Jacques Boulanger à *Désormais* de Charles Aznavour et à *Que je t'aime* de Johnny Hallyday.

Dubois a écrit l'histoire de cette chanson intemporelle qui entrera un jour au Panthéon des auteurs et compositeurs. Au départ, il a voulu faire ce dur métier de chanteur pour apporter sa quote-part à sa famille qui n'en mène pas large et se serre les coudes pour boucler ses fins de mois.

Claude n'a jamais voulu être classé dans une catégorie ou un genre musical quelconque. Il a touché à tout ce qui bouge, du chant religieux au western, de la ballade sentimentale au folk et au rock'n'roll, ainsi que du reggae à la chanson engagée. À l'aube de ses 60 ans, il cherche encore à savoir s'il n'y a pas une autre avenue à découvrir.

Dubois sait bien de quoi il retourne lorsqu'il écrit *Comme un million de gens*. Il se regarde dans le miroir et se rappelle d'où il vient et comment il a pu se sortir de ce bourbier d'une jeunesse « où il fallait pour subsister se serrer les dents les poings fermés... »

Nathalie Petrowski écrivait en 1978 : « Dubois, c'est peut-être notre dernier vrai bohème, tout comme c'est peut-être notre premier vrai punk, c'est le seul, en tous les cas, qui 15 ans plus tard se bat encore et qui n'est toujours pas fatigué. »

Moins de 10 ans après cet énorme succès, alors que sa carrière est au beau fixe, il répond à l'appel insistant de Luc Plamondon et Michel Berger. On lui offre de jouer au Québec le rôle de Zéro Janvier dans la version originale de *Starmania*. Son interprétation magistrale du *Blues du businessman* lui vaut le titre de l'interprète de l'année au Gala de l'ADISQ, en 1979. Dix ans plus tard, il reprendra ce personnage et cette chanson culte pour une série de représentations à Paris.

La question se pose : Dubois a-t-il vraiment besoin de s'embarquer dans cette galère et d'aller vivre sous d'autres cieux ? La réponse se trouve dans sa chanson *Besoin pour vivre* reprise par Pierre Lalonde et Michel Louvain :

J'ai besoin de m'amuser

J'ai besoin pour vivre sur terre de soleil et de pluie
De légumes et de fruits
J'ai besoin de bouger, de dormir et manger
J'peux pas vivre sans être aimé

J'ai besoin pour vivre sur terre de rire, de m'amuser
Et surtout de chanter
J'ai besoin de danser avec le monde entier
J'peux pas vivre sans être aimé...

Depuis 1978, *Le blues du businessman*, grâce à Claude Dubois, est la chanson fétiche de *Starmania*. Des douzaines d'interprètes l'ont reprise sur disque et à la scène. Le controversé Bernard Tapie l'a même chantée à la télévision française.

La réputation de Luc Plamondon, né à Saint-Raymond-de-Portneuf au Québec, en 1942, a franchi bien des frontières.

Après avoir écrit de beaux textes pour Monique Leyrac et Renée Claude, ce prolifique parolier s'est fait connaître par plusieurs tubes de Diane Dufresne : *Oxygène, Chanson pour Elvis, J'ai rencontré l'homme de ma vie*... Il sera ensuite sollicité par Ginette Reno, qui enregistrera *Ma mère chantait*, succès repris par Fabienne Thibeault.

Plamondon continue de jouer un rôle important comme défenseur de la chanson française. Il lutte avec succès contre l'invasion des hits anglo-saxons qui, trop souvent, pullulent et encombrent nos ondes. Avec plusieurs millions d'albums vendus de *Starmania*, ce n'est pas surprenant d'entendre dans la rue les refrains de cet opéra rock. Habillé de noir, les yeux cachés derrière ses lunettes fumées, Luc est le roi incontesté des comédies musicales.

PHOTO : ÉCHOS VEDETTES

Claude Dubois en duo avec la séduisante Martine St-Clair, qui fait un retour sur scène en 2007. Il a toujours gardé un contact artistique avec celle qui avait été sa choriste sur quelques-uns de ses disques au début des années 80.

Plamondon est vraiment un couturier de grand talent qui écrit sur mesure des chansons prêtes à porter. Il collectionne les Félix de l'ADISQ, les Victoires de la musique et les plus hautes décorations honorifiques. Dans les années 80, le duo Plamondon-Berger a accouché de *La légende de Jimmy*, évoquant la vie de James Dean, avec la participation remarquable de Diane Tell. Michel Berger, de son vrai nom Michel Hamburger, est né à Paris, en 1947, et est décédé d'une crise cardiaque le 3 août 1992.

Le mot de la fin, en ce qui a trait à l'histoire de *Comme un million de gens*, laissons-le à son auteur Claude Dubois, qui n'a pas fini d'aviver nos souvenirs avec d'aussi belles mélodies que *Femme de rêve, Comme un voyou, Si Dieu existe, Merlin, Plein de tendresse, J'ai souvenir encore, Infidèle, Femmes ou filles...*

PHOTO : JAMES GAUTHIER, ÉCHOS VEDETTES

Le comédien Marc Favreau, alias Sol, fait bon ménage avec les chanteurs. On le voit ici, à gauche, en compagnie de Claude Dubois, Raymond Lévesque et Georges Dor (1931-2001), auteur de *La Manic*...

1982

Plein de tendresse

J'étais amoureux
J'avais pas encore seize ans
J'étais amoureux
J'la voyais tous les dimanches
Dans sa robe de satin blanc
Dans l'parc on marchait ensemble
Elle s'assoyait sur un banc
J'écoutais le souffle charmant
De sa bouche sur mon cou
Elle avait deux fois, mon âge
Belle comme le printemps
Comme un fruit dont
on n'se lasse
À peine trente ans
Je m'allongeais à sa place
Dans son lit parfumé blanc
Elle avançait gracieusement,
Glissant de sa robe

Glissant de sa robe
Que j'aimais ses yeux félins
Quand elle me couvrait
Son corps tombait sur le mien
J'étais son homme
Son jeune, son chum
Comme un papillon qui naît
Allongeant grandes mes ailes
Sortant de chez elle
Ébloui de prendre le vent
Plein de tendresse
J'me suis fait mal en tombant
Plein de tendresse
Mais j'me suis relevé
Mais j'me suis relevé tout l'temps

Claude Dubois

Claude Dubois

Né le 24 avril 1947, à Montréal (Québec)

Le nom de Claude Dubois restera à jamais gravé sur disque, mais aussi dans la tête et le cœur des francophones de notre planète mal en point. L'enfant terrible de la belle chanson romantique, à qui l'on pardonne toutes les fredaines, a multiplié les mauvais coups et les traits de génie, en paroles et en musique.

Par ses faits et gestes, le pourfendeur de causes humanitaires garde en lui ce côté révolutionnaire à la Che Guevara. En son âme et conscience, il défend bec et ongles le sort des petits peuples pauvres comme du sel, Haïti, Nicaragua, Darfour, exploités par les dictateurs despotes de ce monde. Dans sa chanson *Le Labrador*, il dénonce les injustices sociales:

Je dois retourner vers le nord
L'un de mes frères m'y attend
Faudrait tirer, traîner le temps
Avec mon frère qui est dedans
Qui pousse sur un traîneau géant
Les exploiteurs se font pesant

Faudrait rapporter du soleil
De la chaleur pour les enfants
Flatter les chiens du vieux chasseur
Boire avec lui un coup de blanc.
Traîner le sud vers le nord
Notre sud est encore tout blanc...

Après plus de 45 ans de carrière mouvementée en dents de scie, sa voix unique en son genre s'envole toujours avec autant d'intensité et de souplesse. Le Québécois authentique, tricoté serré dans la pure laine de ses ancêtres gaulois, peut se permettre de chanter *Comme un million de gens* et *Le blues du businessman* en blue-jean, en tuxedo de soie avec nœud papillon ou en chemise carreautée, à l'image des chasseurs et de Félix Leclerc des années 50.

Après avoir frôlé la mort de près en 1998, suite à un infarctus, et avoir vu la lumière au bout du tunnel, il est revenu à la vie et à la scène un peu plus assagi et heureux de rouler sa bosse avec lucidité et modération. Loin de lui les repas gargantuesques arrosés de bons vins. L'artiste sans prétention est inlassablement amoureux du public, qui ne l'a jamais laissé tomber.

Au sein du clan Dubois, chanter est une façon d'oublier la dure vie quotidienne des familles à faibles revenus. En quittant la campagne, où l'on ne mange pas à sa faim, les parents de Claude veulent améliorer leur sort. Ce n'est pas le bonheur retrouvé dans ce quartier ouvrier du centre-ville parsemé de taudis et infecté de rats, de souteneurs et de truands. Dans *J'ai souvenir encore*, on voit bien tout le chemin parcouru par ce gamin turbulent et courageux :

J'ai souvenir encore
D'une rue, d'un quartier
Qui me vit souffrir
Grandir par les années
C'est dans un vieux taudis
Que dix ans de ma vie
J'apprenais à mentir
Pourquoi vieillir ?
J'ai souvenir encore
D'une vieille maison

Que l'on se partageait
Chacun à sa façon
Un logement bien chauffé
On a si bien gelé
Les rats dans l'escalier
Prenaient leur déjeuner

J'ai souvenir encore
De quatre jeunes garçons
Qui avaient grand plaisir
À jouer les fanfarons
Les garçons de mon âge
Avaient pour voisinage
Robineux du Viger
Putains d'la St-Laurent

J'ai peu de souvenirs
D'une vieille maison
Que l'on dû démolir
Rongée par les saisons
Adieu rue Sanguinet
Adieu mon coin vitré
Mais ce soir je te laisse
Un peu de mes pensées

À six ans, on demande au beau Claude de monter sur la table de la cuisine ou sur les tabourets du restaurant du coin pour faire son numéro. Sans aucune gêne, il chante à pleins poumons les succès d'Yves Montand, *Un gamin de Paris* et de Luis Mariano, *Rossignol* et *Ave Maria*. À l'église paroissiale, tous les fidèles se retournent, la nuit de Noël 1957, pour regarder si c'est bien le petit diable de la rue Sanguinet qui entonne, avec sa voix angélique, *Trois anges sont venus ce soir* et le légendaire *Minuit, chrétiens* !

Minuit, chrétiens, c'est l'heure solennelle
Où l'homme Dieu descendit jusqu'à nous
Pour effacer la tache originelle
Et de son père arrêter le courroux:
Le monde entier tressaille d'espérance
À cette nuit qui lui donne un sauveur
Peuple à genoux, attends ta délivrance
Noël ! Noël ! Voici le Rédempteur ! (bis)

À la messe de minuit des Noëls d'antan, ce cantique a été interdit dans bien des églises pour toutes sortes de raisons. L'Église n'aimait pas que l'on parle de « l'homme Dieu descendu du ciel ». Ce *Minuit, chrétiens* ! dont les paroles sont de Placide Cappeau de Roquemaure et la musique, du compositeur français Adolphe Adam, a été composé en 1847. Des centaines et des centaines d'interprètes réputés lui ont donné ses lettres de noblesse dans le monde entier. Finalement, l'Église a accepté de réhabiliter ce cantique devenu un succès populaire et commercial.

À 12 ans, Claude enregistre son premier microsillon, *Stampede canadien*, avec le groupe western Les Montagnards. Que de beaux titres prometteurs : *Souriez à ce bonheur, Promesse d'amour, Le printemps charmeur*... Dans les années 1950, il trimbale sa guitare en bandoulière à l'école Gérard-Filion, de Longueuil, et s'isole dans les vestiaires pour griffonner ses premières compositions. Sa mère, Aurore, l'encourage fortement. C'est l'époque où il dessine joliment et peint des toiles en écoutant ses idoles, Jacques Brel et Léo Ferré, dont le discours anarchiste lui sied à merveille. Il tombe dans les pommes quand ce dernier chante *Jolie môme* ou

Paname:

On t'a chanté sur tous les tons
Y'a plein d'parol's, dans tes chansons
Qui parl'nt de qui, de quoi, d'quoi donc
Paname
Moi c'est tes yeux moi c'est ta peau
Que je veux baiser comme il faut
Comm'sav'nt baiser les gigolos

Dans les salles de classe, le chanteur de charme, rocker à ses heures, fait de l'effet avec son répertoire de succès américains et de succès de Charles Aznavour (*La bohème*) et d'Alain Barrière (*Ma vie*). Avant de trouver son propre style, Claude explore l'univers musical de nos voisins du sud. Avec *Belle famille, Ma p'tite vie, À la fenêtre*... il gagne le prix spécial du jury au Festival du disque, en 1966. C'est à la boîte à chansons Le Patriote, de Percival Broomfield et d'Yves Blais, de regrettée mémoire, que le public découvre le chanteur en pleine évolution.

Après un engagement avec Donald Lautrec à la Place des Arts, il se voit offrir la première partie du spectacle de Gilles Vigneault à la Comédie Canadienne, lors de l'Expo 67 de Montréal. Sur les ondes de l'ORTF, Claude tente sa chance à *La fine fleur de la chanson,* ce qui lui donne l'envie d'aller voir de l'autre côté de l'Atlantique.

En 1969, Dubois séjourne à Paris et discute passionnément, avec ses amis de la bohème, de Verlaine et de Rimbaud, de la démission de Charles de Gaulle et de son successeur, Georges Pompidou, élu président de la 5e République. C'est l'année où Serge Gainsbourg et Jane Birkin obtiennent un succès de scandale avec *Je t'aime moi non plus*... Comme la vague irrésolue/ Je vais et je viens/ Entre tes reins/ Et je me retiens...

Claude loge à l'hôtel Quai de Voltaire, dans le quartier de Saint-Germain-des-Prés. Dès son arrivée de Londres, avec son chandail fleuri arborant le slogan de l'heure, *Flower Power*, il s'installe sur le bord de la Seine avec sa dactylo portative pour peaufiner les paroles de *Comme un million de gens* et de *Dimension*.

De retour de ses périples et de ses aventures, le globe-trotter rentre au Québec, au début des années 1970, et livre au public des chansons pleines de maturité et de sensibilité. On voit bien tout le chemin parcouru quand il chante *Au bout des doigts*, *Tu sais,* et *Infidèle* :

Je suis infidèle
La musique m'appelle
L'amour m'envahit
Les forêts me hantent
Le spectacle m'enchante
Et j'aime sans bruit
Faire le tour du monde
Qui m'entoure ici
Je suis l'infidèle
Qui vous appelle
Du fond de la nuit...

Les microsillons se suivent à un rythme accéléré. Durant un autre voyage en France, il enregistre avec François Rauber et le groupe de Jean-Marc Deutere *Trop près, trop loin, Essaye, Pour nos enfants*... Après la réussite de son disque *Touchez Dubois (Besoin pour vivre, Bébé Jajou Latoune, Femme de rêve*...)Claude anime *Showbizz* à Télé-Métropole et *Décibels* à Radio-Canada, en 1973. La même année, il électrise la foule au stade de l'Université de Montréal avec Diane Dufresne et le groupe Offenbach, de même qu'à la Place des Nations de Terre des Hommes avec Joni Mitchell. En tournée au Québec avec Véronique Sanson, il continue sa lancée avec *Hibou, Depuis que je suis né.*

Claude Dubois remplit de nouveau la Place des Arts, en 1975 et 1976, et fait un séjour en Jamaïque et en Indonésie. À son retour, il sort l'album *Mellow Reggae (La sarabande, Le troubadour...)* et fonde sa propre compagnie de disques, Pingouin. Au théâtre Saint-Denis, il remporte un autre succès.

Les spectateurs savaient que Claude Dubois et la pétillante Marjo casseraient la baraque, lors de leur spectacle présenté dans le Vieux-Port de Montréal. Ils ont eu du mal à quitter la scène, même après de nombreux rappels.

Le chanteur au bout de son rouleau n'est plus en mesure d'aller plus loin et d'offrir le meilleur de lui-même. Son inspiration coule à pic. Des ennuis avec la justice, en 1981, l'amènent à séjourner au centre Le Portage pour une longue cure de désintoxication. Après cette retraite forcée, Claude lance l'album *Sortie Dubois*, qui s'envole à plus de 200 000 exemplaires, grâce à *Vivre à en mourir*, *Apocalypse, Femmes ou filles* :

J'passais mes nuits de strip voyeur
À cruser des femmes légères
Qui s'foutaient l'cafard dans les bars
À faire l'amour à un micro
En faisant semblant de faire l'amour...

PHOTO : MICHEL GAGNÉ, ÉCHOS VEDETTES

Cette photo vaut bien 1 000 mots. Marc Gélinas (1937-2001), Renée Claude, Claude Dubois et Raymond Lévesque, quatre grandes vedettes qui ont grandement contribué à faire rayonner la chanson québécoise dans toute la francophonie.

Au Forum de Montréal et au Colisée de Québec, plus de 20 000 spectateurs soutiennent et encouragent le survenant dans sa nouvelle vie. Son album *Implosif (L'esprit nous guette, Terminus, Voilà, me revoilà...)* reçoit un accueil sans précédent et lui vaut cinq Félix au Gala de l'ADISQ, en 1982. Il repart en tournée avec plein de chansons au palmarès: *Un chanteur chante, L'espace qui lui reste :*

On m'a fait un sourire pour mieux m'abandonner
On m'a laissé tout seul j'avais besoin d'aimer
Je me suis habitué solide comme le roc
À rouler seul sur terre, à rouler seul sur terre
J'ai besoin que l'on m'aime
J'ai besoin d'être aimé
Tellement besoin d'aimer (bis)...

Que de belles retrouvailles partout où il passe : dans le Vieux-Port de Montréal avec la pétillante Marjo, aux Francofolies de La Rochelle et de Montréal, au Théâtre des Variétés, de Gilles Latulippe, au 25e Festival international d'été du Québec, avec Robert Charlebois, en 1991, devant 50 000 spectateurs.

En 2007, Dubois remplit toujours les salles et régulièrement le Casino de Montréal. Après plus de 35 disques de tous formats et une longue carrière époustouflante, il continue d'être aimé et adulé par ses compatriotes du Québec et de la francophonie qui aiment sa voix, son charisme et sa personnalité. On comprend ses états d'âme et ses prises de position nationalistes. Comme Félix Leclerc, il a son pays dans la peau. Sa contribution à la belle chanson française est un bel exemple de sa ténacité et de ses convictions. «Quand le rideau tombe, dit Claude Dubois, la vraie vie commence.»

1970

L'aigle noir

Paroles et musique : Barbara

Interprètes...

Barbara

Thierry Amiel, Marie Carmen, Patricia Kaas,
Catherine Lara, Florent Pagny, Michel Sardou...

L'aigle noir

(Refrain)
Un beau jour, ou peut-être une nuit
Près d'un lac je m'étais endormie
Quand soudain, semblant crever le ciel
Et venant de nulle part,
Surgit un aigle noir

Lentement, les ailes déployées
Lentement, je le vis tournoyer
Près de moi,
dans un bruissement d'ailes
Comme tombé du ciel
L'oiseau vint se poser

Il avait les yeux couleur rubis
Et des plumes couleur de la nuit
À son front, brillant de mille feux
L'oiseau roi couronné
Portait un diamant bleu

De son bec il a touché ma joue
Dans ma main il a glissé son cou
C'est alors que je l'ai reconnu
Surgissant du passé
Il m'était revenu

Dis l'oiseau, ô dis, emmène-moi
Retournons au pays d'autrefois
Comme avant,
dans mes rêves d'enfant
Pour cueillir, en tremblant
Des étoiles, des étoiles

Comme avant,
dans mes rêves d'enfant
Comme avant, sur un nuage blanc
Comme avant, allumer le soleil
Être faiseur de pluie

Et faire des merveilles
L'aigle noir dans un
bruissement d'ailes
Prit son vol pour regagner le ciel

(Au refrain)

Quatre plumes couleur de la nuit
Une larme ou peut-être un rubis
J'avais froid, il ne me restait rien
L'oiseau m'avait laissée
Seule avec mon chagrin

C'est en 1970 que Barbara connaît la gloire avec sa chanson, *L'Aigle noir*, qui sera le titre de l'année et le plus grand succès public de la chanteuse. Elle a trimé dur, pendant 20 ans, pour arriver à être reconnue comme auteure-compositeure, à l'instar de Léo Ferré (*Avec le temps*), Robert Charlebois (*Ordinaire*), Michel Sardou (*Les bals populaires*), également au palmarès à ce moment-là.

L'inspiration pour cette mélodie, véritable autoportrait symbolique, lui est venue en posant le pied à terre de l'avion qui la ramenait à Paris, après une tournée mondiale. Elle annonçait à qui voulait l'entendre son intention de quitter la scène et de faire autre chose. Par un curieux hasard, son ami Jacques Brel l'attendait pour lui offrir un rôle dans son film, *Franz*. Elle accepta sur-le-champ et trouva le temps de sortir un autre album, *La fleur d'amour*, comprenant *L'Indien, Églantine, La solitude* :

Je l'ai trouvée devant ma porte
Un soir que je rentrais chez moi
Partout elle me fait escorte
Elle est revenue, la voilà,
La renifleuse des amours mortes
Elle m'a suivie pas à pas,
La garce, que le diable l'emporte
Elle est revenue elle est là.

En tant que comédienne, elle a joué le rôle d'une prostituée à la recherche d'un amour en Afrique, dans la pièce de théâtre *Madame* de Remo Forlari. C'est également le titre d'un album sur lequel sont gravées *De jolies putes vraiment, Je serai douce, Le passant, Amoureuse*...

Quelques interprètes connus ont tenté de reprendre *L'Aigle noir*, pensons à Patricia Kaas, Catherine Lara, Florent Pagny, Thierry Amiel... Au Québec, Marie Carmen l'a enregistrée, en 1992, et popularisée sur toutes les radios francophones. Avec une orchestration différente et sa manière de l'interpréter, la génération montante a pensé qu'il s'agissait d'une nouvelle chanson. Avec le temps, on oublie souvent le nom des véritables créateurs.

Grâce à *L'Aigle noir*, Marie Carmen connaîtra une montée fulgurante chez elle et en Europe. Après avoir joué le rôle de Marie-Jeanne dans *Starmania* et de s'être fait reconnaître avec *Piaf chantait du rock* de Luc Plamondon, la manne venait de lui tomber du ciel avec cette autre mélodie de Barbara. Après la sortie de son album, *L'autre*, en 1998, elle décide de ralentir son rythme de vie. Plus question de grimper dans les rideaux et de dépasser ses propres limites. Avec son âme de Mère Teresa, elle décide, au tournant du siècle dernier, de se consacrer entièrement à des œuvres humanitaires en pays éprouvés par la faim et la misère.

Revenons à Barbara : partout où elle passe, c'est le délire. Elle ne peut quitter la scène; les spectateurs redemandent *L'Aigle noir* et *Dis, quand reviendras-tu* ? Elle ne compte surtout pas le nombre de rappels. Sa générosité et son amour pour le public deviendront légendaires.

Annie et Bertrand Reval, qui ont bien connu et beaucoup écrit sur Barbara, insistent pour qu'on rappelle l'humanisme de cette femme toujours soucieuse du bonheur à partager. Pour chanter la maladie, la peur ou la souffrance, il faut les avoir vécues. Sa chanson *Sid'Amour* marque son engagement dans la lutte contre le sida.

Cette grande dame qui a d'abord été jugée sinistre par son regard mélancolique et son élégance sombre, est pour toujours une figure rayonnante de la chanson et de la poésie française. Par sa voix et sa longue silhouette, elle donnait une présence incomparable à ses refrains d'amour, de tendresse et de détresse qui savaient émouvoir.

Son portrait le plus sévère, nul mieux qu'elle ne pouvait le faire : « Je ne suis pas une grande dame de la chanson, je ne suis pas une tulipe noire, je ne suis pas un poète, je ne suis pas un oiseau de proie, je ne suis pas mystérieuse, je ne suis pas désespérée du matin au soir, je ne suis pas une mante religieuse, je ne suis pas une intellectuelle, je ne suis pas une héroïne. Je suis une femme qui vit, qui respire, qui aime, qui souffre, qui donne, qui reçoit et qui chante. » De son vivant, Barbara fut, en effet, la femme en chair et en os qu'elle a décrite. Mais cette femme n'est plus ; elle a laissé place au symbole de tout ce qu'elle, dans son humilité, ne pouvait penser atteindre.

Barbara : *Dis, quand reviendras-tu* ?

Dis, quand reviendras-tu ?

1962

Paroles : Barbara - Musique : Roland Romanelli

Voilà combien de jours, voilà combien de nuits,
Voilà combien de temps que tu es reparti
Tu m'as dit : « Cette fois, c'est le dernier voyage »
Pour nos cœurs déchirés, c'est le dernier naufrage
« Au printemps, tu verras, je serai de retour
Le printemps, c'est joli pour se parler d'amour
Nous irons voir ensemble les jardins refleuris
Et déambulerons dans les rues de Paris ! »

(Refrain)
Dis, quand reviendras-tu ?
Dis, au moins le sais-tu ?
Que tout le temps qui passe
Ne se rattrape guère...
Que tout le temps perdu
Ne se rattrape plus !

Le printemps s'est enfui depuis longtemps déjà
Craquent les feuilles mortes, brûlent les feux de bois
À voir Paris si beau en cette fin d'automne
Soudain je m'alanguis, je rêve, je frissonne
Je tangue, je chavire, et comme la rengaine
Je vais, je viens, je vire, je me tourne, je me traîne
Ton image me hante, je te parle tout bas
Et j'ai le mal d'amour, et j'ai le mal de toi

(Au refrain)

J'ai beau t'aimer encore, j'ai beau t'aimer toujours
J'ai beau n'aimer que toi, j'ai beau t'aimer d'amour
Si tu ne comprends pas qu'il te faut revenir
Je ferai de nous deux mes plus beaux souvenirs
Je reprendrai la route, le monde m'émerveille
J'irai me réchauffer à un autre soleil
Je ne suis pas de ceux qui meurent de chagrin
Je n'ai pas la vertu des femmes de marins

(Au refrain)

Barbara

Née Monique Serf, le 9 juin 1930, à Paris (France)

Barbara reste une énigme, une légende bien vivante, dix ans après son départ, le 25 novembre 1997. Transportée d'urgence à l'Hôpital américain de Neuilly, pour des problèmes respiratoires aigus, elle meurt le lendemain. Des milliers de personnes seront présentes, deux jours plus tard, pour son enterrement au petit cimetière juif de Bagneux, en banlieue de Paris.

Le mystère persiste sur cette femme passionnée, fragile comme une porcelaine, qui, au risque d'en sortir brisée, s'est engagée dans une générosité sans bornes pour les enfants en difficultés, les détenus de prison, les victimes du sida, les mal-aimés. Toujours la même discrétion sur ses actions humanitaires.

Elle profitera de sa popularité pour venir en aide aux plus démunis. À la radio et à la télévision, il lui arrivera de lancer un appel pour qu'on lui apporte des jouets neufs ou usagés ; elle les distribuera elle-même au Cirque d'hiver. Avec son ami Jacques Brel, elle parrainera une association en faveur des enfants, afin qu'ils reçoivent des cadeaux à la fête de Noël.

Monique Serf vient au monde à Paris, près du square des Batignolles. Deuxième d'une famille de quatre, elle connaît une enfance mouvementée entre son père d'ascendance alsacienne et sa mère, Esther, originaire d'Ukraine. Pendant la Seconde Guerre mondiale, les Serf sont éparpillés dans plus d'une quinzaine de villes françaises. Elle a plus d'un tour dans son sac pour cacher ses origines juives. Chaque jour, elle se maquille et se coiffe différemment pour ne pas se faire reconnaître.

À neuf ans, elle est séparée de sa sœur Régine. Avec son frère Jean, elle habite chez sa tante Jeanne. La grand-mère maternelle, Varvara (Barbara en français), veille au grain et apprend à sa petite-fille les refrains de Fréhel, Mireille et Rina Ketty. Quand le père s'esquive de la guerre, il loue une maison à Tarbes. Deux ans plus tard, naît Claude. La famille dort à même le sol, sur des matelas, prête à partir de jour ou de nuit. Toujours la crainte d'une dénonciation à cause de leur origine juive.

À la Libération, Monique a 15 ans. Personne n'est indifférent devant cette jeune adolescente si unique. C'est le retour dans la région parisienne, où elle trouve une voisine chaleureuse et compétente, Madeleine Thomas, qui, sensible à son talent, lui enseigne le chant et le piano. Elle s'inscrit ensuite au Conservatoire. En 1947, les Serf déménagent dans le 20e arrondissement. Le père abandonnera la famille et s'isolera à Nantes, où il finira ses jours en 1959, en regrettant amèrement son comportement auprès de sa fille, devenue la grande Barbara.

Après avoir été mannequin et choriste dans l'opérette, *Vedettes impériales*, elle débute au cabaret Fontaine des quatre saisons et est forcée de « laver les verres au fond du café », comme dans la chanson de son idole Piaf, *Les amants d'un jour*. Au contact de Boris Vian et de Mouloudji, elle prend de l'assurance.

En 1952, elle auditionne à l'Écluse de la Rive gauche. Pendant 12 ans, elle y reviendra régulièrement , ce qui ne l'empêchera pas de se produire à La rose rouge, à l'Échelle de Jacob ou Chez Moineau. C'est à ce moment-là qu'elle prend le prénom de sa grand-mère russe. En s'accompagnant au piano, elle interprète les succès de Léo Ferré, Georges Brassens et Jacques Brel. Ces mélodies brisées contrastent avec sa jeunesse qui s'est envolée trop vite avec les difficultés de la guerre.

Pendant plusieurs mois de cachotteries, elle chantera et mènera la vie de bohème avec un jeune manipulateur, Claude Sluys, qui l'entraînera à Bruxelles. Dans cette ville, elle compose ses premières chansons, tout en côtoyant le monde des prostituées, des souteneurs et truands du milieu des cabarets. Sans se faire de soucis, elle chante sans micro avec une désinvolture et une allure qui plaît au public. Elle reprend alors les titres du début du siècle comme *Le fiacre* (Yvette Guilbert).

Raymond Lévesque, auteur de *Quand les hommes vivront d'amour*, évoque ses souvenirs : «Lorsque j'arrive à Paris sans le sou, en mai 1954, je m'installe à Saint-Germain-des-Prés avec tous les paumés de la terre. Je fais la connaissance de Barbara et nous passons des heures au Café de l'Odéon, devant un seul verre de rouge. Elle me présente Claude Sluys, qui se définit comme un imprésario, en me disant : C'est mon mari.» En 1956, Jacques Canetti engagera «la chanteuse de minuit» aux Trois Baudets, avec Francis Lemarque, Raymond Devos, Francis Blanche... Elle enregistrera son premier 45-tours avec *Mon pote le gitan* et *L'Œillet blanc*. Elle aura plus de succès avec *L'homme en habit* et *La Joconde*.

En 1960, Barbara rencontre l'homme qu'elle attendait, mais choisit la chanson à l'amour. Elle se produit dans l'opérette, *Jeux de dames*, et termine ses soirées en chantant au cabaret. L'année suivante, elle passe en première partie de Félix Marten, à Bobino, et s'éloigne petit à petit de son public. Elle obtient le Grand Prix du disque avec son microsillon consacré à son grand ami Georges Brassens, né le 22 octobre 1921, à Sète, et décédé à l'âge de 60 ans, en 1981.

À l'émission télévisée, *Discorama* de Denise Glasser, elle connaît un immense succès avec *Dis, quand reviendras-tu* ?

De cabarets en théâtres plus spacieux, Pacra, Bobino, Olympia, elle multiplie ses tours de chant. En 1965, Philips sort l'album *Barbara chante Barbara*, Grand Prix de l'Académie Charles-Cros. Elle part en tournée en Italie, Belgique, Canada avec Serge Gainsbourg. Elle compose sur la route qui mène à l'Allemagne : *Gôttingen*, qu'elle enregistre en français et en allemand :

Bien sûr ce n'est pas la Seine
Ce n'est pas le bois de Vincennes
Mais c'est bien joli quand même
À Gôttingen, à Gôttingen

La première fois qu'elle passe à Bobino, en 1964, et plus tard à l'Olympia de Paris, Barbara impose sa silhouette noire et longiligne et son profil d'oiseau de proie soudé à son piano.

Durant 20 ans, l'accordéoniste Roland Romanelli l'accompagne dans toute la France et à l'étranger. Ce sera son complice le plus fidèle, tout comme son producteur, Charley Marouani. Après avoir tourné dans le film *Franz* de Jacques Brel et connu la gloire avec *L'aigle noir,* elle déménagera à Précy, paisible village de la Seine-et-Marne. Seule, sans mari, sans enfant, elle composera ses plus belles chansons dans son havre de paix.

En 1974, elle fait sa rentrée à Paris, au Théâtre des Variétés avec de nouveaux titres : *Amours incestueux, Marienbad, La louve*, et surtout, M*a plus belle chanson d'amour, c'est vous*. Cette année-là, elle s'amène à Montréal pour chanter au Patriote et, l'année suivante, à la Place des Arts. De retour en France, elle rentre à la clinique de Garches pour reprendre vie et oublier qu'elle a voulu finir ses jours pour un comédien-chanteur, dont elle ne dévoilera jamais le nom. Et ce sera de nouveau Bobino, à partir du 28 janvier 1975, puis elle s'envolera vers le Japon.

Après avoir tourné dans *Je suis né à Venise* de Maurice Béjart et composé la musique du téléfilm, *La femme rompue*, d'après le roman de Simone de Beauvoir, elle se retrouve sur la scène de l'Olympia, en février 1978.

Pour refaire ses forces, elle retourne vivre dans son refuge campagnard à Précy, afin de terminer son album *Seule*, dont le lancement se fera lors de son triomphe à l'hippodrome de Pantin. Plus de 100 000 spectateurs en deux mois. Le ministre de la Culture, Jack Lang, lui remettra le Grand Prix national de la chanson française.

Malgré de sérieux problèmes de santé survenus lors de ses trop longues tournées épuisantes, elle évite d'en parler et de suivre les conseils sévères des médecins. Ses cordes vocales sont fortement endommagées. Elle prendra enfin le temps de mettre un terme à sa comédie musicale, *Lily-Passion*, qu'elle finira par présenter au Zénith de Paris, à compter de février 1986. Son partenaire sur scène, Gérard Depardieu, la suivra au Zénith de Montpellier, à Rennes, Caen, Angers...

L'étonnante Barbara accepte, cette année-là, de chanter au Metropolitain Opera, de New York, lors des fêtes du centenaire de la statue de la liberté. En 1987, elle donne 22 concerts au Châtelet et, trois ans plus tard, elle fera salle comble au Magador. La dame en noir trouve le courage de retourner au Châtelet, en 1993, et de remplir d'autres engagements en Belgique, au Japon, au Québec... Elle terminera pour de bon à Tours, le 26 mars 1994. Son dernier album sortira deux ans plus tard. On y trouve des chansons de Luc Plamondon, Frédéric Botton, Guillaume Depardieu...

Le temps du repos forcé est finalement arrivé. Devant l'impossibilité d'aller quérir sa Victoire de la musique, Michel Drucker s'entretient avec elle par téléphone et toute la francophonie apprend que la fin approche pour cette dame de cœur.

Transportée d'urgence à l'hôpital, le 23 novembre 1997, elle succombera dès le lendemain. Des témoignages arrivent de partout à la mairie de Précy-sur-Marne. Le maire du village, Yves Duteil, est là pour réconforter la famille et les amis de Barbara.

Au petit cimetière de Bagneux, des anonymes, des célébrités sont venus lui rendre un dernier hommage. Dans la foule, on remarque Georges Moustaki, Line Renaud, Alice Dona, Catherine Lara, Fanny Ardant, Guy Béart, Enrico Macias...

Gérard Depardieu a prononcé une courte homélie : « Mon ange, tu as tout donné... tu t'es envolée délestée de ton poids, il me reste toutes tes amours. Mon ange, chante, chante, chante encore, comme disait David à Lily-Passion. Tu vis maintenant dans ton île, ton île aux mimosas où déjà tu es reine. Chante-nous l'amour, mon ange, chante. Nous t'aimons. »

Dans ses mémoires inachevées, *Il était un piano noir*, publiées chez Bayard, en 1998, Barbara n'a rien caché de sa vie secrète, de ses errances de jeunesse, de son père incestueux, à qui elle a tout pardonné. Son absence sera toujours lourde à porter. Pas surprenant de voir sur ce lopin de terre où elle repose, près de sa maman Esther, tant de roses et de messages d'amour et d'espoir en une vie meilleure.

PHOTO : ÉCHOS VEDETTES

« En plus de quarante ans de carrière, Barbara n'a jamais trompé son public, qui lui en sait gré, avec des photographes, des reporters ou des professionnels de l'indiscrétion. Son métier est de chanter, pas de se vendre. »

1970

Amène-toi chez nous

Paroles et musique : Jacques Michel

Photo : Jacques Gregorio, Echos Vedettes

Interprètes...

Marie Michèle Desrosiers

Isabelle Aubret, Chantal Blanchais, Chorale de Sainte-Agnès, Louis-Philippe Hébert, Gérard Lenorman, Jacques Michel, Pascal Normand, Ginette Reno, René Simard...

Amène-toi chez nous

Si le cœur te fait mal si tu ne sais plus rire
Si tu ne sais plus être gai comme autrefois
Si le cirque est parti si tu n'as pu le suivre
Amène-toi chez nous je t'ouvrirai les bras
Je n'ai rien d'un bouffon qui déclenche les rires
Mais peut-être qu'à deux nous trouverons la joie

Si tu ne peux pas mordre dans la vie qui t'emporte
Parce que c'est la vie qui te mord chaque jour
Si tu ne peux répondre aux coups qu'elle te porte
Amène-toi chez nous je serai dans ma cour
Je ne sais pas guérir je ne sais pas me battre
Mais peut-être qu'à quatre nous trouverons le tour
Oh ! Viens !

(Refrain)
N'oublie pas que ce sont les gouttes d'eau
Qui alimentent le creux des ruisseaux
Si les ruisseaux savent trouver la mer
Peut-être trouverons-nous la lumière
Oh ! Viens ! Oh ! Viens !

Si tu cherches à savoir le chemin qu'il faut suivre
Si tu cherches à comprendre ce pourquoi tu t'en vas
Si tu vois ton bateau voguer à la dérive
Amène-toi chez nous j'aurai du rhum pour toi
Je ne suis pas marin je vis loin de la rive
Mais peut-être qu'à cent nous trouverons la voie

Si tu t'interroges sur le secret des choses
Si devant l'inconnu tu ne sais que penser
Si l'on ne répond pas aux questions que tu poses
Amène-toi chez nous je saurai t'écouter
La vérité m'échappe je n'en sais pas grand-chose
Mais peut-être qu'à mille nous saurons la trouver
Oh ! Viens !

(Au refrain)

Marie Michèle Desrosiers a eu la bonne idée d'inclure sur son album, *Mes mélodies du bonheur*, cette grande chanson de Jacques Michel, *Amène-toi chez nous*. Elle a été reprise sur disque par une douzaine d'interprètes d'ici et d'ailleurs, notamment Isabelle Aubret, qui a hérité de plusieurs mélodies, de son ami Jean Ferrat, faites à la mesure de son immense talent : *On ne voit pas le temps passer, Nous dormirons ensemble, C'est beau la vie* :

Le vent dans mes cheveux blonds
Le soleil à l'horizon
Quelques mots d'une chanson
Que c'est beau, c'est beau la vie.

Un oiseau qui fait la roue
Sur un arbre déjà roux
Et son cri par-dessus tout
Que c'est beau, c'est beau la vie...

C'est un secret de Polichinelle que tout auteur compositeur rêve de créer une chanson intemporelle et universelle. Une mélodie qui va s'adresser à tous les peuples de la terre. En 1969, Jacques Michel, né dans le petit village de Bellecombe, près des mines d'or et de cuivre de Rouyn-Noranda, en 1941, souhaite écrire une œuvre transcendante. Le perfectionniste en a marre de refaire le même parcours des routes du Québec, avec les mêmes refrains, si beaux soient-ils.

À l'automne, saison où les feuilles mortes se ramassent à la pelle, comme dans la chanson de Prévert et Kosma, la froidure se fait déjà sentir. Chez les parents de Jacques, à North Hatley, il fait chaud près du feu qui brûle dans la cheminée. Lors de cet agréable séjour en famille, il a l'âme en paix et le cœur joyeux. Il est heureux en ménage avec sa première épouse, Claire

Simard, décédée en 1975, lui laissant sa petite Sophie, âgée seulement de 15 mois.

Depuis quelques semaines, ça bout dans la marmite enchantée de Jacques. Les paroles et la musique d'un air nouveau et d'un texte réfléchi veulent sortir prématurément. L'endroit pour un tel accouchement est des plus propices dans cette belle région de l'Estrie.

Un bel après-midi, dans ce décor champêtre, il éprouve le besoin de se calmer et de se jucher sur un mur de pierres. En un temps record, il va pondre *Amène-toi chez nous*. Le soir, il sortira la guitare de sa bandoulière pour peaufiner son chef-d'œuvre et l'offrir en cadeau à sa chère maman.

C'est avec cette mélodie, reprise cent fois par les jeunes talents de Star Académie, en 2007, que Jacques Michel a gagné, 37 ans plus tôt, le Grand Prix au Festival de Spa, en Belgique. Lauréat au Festival de la chanson populaire de Tokyo, Jacques est appelé à devenir une vedette internationale avec cet autre diamant de la belle chanson francophone, *Un nouveau jour va se lever* :

(Refrain)
Viens, un nouveau jour va se lever
Et son soleil
Brillera pour la majorité qui s'éveille
Comme un enfant
Devenu grand
Avec le temps
Viens, un nouveau jour va se lever
Et son regard
Se moquera de l'autorité de César
Car les enfants

Défient les grands
Quand vient le temps

Le temps de l'esclavage,
Le temps du long dressage,
Le temps de subir est passé
C'est assez
Le temps des sacrifices
Se vend à bénéfice
Le temps de prendre est arrivé

(Au refrain)

Des gens de toutes les couleurs et de toutes les religions vont puiser, dans ces textes d'espoir et d'authenticité, le courage d'affronter les difficultés de la vie trépidante. Marie Michèle Desrosiers peut témoigner de cette chanson, *Amène-toi chez nous...* j'aurai du rhum pour toi. Elle la garde au chaud dans son répertoire et ses concerts présentés au Québec et à l'étranger.

Pour certains, le nom de Marie Michèle est synonyme du temps des fêtes. Lorsqu'elle a répondu à l'invitation de Michel Bélanger de faire un premier album de Noël, enregistré en République tchèque avec l'orchestre de Prague, elle ne savait vraiment pas ce qui l'attendait. Ce fut un triomphe à tous les points de vue. Avec un nouvel album enregistré en Russie, et les voix exceptionnelles du Chœur de l'Armée Rouge, elle nous a fait un autre cadeau de Tsar.

Pour bien des années à venir, on reprendra en chœur les cantiques et les chansons profanes de la splendide interprète, dont les enregistrements sont de grande qualité. Allons-y gaiement avec *Le petit sapin, Dans une étable, Ave Maria, L'enfant au tambour,*

Petit Papa Noël, succès phénoménal de Tino Rossi, dont les ventes dépassent les 30 millions d'exemplaires.

C'est la belle nuit de Noël,
La neige étend son manteau blanc
Et, les yeux levés vers le ciel,
À genoux les petits enfants,
Avant de fermer les paupières,
Font une dernière prière.

Petit Papa Noël,
Quand tu descendras du ciel
Avec des jouets par milliers,
N'oublie pas mon petit soulier...

Nombreux sont les auteurs et compositeurs qui font parvenir leurs plus beaux textes à Marie Michèle. On oublie trop souvent qu'elle fait le même métier que ces gens-là. « Je suis encore considérée comme interprète uniquement. Et pourtant j'écris aussi des chansons, seule ou en collaboration... »

Dans son livre *La chanson écrite au féminin*, Cécile Tremblay-Matte trouve qu'il y a beaucoup de similitude entre Desrosiers et Diane Tell. Comme celle-ci, elle privilégie les sujets amoureux traités au féminin, construit ses chansons sur des flashes, des impulsions poétiques et développe un climat de bandes dessinées ; elle aussi se détache des patrons habituels... Toutefois, elle ajoute : « Tout semble rose chez Marie Michèle et pourtant, il se joue bien des drames dans ses chansons, mais des drames habillés en dentelle... »

Elle aime l'harmonie et ne veut pas tomber dans le dramatique. « Mes chansons sont entraînantes, rythmées, ce qui ne veut pas dire qu'elles sont faciles. L'idée de base est sérieuse, travaillée pour qu'elle soit accessible. J'ai écrit par exemple *Parfait* à un moment où j'étais en calvaire... *Cupidon*, c'est l'angoisse de la femme qui cherche l'amour. »

Il est difficile d'oublier sa période où elle chantait avec Beau Dommage et ses premiers succès *Attention fragile* et *Aimer pour aimer* :

Un couloir, un plancher qu'on astique
Elle s'applique à son cours de musique
On lui apprend la vie sur piano mécanique
Elle s'invente la nuit des rêves symphoniques ; magiques...

Aimer, aimer pour aimer
Trembler rien que d'y penser
Voler avant de marcher
Aimer, aimer pour aimer.

Son récent album, *Mes mélodies du bonheur*, démontre bien qu'elle n'a pas l'intention de briser son statut de grande interprète. En attendant de recevoir un autre bouquet de si jolies fleurs chantées, laissons-nous bercer par ses enregistrements de *Quand les hommes vivront d'amour* de Raymond Lévesque, *Chante... comme si tu devais mourir demain* de Pierre Delanoë et Michel Fugain, et de *Seul sur son étoile* de Maurice Vidalin et Gilbert Bécaud.

Seul sur son étoile

Paroles : Maurice Vidalin - Musique : Gilbert Bécaud

Quand on est seul sur son étoile
Et qu'on regarde passer les trains
Quand on trinque avec des minables

Qu'on dort avec des
« moins que rien »
Quand on réécrit à sa mère
Et qu'on pense aux économies
Quand on invente des prières
Pour des Bon Dieu de comédie

C'est qu'on a besoin
De quelqu'un, de quelque chose
Ou d'un ailleurs
Que l'on n'a pas, que l'on n'a pas
C'est qu'on a besoin
De quelqu'un, ou d'un amour
Ou bien d'un copain
Que l'on attend depuis longtemps

Quand on est seul sur son étoile
On ne voit pas le temps courir
On est au chaud et l'on s'installe
Comme un cheval qui va mourir
Quand on raconte son enfance
À des gens qui n'écoutent pas
Quand tu te fais beau,
c'est dimanche
Et qu'après tout tu ne sors pas

C'est que tu as besoin
De quelqu'un, de quelque chose
D'un quelque part
Que tu n'as pas, que tu n'as pas
C'est que tu as besoin
De quelqu'un, ou d'un amour
Ou bien d'un copain
Que tu attends depuis longtemps

Quand on est seul sur son étoile
Y a des fois des coups du Bon Dieu
Et l'on est deux sur son étoile
C'est idiot, mais on est heureux
On n'a plus besoin de quelqu'un
De quelque chose, ou d'un ailleurs
On s'en fout bien ! On s'en fout bien !

La la la... on est très bien !
On est bien
On est heureux !

Marie Michèle Desrosiers

Née le 6 mars 1950, à Saint-Eustache (Québec)

Avec un père pianiste et organiste à la messe du dimanche, un frère guitariste et une sœur, Caroline, qui étudie en chant classique, Marie Michèle décide toute jeune qu'elle sera chanteuse ou comédienne. Dans le petit village de Saint-Eustache, où elle est née en 1950, près du moulin seigneurial, construit en 1785, et du site de la bataille des Patriotes, les gens s'arrêtent pour entendre et voir ce qui se passe dans la maison du bonheur.

La famille Desrosiers participe à la croisade du chapelet en famille, lancée par l'archevêque de Montréal, Mgr Paul-Émile Léger, et sort ensuite ses cahiers de La Bonne Chanson de l'abbé Charles-Émile Gadbois. « Un foyer où l'on chante, disait-il, est un foyer heureux. » On reprend en chœur les succès entendus à la radio : *Étoile des neiges* de Line Renaud, *Cerisier rose et pommier blanc* d'André Claveau, *Le p'tit bonheur* de Félix Leclerc, *Mes jeunes années* de Charles Trenet :

Mes jeunes années
Courent dans la montagne
Courent dans les sentiers
Pleins d'oiseaux et de fleurs. Et les Pyrénées
Chantent au vent d'Espagne.
Chantent la mélodie
Qui berça mon cœur
Chantent les souvenirs
De ma tendre enfance
Chantent tous les beaux jours
À jamais enfuis
Et comme les bergers
Des montagnes de France
Chantent la nostalgie. De mon beau pays...

Pierre-Louis, Jean-Luc et Claudel taquinent leur sœur, timide et réservée, en lui disant qu'elle devrait entrer au couvent et entonner ses chants de Noël en plein mois de juillet. Avec sa voix céleste, les religieuses tomberont en pâmoison en l'entendant chanter *Les anges dans nos campagnes*, *Il est né le divin enfant*... Marie Michèle ne s'en formalise pas et gardera toujours son cœur d'enfant. On comprend mieux aujourd'hui pourquoi elle aime tant chanter les airs du temps des fêtes.

L'étudiante sait se faire aimer par son entourage, tout naturellement, et ne cherche pas à se mettre en valeur. Elle aime rendre service et consacre beaucoup de temps à ses études. Son ambition est de devenir traductrice et de connaître plusieurs langues.

Comme tous les jeunes de son temps, elle connaît les premiers succès des Beatles, *I Want to Hold your Hands*, et se demande pourquoi on a assassiné le président américain John Fitzgerald Kennedy. À 15 ans, elle est émue et conquise en entendant Gilles Vigneault chanter *Mon pays* pour la première fois.

Mon pays ce n'est pas un pays c'est l'hiver
Mon jardin ce n'est pas un jardin c'est la plaine
Mon chemin ce n'est pas un chemin c'est la neige
Mon pays ce n'est pas un pays c'est l'hiver...

En cachette, Marie Michèle griffonne dans ses cahiers scolaires de jolis poèmes et des paroles de chansons qui lui viennent par enchantement. Au collège Lionel-Groulx, de Sainte-Thérèse, elle obtient son bacc.ès.arts. En s'accompagnant au piano, elle chante pour son plaisir et pour ses amis qui l'encourage dans cette voie. Pendant trois ans, elle étudie en art dramatique à l'École nationale du théâtre et obtient de petits rôles à la télévision.

Elle doit prendre une décision : sera-t-elle comédienne ou chanteuse ou les deux à la fois ?

Sa rencontre avec les musiciens du groupe Beau Dommage, en 1973, est déterminante dans le choix de sa carrière. Après une brève audition, elle fait maintenant partie du célèbre groupe qui, pendant cinq ans fera des spectacles dans les petits cafés, les cégeps, l'UQAM. Leur premier album atteint des ventes records de 300 000 exemplaires. Très vite, les chansons interprétées par Marie Michèle deviennent des classiques, comme *À toutes les fois, J'ai oublié le jour* :

J'ai oublié le jour et le nom de la rue
J'ai oublié mes bagues sur ton piano
Mais jamais j'oublierai comment c'était bon,
comment c'était chaud
M'as toujours me rappeler que tu n'as pas
essayé de m'impressionner

Avec leur deuxième album, le groupe obtient une renommée inégalée au Québec et se fait connaître dans la francophonie. C'est l'apothéose sur le Mont-Royal, en 1976, lors de la Fête nationale. Cette année-là, les musiciens chanteurs composent et interprètent la trame sonore du film *Le soleil se lève en retard* de Michel Tremblay et André Brassard.

En 1977, Beau Dommage fait la première partie du spectacle de Julien Clerc en Europe et Marie Michèle apparaît comme la déesse du clan formé de Pierre Bertrand, Michel Rivard, Michel Hinton, Robert Léger et Réal Desrosiers. Un an plus tard, le groupe remporte le Grand Prix international de la jeune chanson de France et un énorme succès avec *Harmonies du soir* à

Châteauguay et *La complainte du phoque en Alaska*, dont les paroles et la musique sont de Michel Rivard :

Le phoque est tout seul
Y'r'garde le soleil
Qui descend doucement sur le glacier,
Y'pense aux États en pleurant tout bas :
C'est comme ça quand ta blonde t'a lâché

(Refrain)
Ça vaut pas la peine
De laisser ceux qu'on aime
Pour aller faire tourner
Des ballons sur son nez.
Ça fait rire les enfants
Ça dure jamais longtemps
Ça fait plus rire personne
Quand les enfants sont grands.

Après un quatrième album, *Passagers*, et de multiples tubes au palmarès, le groupe met fin à son association, en 1978, pour permettre à chacun de poursuivre une carrière individuelle. C'est alors le début d'une nouvelle étape pour Marie Michèle, qui aura beaucoup de difficultés à s'en remettre. Elle part pour l'Europe et, en quelques mois, dépense tout ce qu'elle a en banque. Durant ce voyage trépidant, elle trouve le temps d'écrire plusieurs chansons et de prendre ses affaires en mains.

« En me retrouvant toute seule, il a fallu que j'apprenne à me battre et une femme dans le show-business doit se battre beaucoup plus. Mais ce qui est renversant, c'est que les femmes doivent être encore plus extraordinaires. »

À son retour de Paris, on l'attend pour lui offrir de nouveaux rôles comme choriste, comédienne, chroniqueuse et animatrice au théâtre et à la télévision. Au fil des ans, on la verra dans des téléséries, *Peau de banane, Ent'Cadieux*, au jeu questionnaire *Charivari*, à *Star d'un soir*, *Un air de famille* et *Pin Pon*, une série pour enfants.

Marie Michèle, toujours en beauté, accouche de son premier disque solo, en 1980. Sa chanson *Des graffitis en fleurs* monte rapidement au palmarès. Elle donne son premier spectacle au Transit, à Montréal, et le public l'applaudit à tout rompre. Trois ans plus tard, elle présente son microsillon, *Plus fort*, chargé de titres révélateurs, *Cupidon, Parfait*... Un troisième album, *Aimer pour aimer*, fait un malheur et la chanson du même nom s'installe au palmarès durant quelques mois.

Marie Michèle Desrosiers commence sa carrière avec Beau Dommage, le groupe phare de toute une génération. En 1985, elle écrit et interprète avec Pierre Bertrand, la chanson thème *Monsieur Émile*, pour le film *Le matou*, d'après le roman d'Yves Beauchemin.

En 1984, la populaire chanteuse remonte sur les planches avec Beau Dommage pour quelques spectacles d'adieu, au Forum de Montréal et au Vieux-Port. Des retrouvailles appréciées du grand public. Dix ans plus tard, la formation produira un nouvel album et entreprendra une dernière tournée au Québec.

Après avoir représenté le Canada au Festival de Liège en Belgique, elle participe au spectacle intitulé de *Lindberg* à *Ils s'aiment* télédiffusé au Québec, en France et en Belgique, à l'occasion du Sommet des pays francophones, en 1987. Au Camaroun, elle s'illustre dans le cadre d'une semaine culturelle francophone.Il faut bien dire que ces artistes sont vraiment les meilleurs ambassadeurs de leur pays.

PHOTO : MICHEL GAGNÉ, ÉCHOS VEDETTES

Avec Andrée Lachapelle, la grande dame du théâtre, qui aurait aussi pu faire carrière dans la chanson. Deux jolies femmes qui lèvent leur verre pour trinquer à la santé de leurs admirateurs.

En novembre 1989, elle tient le rôle d'Agnès, aux côtés de Serge Laprade, dans la comédie musicale *Le grand oui*, adaptation française de *I do, I do*. Elle est aussi à l'affiche du Théâtre du Nouveau-Monde et de la Nouvelle compagnie théâtrale. Bref, elle a du pain sur la planche et beaucoup de projets à réaliser.

Marie Michèle se trouve de nouveau au Forum de Montréal, en 1992, avec Beau Dommage, dans le cadre du 350e anniversaire de la métropole. Deux ans plus tard, le groupe enregistrera un album avec des chansons originales, après 17 ans d'absence, et part en tournée au Québec et à l'étranger, notamment à Nyon en Suisse, à Spa en Belgique et aux Francofolies de La Rochelle. Le périple s'achève au Bataclan, à Paris. Lors de son dernier spectacle au Spectrum de Montréal, en 1995, Beau Dommage enregistre l'album *Rideau* et reçoit cinq trophées Félix au Gala de l'ADISQ.

PHOTO : MIHCEL GAGNÉ, ÉCHOS VEDETTES

Louise Forestier, à gauche, et Clémence DesRochers, à droite, sont parmi les amies de Marie Michèle, au centre, à l'avoir convaincue de présenter son spectacle solo, en 2007, avec une bonne partie de son propre matériel...

Biographie

Depuis le début du siècle, elle chante ses mélodies du temps des fêtes dans les églises et les grandes salles, notamment au théâtre Saint-Denis, souvent avec de grands orchestres symphoniques. Ses albums entrent dans tous les foyers où l'on aime chanter. En 2007, elle est sur les routes du Québec avec un nouveau spectacle complètement différent. Elle chante, monologue, joue la comédie, comme elle l'a fait au Théâtre de la Marjolaine et en tournée, dans la pièce *Les Nonnes*, où elle était la mère supérieure.

Ses collaboratrices et amies, Clémence DesRochers, Louise Collette, Marie Bernard et Louise Cherrier l'ont finalement convaincue de se produire en solo avec son propre matériel et de démontrer son immense talent. C'est au Petit Champlain de Québec et au Lion d'Or de Montréal qu'elle débute la tournée de son spectacle intitulé *Marie Michèle se défrise*. On y trouve des monologues et des textes de Clémence DesRochers et de Marie Michèle sur des musiques d'Ariane Moffat, Daniel Lavoie, André Gagnon, Jean-Marie Benoît, Michel Rivard, François Cousineau, Marie Bernard, Robert Léger et Pierre Bertrand.

Sportive à ses heures, Marie Michèle fait de la bicyclette, du patin et du ski, au milieu des arbres et des montagnes laurentiennes. qu'elle a délaissées momentanément pour vivre en ville, à cause de ses obligations familiales et de son travail. Femme de cœur, d'une grande compassion, elle est au chevet de sa maman, âgée de 92 ans, et de ses deux tantes qui souffrent également de cette terrible maladie de l'Alzheimer.

À la recherche de belles chansons francophones, anciennes et nouvelles, Marie Michèle Desrosiers visite les librairies d'échange, les marchés aux puces, les ventes de débarras pour trouver des perles rares. Pour ceux qui la connaissent et la côtoient régulièrement, elle est un pur diamant et un soleil éclatant. Qui dit mieux ?

Marie Michèle Desrosiers

Le frigidaire

Paroles et musique :
Georges Langford et Tex Lecor

PHOTO : JACQUES GRÉGORIO, ECHOS VEDETTES

Interprètes...

Tex Lecor

Deux Pierrots (Les), Régis Gagné
Georges Langford...

Le frigidaire

(Refrain)
Tant qu'y m'restera quequ'chose dans l'frigidaire
J'prendrai l'métro, j'fermerai ma gueule pis j'laisserai faire
Mais y a quequ'chose qui m'dit qu'un bon matin
Ma Rosalie, on mettra du beurre sur notre pain

Moi qu'avait des belles îles, des buttes et des sillons
Me v'là perdu en ville, tout seul dans des millions
J'vis sur les autobus, au Pizza King du coin
Les gens me parlent pas plus que si j'étais un chien

(Au refrain)

Une chance que toi tu m'aimes assez pour m'endurer
C'est comme pendant l'Carême quand j'volais des candy
J'me considère lucky d'avoir ma Rosalie
La ville est polluée, l'air est pur dans mon lit

(Au refrain)

J'suis naufragé en ville
chez une bande d'inconnus
Rosalie t'es tranquille,
pis tu chantonnes même plus
J'travaille pour pas grand chose,
On vieillit comme des fleurs
Nos seuls bouquets de roses,
c'est les lettres du facteur

Tant qu'y m'restera
quequ'chose dans l'frigidaire
J'prendrai l'métro,
j'fermerai ma gueule pis j'laisserai faire
Mais y a quequ'chose qui
m'dit qu'un bon matin
Ma Rosalie, on s'en retournera
d'où c'est qu'on d'vient

Après avoir donné son tour de chant à L'Imprévu du Vieux-Montréal, Georges Langford rentre dans son modeste logement de la métropole, où il vient de s'installer avec son balluchon et sa guitare. En descendant de l'autobus, il raconte au chauffeur qu'il a hâte de coucher sur papier les paroles et la musique d'un embryon de chanson qui lui trotte dans la tête.

Le lendemain soir, le bohème des Iles-de-la-Madeleine l'étrenne avec nervosité et voit la réaction spontanée du public enthousiaste. C'est toutefois à l'émission de Tex Lecor, *Sous mon toit*, que la chanson prend son envol. À Télé-Métropole, le téléphone sonne sans arrêt. On veut en savoir davantage sur ce troubadour madelinot, qui vient de chanter *Le frigidaire*. Où peut-on se procurer le disque pour en apprendre les paroles ?

Sur-le-champ, Tex Lecor encourage son ami Langford à procéder à l'enregistrement de cette chanson. Il lui propose d'apporter des retouches au texte original et à la musique et de demander au pianiste Paul Baillargeon d'en faire les arrangements musicaux. Après s'être entendus comme larrons en foire, les complices entreront en studio pour l'enregistrer chacun à leur façon.

Le frigidaire devient alors le tube de l'année et sera entendu, selon la SOCAN, plus de 30 000 fois à la radio. En apprenant que sa mélodie entrera au Panthéon des Auteurs et Compositeurs canadiens, en janvier 2007, Georges Langford est aux oiseaux dans son refuge permanent de Havre-Aubert aux Iles-de-la-Madeleine.

Il parle sans équivoque : « Rendons à César ce qui est à César. Si Tex Lecor ne l'avait pas enregistrée et ajoutée en permanence à son répertoire, elle n'aurait pas fait long feu. Il l'a même endisquée en plusieurs langues, notamment en anglais, en espagnol et en allemand. Je lui dois une fière chandelle et lui tire mon chapeau. »

Il faut bien le dire : Georges Langford n'est pas fait pour vivre dans les grandes villes. C'est chez lui, dans son petit village de Bassin, où il est le plus heureux. À 61 ans, il a des projets pour plus d'une vie. Sa fille Chantal est toujours sa muse de tous les jours. Ses tiroirs sont bondés de poèmes et d'écrits qui attendent de voir le jour. Son dernier ouvrage, *Le premier voyageur*, a été publié aux Éditions Hexagone. Cette année-là, il a reçu le prix littéraire Jovette-Bernier pour l'ensemble de son œuvre.

Langford est né en Nouvelle-Écosse, en 1948. La famille revient, peu de temps après sa naissance, vivre aux Iles-de-la-Madeleine. À Bathurst, au Nouveau-Brunswick, il étudie et compose ses premières chansons. Il les chantera dans son coin de pays, en plein golfe du Saint-Laurent, à L'Astrid, au Vieux Quai et à La Côte de Cap-aux-Meules. À la radio communautaire CFIM-FM, il a été tour à tour animateur et directeur de la programmation. Après avoir fait la première partie de Louise Forestier à la Place des Arts, en 1974, Radio-Canada le délègue au Festival de Spa, en Belgique. Il remporte le premier prix de la meilleure chanson avec *Acadiana* :

C'est en arrière des Kentucky
Dans les bébelles et les cochonn'ries
Que j'ai trouvé de ma parenté
Au beau milieu des États-Unis

Le highway mène au Mardi gras
Chez les cajuns d'la Louisiane
Mais la rout'qui mène aux États
Ell'traverse un grand embarras

En 1993, Georges nous a fait cadeau d'un bel album avec des refrains évoquant les voyages de Jacques Cartier. Il l'a présenté

à l'émission télévisée de Tex Lecor à TQS. Toute l'équipe enjouée de *Y'a plein de soleil* était heureuse d'accueillir le Madelinot et de chanter en cœur *Le frigidaire*.

Avec leurs paroles patrimoniales et leur musique, Langford et Lecor sont de la race des pionniers et des bâtisseurs de pays. On peut les associer à celui qui a marqué leur vie, Charles Trenet, auteur de *La mer* et de *L'âme des poètes*, composée en 1951.

Longtemps, longtemps, longtemps
Après que les poètes ont disparu
Leurs chansons courent encore dans les rues
La foule les chante un peu distraite
En ignorant le nom de l'auteur
Sans savoir pour qui battait leur cœur
Et quand on est à court d'idées
On fait la la la la la la
la la la la la la

Tex Lecor a plus de cent cordes à son arc. Il a touché à toutes les facettes du monde des arts, des lettres et du spectacle. Sa réputation de peintre n'est plus à faire.

L'infatigable voyageur a glané dans les coins les plus reculés du Québec et du Canada les images de gens et des paysages ressemblant à sa forte personnalité et à son propre style.

Par son humour et son franc-parler, Tex Lecor occupe une place de choix dans le cœur des francophones, qui chanteront encore longtemps et pour toujours : *Le bal chez Jos Brûlé, Le grand Jos*, reprise par le réputé folkloriste québécois Jacques Labrecque (1917-1995). Laissons Tex nous chanter son inoubliable *Noël au camp :*

Noël au camp

Paroles et musique : Tex Lecor, Éric Nico

Onze heures, pis aujourd'hui, ben c'est Noël
Pis pour moé, ben c'est mon dix-huitième
J'ai passé la journée à regarder dehors
Pis ça fait trois jours qui neige ben raide
Pis que les chemins sont bloqués ben dur

Avant-hier, on a reçu des cartes
Pis on a passé la soirée
À regarder les images qui avaient dessus
Moé, j'suis pas pire
J'en ai cinq d'accrochées sur mon mur au-dessus de mon buck
J'en ai même une qui est faite à main
C'est d'mon père
C'est un artiste mon père
Y a jamais été à l'école pour apprendre ça
C'est comme un don
Y'é capable de dessiner tout c'qu'y voit
Excepté ma mère
Y dit qu'est trop belle, pis qu'y a jamais voulu essayer

Hé Rosaire, quelle heure qu'y est ?
Minuit dans vingt
Merci ben

Ça doit être noir de monde sur le perron de l'église
Mon oncle Papou doit être nerveux là
C'est lui qui chante le « Minuit
Chrétiens » dans notre paroisse
Cré Papou, y doit tanker dur là lui

Ma tête me tourne un petit brin
C'est que j'ai quasiment bu le 26 onces à Rosaire
En écoutant les cantiques à la radio
Ça pas dérougi de la journée
Non, mais c'est-y beau de la musique de Noël

Noël au camp

1978

C'est ben pour dire
On a beau pu être un enfant
Pis être capable de faire face à la vie
Pis, en ce moment, ben
J'ai comme des boules dans gorge
Pis si c'était pas de ce maudit orgueil
Ben j'cré ben que j'braillerais

Ah, c'est une grande chose pareil
Un p'tit enfant vient au monde
Pis toute la terre le sait
Ti-Jésus, même nous autres
icitte dans l'bois
Qui te blasphème à grande journée
Tu sais que c'est pas pour mal faire
On a appris à sacrer avant de marcher
C'est pas pour être méchant Ti-Jésus
Toé, tu nous connais icitte
Les gars de bois, tu l'sais

Hé les gars,
vous êtes ben tranquilles ?
Sept, huit, neuf, dix, onze, douze
Joyeux Noël tout le monde !

Il est né le divin enfant
Jouez hautbois, résonnez musettes
Il est né le divin enfant
Chantons tous son avènement

Tex Lecor

Tex Lecor

Né Paul Lecorre, le 10 juin 1933, à Saint-Michel-de-Wentworth (Québec)

Avec son nom d'emprunt, Tex Lecor arrive en haut de l'affiche comme chanteur populaire, à force de travail et de détermination. On le reconnaît par son allure de bohème, son regard bleu et ses succès qui lui vont comme un gant : *Le dernier des vrais, Le frigidaire, Tout le monde est de bonne humeur...*

Tous les jours prend la route
En chantant des chansons
Y gagne sa vie sans faire de bruit
Sa paye, sa bière et pis son épicerie
La vie vois-tu c'est pas comme on dit
On sait quand ça commence
Mais pas quand ça finit
Ça coûte pas cher de sourire un peu
Même si ça va mal ça pourrait être, encore pire

C'est toutefois dans la peinture qu'il trouve sa véritable voie et une palette de couleurs bien à lui. Son père, Henri-Paul Lecorre, né en Bretagne, lui inculque les rudiments de son métier d'artiste-peintre. Cet homme transmet à son fils aîné sa passion pour les voyages, la mer et la poésie. Il refuse de dessiner le portrait de son épouse, Rose Délima Richer, par crainte de ne pas mettre en valeur toute sa beauté. L'enfant désiré par des parents follement amoureux vient au monde en 1934, à Saint-Michel-de-Wentworth, petit village montagneux, dans les Laurentides. La famille déménage à Brownsburg, Pine Hill et, finalement, à Lachute pour que les enfants, Paul, Jean-Claude et Louise, puissent profiter des avantages de la ville : de meilleurs soins médicaux, des écoles spécialisées et des sports organisés.

L'adolescent n'est pas le genre à se tourner les pouces et à bâiller aux corneilles. Il se trouve de petits boulots comme draveur, bûcheron, pêcheur, guide touristique. Son rêve est de posséder sa moto et son propre avion. Avec son accoutrement, il s'identifie à l'aviateur et écrivain Antoine de Saint-Exupéry, qui a écrit *Le petit prince*, son livre de chevet.

À l'âge de 18 ans, Tex entre à l'École des Beaux-Arts de Montréal, avec un faux certificat de douzième année fabriqué par son professeur de Lachute, le Frère Borduas, c.s.v., frère de Paul-Émile. Sa tante Cécile Richer et son oncle Lucien Adam l'hébergent à prix dérisoire rue Saint-Denis, petit Quartier Latin en effervescence. Au contact des grands peintres, Marc-Aurèle Fortin, Stanley Cosgrove, Alfred Pellan et Paul-Émile Borduas, il peint des portraits et paysages, du nu et des natures mortes.

PHOTO : TÉLÉ-MÉTROPOLE

Tex Lecor reçoit régulièrement à son émission *Sous mon toit* (1970-1976) le troubadour Roger Miron, auteur de *À qui l'p'tit cœur après neuf heures*, vendu à 300 000 exemplaires. Deux artistes authentiques toujours adulés du public.

En 1956, Tex a sa chambrette et son atelier rue Sainte-Famille. Deux ans plus tard, le voilà mieux installé rue Cherrier, tout près de la ruelle Saint-Christophe où habite Léo Ayotte, personnage coloré, pittoresque. Ces deux peintres figuratifs, qui partagent les mêmes goûts pour les belles à croquer et les bons vins, deviendront des amis pour la vie.

Ne pouvant pas vivre uniquement de la vente de ses tableaux, en 1960, et payer le loyer de ses nouveaux studios de la place Jacques-Cartier, dans le Vieux-Montréal, il cherche un moyen de s'en sortir. Tex tente sa chance comme chanteur-guitariste à la petite boîte mal famée de la rue Clark, El Cortigo. Le succès instantané l'éloignera-t-il de ses pinceaux ?

Il devient le chansonnier de l'heure des oiseaux de nuit, des étudiants contestataires et des fêtards qui se précipitent à ses établissements, La poubelle et, ensuite, La catastrophe. C'est lui le patron et c'est là où débutent Monique Vermont, Jean-Guy Moreau, Serge Deyglun, Raymond Lévesque.

Après un premier mariage avec Liette Fleury, d'une durée de quatre ans, il fait la connaissance de la chanteuse Loulou. Elle a 16 ans et lui 29, quand elle lui demande de l'épouser. Dès lors, elle est sur ses talons et l'encourage à faire carrière comme auteur-compositeur et interprète, sans toutefois négliger sa carrière de peintre. Plus tard, Tex n'aura pas d'objection à voir son épouse poser à l'occasion pour des magazines de nus. « La nudité, dit-elle, c'est une forme de beauté. J'ai été élevée dans un esprit ouvert à ces choses et je n'en ai jamais fait de cas. Mes enfants ne le remarquent même pas quand il m'arrive de poser nue... »

En 1967, Tex participe à l'émission *Chez le Père Gédéon*, à Télé-Métropole, en compagnie de Jean Coutu et de Claude Blanchard. C'est l'époque où il remplit la Comédie Canadienne et les cabarets. De 1970 à 1976, il a sa propre émission *Sous mon toit*, à la même enseigne. À quelques reprises, il enregistre en duo des disques avec son épouse Loulou, Claude Gauthier, Marie-Claire Séguin, Paolo Noël, Marthe Fleurant. Dans la rue, on entend chanter ses refrains : *Après la Baie James, Ti-bicycle* :

Moi je sens le vent me chatouiller le nez
Je vois les saisons et les fleurs de l'été
S'il fait pas beau, moi je brave le temps
Mon ti-bicycle en a vu d'autres avant

(Refrain)
Vroum vroum vroum, sur mon ti-bicycle
Vroum vroum vroum, je prends bien mon temps
Vroum vroum vroum, sur mon ti-bicycle
Vroum vroum vroum, je vivrai longtemps...

On m'éclabousse et l'on me crie des noms
Ote-toi de la route, maniaque du guidon
J'esquisse un sourire tout en murmurant
J'aurai ta carcasse au prochain tournant

(Au refrain)

Je vois passer les Rolls et les Ferrari
Les jeunes hommes de trente ans, cheveux déjà gris
En moins d'une heure j'arriverai chez Suzon
Et ferai beau voyage sous ses cotillons

Au début dans les années 70, sa carrière prend tout un virage. Fini les nuits blanches à trinquer avec les copains. Il délaisse presque totalement la chanson pour se consacrer avec brio à la radio, surtout sur les ondes de CKAC, où il anime *Tex matinal, Les insolences d'un téléphone* et le *Festival de l'humour* avec ses compères Louis-Paul Allard, Roger Joubert et Pierre Labelle.

En 1981, Tex publie un premier roman d'amour et d'aventures, *Du nord au soleil*, aux Éditions Héritage. Il s'inspire largement des moments qu'il a passés au lac Wawa. «Je n'étais pas encore pilote à cette époque, mais je dois dire que ces événements ne sont sûrement pas étrangers à la passion que j'ai développée par la suite pour l'aviation. Les pilotes dont il est question, Gilles Beauregard, Damien Bérubé, Gilles Crépeau et Arthur Nadeau, périrent dans l'écrasement de leur appareil, le 23 septembre 1974.»

PHOTO : ÉCHOS VEDETTES

En compagnie de ses joyeux compères, Louis-Paul Allard, le pianiste Roger Joubert et Pierre Labelle, (1941-2000), Tex Lecor nous en a fait voir de toutes les couleurs à son *Festival de l'humour*, sur les ondes de CKAC.

Après la mort de sa maman, Rose Délima, en 1982, il se réfugie dans son domaine de Saint-Michel-de-Wentworth, tout près du cimetière où repose en paix celle qu'il a tant aimée. À la petite église du village, la foule est nombreuse pour rendre hommage à cette femme héroïque. On se recueille devant le superbe tableau de Tex, illustrant la mort du Christ les bras en croix. Durant quelques jours, l'homme attristé se ressource en taquinant la truite mouchetée dans le petit lac qu'il a fait creuser à côté de son chalet en bois à trois étages.

Depuis 1999, Tex est toujours à TQS, chaque dimanche matin, à l'émission *Y'a plein de soleil*, réalisée par les Productions du Guilidou. Le public en voit de toutes les couleurs avec cet humoriste aux multiples talents et ses camarades Louis-Paul Allard, Shirley Théroux et Roger Joubert.

PHOTO : JEAN LANGEVIN, TQS

Chaque dimanche, depuis huit ans, Tex Lecor anime Y'a plein de soleil à TQS, avec ses camarades Louis-Paul Allard, Roger Joubert et Shirley Théroux. La cote d'écoute de cette émission de télévision augmente d'année en année.

Après 27 ans de silence sur disque, Tex est entré en studio, en 2005, pour enregistrer un nouvel album avec des tubes d'autrefois, *Le frigidaire, St-Scholastique blues* et de nouveaux titres : *Je t'aime, Embarque dans mon char...*

Mari et père de famille exemplaire, à tous les points de vue, depuis une bonne douzaine d'années, loin de toutes tentations, il vit sobrement, en 2007, avec sa Loulou. À deux pas de leur maison de pierres, à Terrebonne, datant de l'époque des Patriotes de 1837, il passe une bonne partie de son temps dans son grand atelier rempli de ses chefs-d'œuvre. Tex peut nous parler du récent roman de Robert-Lionel Séguin (1920-1982), qui vient de paraître en 2007, *Le dernier des capots-gris*. C'est l'histoire d'un jeune Québécois qui voulut faire un pays d'un Bas-Canada aliéné par l'occupation anglaise.

PHOTO : ÉCHOS VEDETTES

Depuis leur première rencontre, alors qu'elle n'a que 16 ans et lui 29, la chanteuse Loulou est vite devenue sa muse et, plus tard, son épouse. Un couple chaleureux toujours à l'écoute des gens qui les abordent sur la place publique.

Le couple a connu des hauts et des bas, depuis leur rencontre, il y a 45 ans. De cette union est née Marie-Douce et Saguay, nom indien signifiant Dieu de la forêt. Deux autres filles adoptives sont venues grossir les rangs du clan Lecor : Vicky et Anne-Marie. Cette dernière est décédée d'un cancer il y a cinq ans. Leur petit-fils Matis, nom semblable au grand peintre français Matisse, vient d'avoir six ans.

Les amis de Tex n'ont que des éloges à faire de ce solide gaillard au cœur d'or. Sa générosité est légendaire. Il accepte, à l'occasion, de donner des conférences dans les prisons et les écoles pour aider les détenus et les étudiants, qui ne connaissent pas leur histoire, à commencer par celle des Patriotes de 1837. Tex se fait un devoir de leur rappeler les luttes menées par nos ancêtres pour sauver notre langue et notre culture.

Quand il parle de sa sœur cadette, Louise Lecorre-Kirouac, il essuie ses larmes. Il va la voir régulièrement au pavillon de l'hôpital de Lachute, où elle se remet difficilement d'un a.c.v. Il voudrait bien qu'elle retourne à son chevalet et à ses pinceaux. Son frère Jean-Claude, qui a un an de moins, ne passe pas une semaine sans voir Tex ou lui parler au téléphone.

La peinture restera toujours sa plus fidèle maîtresse. Il aime tellement ce qu'il fait. Souvent, confie-t-il à Lisette Lapointe, dans *La Semaine* : « Je suis comme un enfant. Je dors dans mon atelier et je me lève deux, trois fois durant la nuit pour aller voir, sur mon chevalet, le tableau que je suis en train de faire; j'ai tellement hâte que le jour se lève pour me remettre au travail. » Il n'y a pas à dire : peintre un jour, peintre toujours, sur un fond de paroles et de musique à l'image de son œuvre empreinte de maturité et de noblesse.

Il était une fois des gens heureux

1981

Paroles : Stéphane Venne
Musique : Stéphane Venne, Claude Paul Denjean

Photo : Marie-Reine Mattera, Production J

Interprètes...

Marie-Élaine Thibert

Cœur de l'île, Marise Dionne, Famille Dion, Nicole Martin, Québecissime, Claude Sirois...

Il était une fois des gens heureux 1981

Il était une fois des gens heureux
C'était en des temps plus silencieux
Parlez à ceux qui s'en souviennent
Ils savent encore les mots
des romances anciennes
Où ça disait toujours
« le monde est beau »

Il était une fois des gens heureux
Qui disaient toutes
choses avec les yeux
Leurs yeux doublaient
de confiance
En l'univers immense
Qu'ils disaient béni de Dieu

Il était une fois des gens de paix
Mais vers les années
de temps mauvais
À table il y eut des chaises vides
Aux yeux vinrent les rides
Il ne restera plus rien de vrai
Il n'faut pas chercher à savoir
Où s'en va le temps
Il s'en va pareil aux glaces
dans le Saint-Laurent
On fait toute la vie
Semblant qu'on va durer toujours
Pareils au fleuve dans son cours
Et c'est peut-être rien que pour ça
Qu'on fait des enfants

Il était une fois des gens heureux
Et tout était si simple
et merveilleux
Y avait le ciel, y avait la terre
C'était quand les mystères
Pouvaient rester mystérieux

Il était une fois des gens heureux
Qui disaient toutes
choses avec les yeux
Leurs yeux doublaient
de confiance
En l'univers immense
Et clair.
Et juste et merveilleux
Un univers béni de Dieu

Il était une fois des gens heureux
C'était en des temps plus silencieux
Parlez à ceux qui s'en souviennent
Ils savent encore les mots
Des romances anciennes
Où ça disait toujours
Le monde est beau

Le monde est beau

Le monde est beau

Il y a plus de 25 ans, Stéphane Venne composait les paroles et la musique de *Il était une fois des gens heureux* pour le film et la télésérie *Les Plouffe*. Après l'*Hymne à l'amour* et *Bonsoir tristesse*, Nicole Martin enregistre cette grande chanson, qui va lui permettre de s'installer confortablement au palmarès. En 2006, la découverte de Star Académie, Marie-Élaine Thibert, reprend ce tube qui nous apprend que le monde est beau, très beau… « C'était en des temps plus silencieux… »

Sur son premier album, vendu à plus de 350 000 exemplaires, Marie-Élaine interprète avec sa voix puissante et persuasive quatre autres chansons de Stéphane Venne : *Le ciel est à moi, Fille de ville, That's it, that's all* et *Tout le temps*. On y trouve également des textes de Stéphane Laporte, Boum Desjardins, Mario Pelchat, Roger Tabra…

PHOTO : PRODUCTIONS J

En duo avec Boum Desjardins qui s'est fait connaître comme auteur-compositeur et interprète du groupe La Chicane. Il a été directeur artistique de Star Académie, ce qui l'a amené à écrire des chansons pour Marie-Élaine.

En publiant récemment *Le frisson des chansons*, Stéphane Venne nous rappelle qu'il a écrit les paroles de plus de 400 mélodies. Il nous dévoile sa méthode de travail, qui devrait inspirer les nouveaux paroliers souvent en manque d'imagination et de vocabulaire. Qui n'a pas repris avec cet auteur prolifique. *Un jour, un jour*, choisie comme thème de l'Exposition universelle de Montréal, en 1967.

Il compose ses premières chansons pour son ami d'enfance Pierre Létourneau (*Les colombes*), alors qu'il étudie en Histoire à l'Université de Montréal. En 1965, il écrit, en collaboration avec François Dompierre, tout le microsillon de Renée Claude. Avec les années, il lui a offert sur un plateau d'argent : *C'est notre fête aujourd'hui, Tu trouveras la paix, La rue de la Montagne, Le début d'un temps nouveau.*

PHOTO : PRODUCTIONS J

Les auteurs Roger Tabra, à gauche, et Stéphane Venne, au centre, ont écrit de merveilleux textes pour Marie-Élaine. À droite, le producteur de disques, André di Cesare s'y connaît bien dans ce domaine.

À une certaine époque, Stéphane rêve aussi d'être chanteur et enregistre trois disques. Il délaisse la scène pour se consacrer à l'écriture de versions et d'adaptations de succès anglophones, de comédies musicales et de nombreux tubes pour Pauline Julien, Donald Lautrec…

En 1972, Stéphane Venne fonde sa propre compagnie de disques, d'éditions et de gérance d'artistes. Pour sa précieuse découverte Emmanuelle (Ginette Fillion), il lui fait cadeau de chansons inoubliables. Après de solides études en musique à l'école Vincent-d'Indy, Emmanuelle enregistre *Emmène-moi vers le soleil* de Luc Plamondon et François Dompierre, en 1972, soit 10 ans avant la naissance de Marie-Élaine Thibert.

En septembre 2007, Marie-Élaine a entrepris sa plus grande tournée de spectacles. Elle en a pour une année à faire le tour du Québec, avant de s'envoler pour la France.

La nouvelle coqueluche du public, Emmanuelle, participe au Festival de Tokyo au Japon (1952), au Festival de Spa en Belgique (1973), au Festival d'Orphée d'or en Bulgarie (1978). Elle devient si populaire que les magasins La Baie en font leur porte-parole attitrée. On se souvient du fameux slogan « Demandez-moi n'importe quoi ou presque », qui figure d'ailleurs dans le livre des records Guinness comme annonce publicitaire du siècle.

Toute sa vie, Stéphane Venne, né à Verdun, en 1941, a été au service de multiples causes humanitaires et sociales. Il est l'un des fondateurs de la station de radio CIEL-FM, à Longueuil, qui diffusait à ses débuts 24 heures de chansons francophones par jour. C'était vraiment le bon temps. Les auteurs-compositeurs lui doivent une fière chandelle pour avoir défendu leurs intérêts sur la scène politique et à la CAPAC, dont il fut président, en 1977.

PHOTO : PRODUCTIONS J

Wilfrid Le Bouthiller et Marie-Élaine Thibert sont les deux grands gagnants de la première cuvée de Star Académie en 2003. Depuis ce temps, ils n'ont pas cessé d'être en demande au Québec et au Canada français.

Après Renée Claude et Emmanuelle, voilà que Stéphane, 20 ans plus tard, se remet au boulot en écrivant spécialement pour Marie-Élaine Thibert, qui est ravie et comblée de joie par cet appui de taille. Cette jeune interprète, à la voix majestueuse, peut se permettre, comme Juliette Gréco, Ginette Reno, Nicole Croisille, de reprendre à sa façon de grandes chansons sans âge des plus grands paroliers de nos temps modernes. Elle le prouve en chantant *La Quête* et *Quand on n'a que l'amour* de Jacques Brel, *L'amitié* de Françoise Hardy et *Le tour de l'île* de Félix Leclerc, qui a aussi été enregistrée et chantée avec brio par Jean-Claude Gauthier, Gaétan Leclerc et Johanne Blouin. L'île d'Orléans est le berceau de l'Amérique française, puisqu'elle fut l'une des premières terres colonisées de la Nouvelle-France.

PHOTO : MAX MICOL

Jean Beaulne, producteur du documentaire *Moi, mes souliers*, en 2004, et l'auteur Marcel Brouillard en compagnie de Félix Leclerc à Paris, en 1970. Jean Beaulne termine en 2007, un autre documentaire sur la vie de Michel Legrand.

1975

Le tour de l'île

Paroles et musique : Félix Leclerc

Pour supporter le difficile
Et l'inutile
Y a l'tour de l'île
Quarante-deux milles
De choses tranquilles
Pour oublier grande blessure
Dessous l'armure
Été hiver
Y a l'tour de l'île
l'île d'Orléans

L'île c'est comme Chartres
C'est haut et propre
Avec des nefs
Avec des arcs des corridors
Et des falaises
En février la neige est rose
Comme chair de femme
Et en juillet le fleuve est tiède
Sur les battures

Au mois de mai à marée basse
Voilà les oies
Depuis des siècles
Au mois de juin
Parties les oies
Mais nous les gens
Les descendants de La Rochelle
Présents tout l'temps
Surtout l'hiver
Comme les arbres
Mais c'est pas vrai. Ben oui c'est vrai
Écoute encore

Maisons de bois.
Maisons de pierres
Clochers pointus
Et dans les fonds des pâturages
De silence
Des enfants blonds nourris d'azur
Comme les anges.
Jouent à la guerre
Imaginaire
Imaginons

L'île d'Orléans
Un dépotoir. Un cimetière
Parcs à vidanges boîtes à déchets
US parkings
On veut la mettre en mini-jupe
And speak english
Faire ça à elle, l'île d'Orléans
Notre fleur de lyse

Mais c'est pas vrai. Ben oui c'est vrai
Raconte encore

Sous un nuage près d'un cours d'eau
C'est un berceau.
Et un grand-père au regard bleu.
Qui monte la garde
Y sait pas trop ce qu'on dit
Dans les capitales
L'œil vers le golfe ou Montréal
Guette le signal

Pour célébrer l'indépendance
Quand on y pense
C'est y en France ?
C'est comme en France
Le tour de l'île
Quarante-deux milles
Comme des vagues
Et des montagnes
Les fruits sont mûrs
Dans les vergers. De mon pays

Ça signifie. L'heure est venue
Si t'as compris

Marie-Élaine Thibert

Née le 18 avril 1982, à Longueuil (Québec)

Lorsque du jour au lendemain, Marie-Élaine voit son nom en lettres géantes sur la façade du vaste Centre Bell, à Montréal, elle croit rêver. À cause de sa timidité, elle ne pensait jamais en arriver là. « Chanter comme je le fais sans contrainte, ce n'est pas un métier, c'est une passion dévorante. Je ne crois pas que je pourrais faire autre chose. Chaque fois que je monte sur scène, j'ai des ailes aux pieds et je vois des anges gardiens partout dans la salle. »

Avec toute la pudeur et l'ardeur qu'elle démontre, le public lui fait vite confiance et la place aussitôt au rang des grands noms de la chanson québécoise, au même titre que ses idoles de jeunesse, Céline Dion, Marjo, Lara Fabian. « Chacun son destin, déclare la finaliste de la première cuvée de Star Académie 2003, je trouve le mien exceptionnel et je remercie le ciel tous les jours d'être née sous une bonne étoile . À 25 ans, je crois vraiment que je suis venue au monde pour chanter et rendre les gens heureux. » Lors de la naissance de la petite reine des cœurs, le 18 avril 1982, à l'hôpital Maisonneuve-Rosemont, de l'autre côté du pont Jacques-Cartier, non loin de la résidence familiale située dans la paroisse Sainte-Rose-de-Lima à Longueuil, le temps doux et les pluies diluviennes causent d'énormes dégâts dans plusieurs régions du Québec.

Dans les médias, on parle d'une autre reine, Elizabeth II, venue à Ottawa pour signer l'Acte de l'Amérique du Nord britannique rapatriée de Londres et qui tient lieu de constitution canadienne. La signature officielle a lieu en l'absence du Québec, qui refuse de signer la nouvelle entente.

Cela n'empêche pas les gens d'aller à leur boulot et de fredonner comme la maman de Marie-Élaine les succès du jour de Ginette Reno et de Fabienne Thibault (*Ma mère chantait*), de Céline Dion (*D'amour ou d'amitié*), de Francis Cabrel (*Répondez-moi*) ou d'Yves Duteil (*Prendre un enfant*) :

Prendre un enfant par la main
Pour l'emmener vers demain
Pour lui donner la confiance en son pas
Prendre un enfant pour un Roi
Prendre un enfant dans ses bras
Et pour la première fois
Sécher ses larmes en étouffant de joie
Prendre un enfant dans ses bras…

PHOTO : PRODUCTIONS J

La maman de Marie-Élaine, Arlette Côté, connaissait tous les succès de Ginette Reno. Elle les a chantés cent fois à sa fille pour l'endormir et pour l'encourager à suivre les traces et l'exemple de cette grande interprète.

La mère, de Marie-Élaine, Arlette Côté, qui fut pendant une dizaine d'années directrice des communications dans plusieurs domaines, fait l'impossible pour que sa fille réalise son rêve de devenir chanteuse et de visiter beaucoup de pays. Elle est son premier public à la maison. Le soir venu, elle découpe soigneusement toutes les photos et les articles de journaux se rapportant au monde de la chanson, mais aussi sur les personnages de l'émission préférée de sa fillette : *Passe-partout*.

« Chez mes parents, raconte Marie-Élaine, il y a eu de la turbulence, alors que j'étais enfant et bien innocente. Plus tard, quand j'ai dû affronter les journalistes, j'ai compris que je n'étais pas préparée à répondre à leurs questions souvent indiscrètes. C'est vrai que ma mère n'a pas toujours eu la vie facile, elle se privait beaucoup pour moi. »

PHOTO : PRODUCTIONS J

On dirait bien que ce sont les deux sœurs... Arlette Côté, la jolie maman de Marie-Élaine, fait tout son possible pour que sa fille devienne une étoile au firmament des étoiles du music-hall, au Québec et à l'étranger.

Marie-Élaine connaît sa première grande peine lorsqu'elle apprend que son père, Alain Thibert, est atteint du cancer du foie, qui va l'emporter le 1er mai 2004. Elle a su qu'il allait mourir un mois avant le soir même de lancement de son premier album. Comme il était caméraman, il lui a fait connaître tous les studios des grandes chaînes de télévision, alors qu'elle était en très bas âge.

Avec le temps, Marie-Élaine a voulu protéger son intimité. N'entre pas qui veut dans son jardin secret. On sait toutefois qu'elle a deux demi-sœurs, Diane et Viviane, qui sont devenues ses meilleures amies. Quand on lui parle de sa vie sentimentale, en 2007, elle répond en chantant : *Tout va très bien Madame la Marquise*, comme dans la chanson de Paul Misraki rendu populaire par Ray Ventura et son orchestre, en 1936 :

Tout va très bien Madame la Marquise,
Tout va très bien, tout va très bien
Pourtant, il faut, il faut que l'on vous dise
On déplore un tout petit rien
Un incident, une bêtise
La mort de votre jument grise
Mais, à part ça, Madame la Marquise
Tout va très bien, tout va très bien…

Quand elle se sent en confiance, Marie-Élaine entrouvre la porte à ses nombreux admirateurs d'ici et bientôt de toute la francophonie. Avec sa voix, sa gentillesse, son courage et sa détermination, elle y arrivera tranquillement, mais sûrement.

« Mon plus grand rêve était d'être chanteuse professionnelle. J'ai atteint mon inaccessible étoile. Maintenant, c'est de le rester toute ma vie. Par contre, j'ai plusieurs autres rêves et je trouve qu'il est important d'en avoir beaucoup. Bien entendu, je songe sérieusement à fonder un foyer avec mon ami Rémy et à jouer mon rôle de maman affectueuse à la maison aussi bien qu'au cinéma.» Pour le moment, il n'est pas question pour les amoureux, depuis deux ans, d'habiter ensemble.

Après avoir enregistré deux inoubliables chansons de Jacques Brel, *La quête* et *Quand on n'a que l'amour*, elle aimerait faire un album au complet avec les grandes chansons d'Édith Piaf, dont elle connaît une grande partie de son répertoire, *Milord, La foule, Non, je ne regrette rien, Mon manège à moi* de Jean Constantin, une chanson qui a fait le tour du monde grâce, entre autres, à Mireille Mathieu, Yves Montand, Claudette Dion, Fernand Robidoux :

Tu me fais tourner la tête
Mon manège à moi, c'est toi
Je suis toujours à la fête
Quand tu me tiens dans tes bras
Je ferais le tour du monde
Ça ne tournerait pas plus que ça
La terre n'est pas assez ronde
Pour m'étourdir autant que toi…

Quand on lui demande de parler de ses débuts à la petite école, elle s'empresse de répondre qu'elle était sage comme une image au primaire, mais n'écoutait pas beaucoup ses professeurs. On lui reprochait d'être souvent dans la lune. Ça s'est amélioré, semble-t-il, au cégep André-Laurendeau de Ville Lasalle, où elle a étudié en sciences humaines.

Son comportement a bien changé dès son entrée à l'école Pierre-Laporte de Ville Mont-Royal. De la première à la troisième année secondaire, l'étudiante timide et un tantinet sauvageonne prend à cœur toutes ses études en théorie et en littérature musicale.

Anne-Marie Desbiens, qui a enseigné à Marie-Élaine, se souvient très bien de la belle soirée où elle est montée sur scène, pour la première fois, en novembre 1995, dans l'amphithéâtre de l'école. C'était le jour de la fête annuelle de sainte Cécile, patronne des musiciens. Personne ne s'attendait à une telle performance de la petite cachottière.

Francine Pépin, une autre de ses enseignantes, dit qu'elle aurait pu tout aussi bien faire carrière comme violoniste, si elle avait continué dans cette voie. Membre de la chorale et de l'orchestre symphonique de l'école Pierre-Laporte, elle fait bonne impression par son côté positif et son émerveillement à vouloir tout comprendre de ce nouveau monde musical. « Je me suis dit qu'un jour ce serait à mon tour de remettre aux autres tout ce que l'on a fait pour moi ».

PHOTO : PRODUCTIONS J

Marie-Élaine Thibert est la marraine de la Fondation Rêves d'enfants pour le Québec. Bruno Pelletier en est le porte-parole. Cet organisme réalise les rêves d'enfants atteints de maladies à risque élevé. Sylvain Vachon en est un bel exemple.

À François Hamel, du magazine *7 jours*, en février 2006, elle n'hésite pas à dire qu'elle est très angoissée, très émotive, patiente et rêveuse. « Je peux te raconter un rêve très joyeux. Quand Julie Snyder est venue m'annoncer que j'avais été retenue pour Star Académie, au cours des jours suivants, j'ai rêvé que j'étais avec ma mère, qu'on sortait de l'auto. En ouvrant la porte du garage, j'ai vu une multitude de papillons qui en sortaient. Des papillons brillants, de toutes les couleurs qui s'envolaient. Alors j'ai regardé dans un livre de rêves, et ça disait que j'étais en train de passer à une autre étape de ma vie. C'est un rêve qui est toujours dans ma mémoire. »

Toutes les fois que Marie-Élaine chante en duo avec un partenaire, elle insiste pour que l'on prenne une photo pour sa galerie personnelle. Elle en a avec Mario Pelchat, Jamil, Robert Charlebois, Gilles Vigneault, Céline Dion, Wilfred Le Bouthillier, mais aussi avec Luc Plamondon, Julie Snyder, Daniela Lumbraso, l'excellente animatrice des grandes émissions sur la chanson présentées à France 2 et à TV5.

En 2005, Daniela et Marc-André Coallier, ont animé une série de 13 émissions pour TV5 et Télé-Québec, *Paris-Montréal*, produite par Jean Beaulne. Marie-Élaine y apparaît à quelques reprises

Le 25 mars 2003, l'animatrice Julie Snyder offre à Marie-Élaine un cadeau royal, dont elle se souviendra toute sa vie, elle ne peut pas s'imaginer qu'elle rencontrera son idole Céline Dion sur la scène du Colosseum de Las Vegas. La star mondiale l'a reçue à bras ouverts en la complimentant et en lui disant qu'il se pourrait bien qu'un jour nous chantions ensemble. En octobre de la même année, le rêve devient réalité ; elle chante en duo avec Céline Dion à Las Vegas : *Quand on n'a que l'amour* de Jacques Brel :

Quand on n'a que l'amour
À s'offrir en partage
Au jour du grand voyage
Qu'est notre grand amour
Quand on n'a que l'amour
Mon amour toi et moi
Pour qu'éclatent de joie
Chaque heure et chaque jour…

Quand Marie-Élaine parle de sa rencontre avec Céline Dion elle pleure de joie : « Ce fut un moment inoubliable, mais trop court à mon goût. Je vivais comme dans un rêve alors que je n'ai pas vu le temps passé. J'ai pu voir comment Céline travaille fort ainsi que toute son équipe. Elle est toujours aussi gentille et généreuse avec ses invités même si elle est débordée. »

PHOTO : PRODUCTIONS J

Après avoir rempli le spacieux Centre Bell, de Montréal, en 2005, Marie-Élaine s'est retrouvée sur la scène du Colosseum de Las Vegas pour chanter avec Céline Dion. Elle n'en croyait pas ses yeux : son rêve devenait réalité.

En février 2004, Léa Pool, productrice de films renommés (*La femme de l'hôtel, Anne Trister, À corps perdu*) fait appel à Marie-Élaine pour la chanson thème de son long métrage de fiction, *Le papillon bleu*, mettant en vedette Pascale Bussières, William Hurt et Marc Donato. Stéphane Venne a écrit les paroles et la musique de cette mélodie, qui est aussitôt montée au palmarès. Marie-Élaine chante également sur l'album édité en version anglaise.

Le mois suivant, soit le 30 mars 2004, Marie-Élaine et Wilfred Le Bouthillier, grands gagnants de Star Académie 2003, représentent le Québec au *World Best of Star Academy*, tenu au Palais des festivals de Cannes. Dès son retour de la Côte d'Azur, le 1er avril, elle lance officiellement au Monument-National son premier album éponyme, qui s'envolera à plus de 350 000 exemplaires.

PHOTO : PRODUCTIONS J

Sur son récent album, *Comme ça*, Marie-Élaine a repris la chanson *Pour cet amour*, enregistrée, en 1969, par Monique Leyrac, née le 26 février 1928, à Montréal, qui avait été une des premières chanteuses québécoises à faire carrière à l'étranger.

En octobre 2004, Marie-Élaine entreprend une tournée, à guichets fermés, dans les grandes villes du Québec pour finalement s'arrêter, le 18 février 2005, au spacieux Centre Bell, ou plus de 7 500 personnes sont là pour l'acclamer démesurément.

Après le lancement de son DVD, réalisé par Guy Édoin, le 16 mars 2006, et après avoir chanté avec l'Orchestre symphonique de Montréal, en juin, et avec l'Orchestre symphonique de Québec, en juillet, Marie-Élaine se devait de ralentir ses activités pour préparer un autre disque.

Au printemps 2007, elle a lancé son deuxième album *Comme ça*. Une fois de plus, Stéphane Venne l'a beaucoup aidée et lui a suggéré d'enregistrer un grand succès de Monique Leyrac, grande amie de Félix Leclerc, qui a écrit à son sujet : « Voilà qu'un petit bout de femme, exactement la bohémienne du traversier de ma jeunesse, danse, vit, chante, rit, murmure, pleure et, dans la salle, on ne voit que les visages attachés à sa magie. » Marie-Élaine ne pouvait choisir mieux que cette chanson *Pour cet amour* :

Pour cet amour qui vient au monde
Pour cet amour qui vient de toi
Je voudrais que chaque seconde
Ne m'éloigne jamais de toi, jamais de toi
Aussi vrai que la terre est ronde
Si elle devait tourner sans toi
Je quitterais un jour ce monde
Pour toujours avec toi

Cet album est rempli de surprises. Il y a encore plus de nuances et d'assurance dans sa voix. Elle a fait un choix éclairé en retenant, 16 chansons, notamment de Michel Rivard, Maurane, Jamil, Paul Piché, Stéphane Laporte, Luc De Larochellière, Daniel Lavoie.

Elle chante en duo avec Chris de Burgh son succès des années 1975, *Loin de moi,* version de *Lonely Sky*. Les voix ont été enregistrées séparément et le vidéoclip a été tourné à Londres, ensemble, pendant quatre jours.

On se demande bien pourquoi elle a choisi d'interpréter *Le tour de l'île*, sur son premier album. « En fait, j'aime vraiment le répertoire de Félix Leclerc. Je trouve que *Le tour de l'île* est l'une de ses plus belles chansons, mais je ne savais toujours pas laquelle choisir. Stéphane Venne m'a conseillé de la faire et m'a beaucoup aidé à l'interpréter. Il n'y avait que lui qui croyait que j'étais capable de la chanter. Les gens autour de moi me disaient que c'était trop risqué alors, avec orgueil et prenant ça comme un défi, j'ai décidé de l'interpréter. Félix Leclerc est le véritable pionnier de la chanson québécoise. C'est lui qui nous a tracé la voie en France, à Gilles Vigneault, Robert Charlebois, Pauline Julien..., mais aussi aux plus jeunes, Céline Dion, Lynda Lemay, Isabelle Boulay, Pierre Lapointe... »

La jeune femme aux beaux yeux bleus voudrait bien trouver un peu de temps pour faire du ski alpin et de la natation. Elle évoque les belles années où elle se classait parmi les premières dans les compétitions en gymnastique. Sa mère lui a souvent raconté la belle histoire de Nadia Comaneci, championne des Jeux olympiques de Montréal, en 1976.

Cette talentueuse interprète au grand cœur ne refuse jamais d'apporter son aide aux organismes de charité et de participer aux téléthons venant en aide aux gens démunis ou atteints par des maladies incurables. Elle est la marraine de la fondation Rêves d'enfants depuis plusieurs années. Adolescente, elle voulait devenir criminologue ou psychologue.

Marie-Élaine n'est pas une artiste ambitieuse outre mesure. Tout ce qu'elle souhaite, c'est de rester en santé, en forme et heureuse, mais aussi d'apprendre à bien jouer de la guitare. Elle n'est pas superstitieuse, à l'exception des vêtements porte-bonheur qu'elle revêt chaque jour.

Ne cherchez pas à connaître ses défauts et ses petites manies, vous n'y arriverez pas. Plus elle avance dans la vie, plus elle se rapproche des gens qui lui ont fait confiance en lui accordant tout leur amour. Qu'on se le dise : Marie-Élaine est là pour rester en haut de l'affiche, en toute simplicité et humilité, signe caractéristique des grands artistes.

PHOTO : PRODUCTIONS J

Comment peut-on oublier une voix semblable et un visage d'une si grande beauté et d'une telle simplicité ? Marie-Élaine ne cherche pas à faire de l'effet et à être extravagante. Elle est tout naturellement elle-même sur la scène et dans la vie.

Répondez-moi

Paroles et musique : Francis Cabrel

Photo : Paul Ducharme, Echos Vedettes

Interprètes...

Francis Cabrel

Chimène Badi, Isabelle Boulay, Groupe duo choral, Les amours du vieux port, Nana Mouskouri, Annie Villeneuve...

Répondez-moi

1981

Je vis dans une maison sans balcon, sans toiture
Où y a même pas d'abeilles sur les pots de confiture
Y a même pas d'oiseaux, même pas la nature
C'est même pas une maison
J'ai laissé en passant quelques mots sur le mur
Du couloir qui descend au parking des voitures
Quelques mots pour les grands
Même pas des injures
Si quelqu'un les entend
Répondez-moi (bis)

Mon cœur a peur d'être emmuré entre vos tours de glace
Condamné au bruit des camions qui passent
Lui qui rêvait de champs d'étoiles, de colliers de jonquilles
Pour accrocher aux épaules des filles
Mais le matin vous entraîne en courant vers vos habitudes
Et le soir, votre forêt d'antennes est branchée sur la solitude
Et que brille la lune pleine
Que souffle le vent du sud
Vous, vous n'entendez pas
Et moi, je vois passer vos chiens superbes aux yeux de glace
Portés sur des coussins que les maîtres embrassent
Pour s'effleurer la main, il faut des mots de passe
Pour s'effleurer la main
Répondez-moi (bis)

Mon cœur a peur de s'enliser dans aussi peu d'espace
Condamné au bruit des camions qui passent
Lui qui rêvait de champs d'étoiles et de pluies de jonquilles
Pour s'abriter aux épaules des filles
Mais la dernière des fées cherche sa baguette magique
Mon ami, le ruisseau dort dans une bouteille en plastique
Les saisons se sont arrêtées aux pieds des arbres synthétiques
Il n'y a plus que moi
Et moi, je vis dans ma maison sans balcon, sans toiture
Où y a même pas d'abeilles sur les pots de confiture
Y a même pas d'oiseaux, même pas la nature
C'est même pas une maison

On assiste à l'arrivée de quelques grandes chansons comme *Répondez-moi* de Francis Cabrel, en 1981, et de nouvelles têtes d'affiche telles Herbert Léonard, Diane Tell, Michel Berger, Fabienne Thibeault. Au Québec, Céline Dion débute une longue carrière avec *La voix du bon Dieu* et *Ce n'était qu'un rêve.* Quant à Martine St-Clair, elle entre en piste avec *L'amour est mort* de Gilbert Bécaud.

C'est sur son album *Carte postale*, le quatrième en cinq ans, que Francis Cabrel enregistre *Répondez-moi*, aussitôt reprise par Nana Mouskouri et, plus tard, par Isabelle Boulay, Chimène Badi et Annie Villeneuve, candidate de Star Académie. Sur ce même disque compact, on retrouve également d'autres merveilleux textes de Cabrel, *Chandelle, Ma place dans le trafic, Chauffard, Je m'ennuie de chez moi* :

Quand les vents se déchirent sur les angles des toits
Des rues que je traverse à peine
Quand les journées s'étirent et n'en finissent pas
Je m'ennuie de chez moi

Quand je sens que l'automne se consume là-bas
Quand je sais que le feu dévore
Les berges de Garonne où les arbres flamboient
Je m'ennuie de chez moi…

Cabrel a déchiré beaucoup de pages en rédigeant *Répondez-moi*. Il voulait absolument qu'elle soit intemporelle et marque un tournant dans sa carrière, à l'approche de ses 30 ans. En écrivant les paroles et en composant la musique de ce véritable diamant, il a démontré que la chanson faisait partie intégrante de notre culture, prêchant par l'exemple et proposant aux jeunes auteurs-compositeurs une façon de faire mieux, avec plus d'effort, aux générations futures de la bonne farine de « froment qui vol'dans la lumière. »

« Entre le moment où ta chanson naît sur ton coin de canapé avec ton papier et ta guitare, et le moment où le public l'écoute, il y a, ajoute Cabrel, une véritable partie professionnelle. C'est le métier d'envelopper et d'éditer la chanson, le moment où s'arrête l'artisanat. »

Francis aime surprendre la nature à son réveil. Il est dehors quand l'oiseau fredonne son premier chant, quand la rosée fait tressaillir l'herbe de son jardin et que se disperse la brume de la nuit. Le poète est avant tout un chanteur préoccupé et non engagé.

Il a besoin d'émerveiller les gens, d'attirer leur attention avec certaines réalités irritantes, frustrantes, non justifiables. Parfois, Francis a l'impression que les gens s'endorment un peu, qu'ils cessent de voir ce qui se passe autour d'eux. Avec ses mots bien ficelés et percutants, il a le sentiment de « bousculer la Joconde » et de faire sa part afin de changer les mentalités.

Hugues Royer, journaliste, autrefois professeur de lettres et de philosophie, a trouvé les mots justes pour définir la substance de *Répondez-moi* : C'est une mélodie en forme de S.O.S., de la bouteille jetée à la mer, heurtant les rochers des grèves, destinée à celui ou celle qui saurait, en cassant le verre, déchiffrer le message. Un mot de détresse sans adresse. »

Quand Cabrel écoute ses anciennes chansons, il se dit que certaines phrases auraient pu attendre un peu avant de les graver sur vinyle. C'est là un jugement trop sévère pour ce grand artiste dont l'existence a été chamboulée par le succès. Dans tous ses

écrits, on perçoit son profond désir de retrouver ses racines et de revenir à une existence plus calme, terre-à-terre, à l'aube des années 80, où il a composé *Répondez-moi* et *Même si j'y reste* :

Y'a sûrement une piste à l'autre bout du monde
À moitié recouverte sous les herbes blondes
Sur une île perdue où le ciel se lamente
Depuis qu'ont disparu les avions de quarante

On ne peut pas toujours vivre les vieilles et mêmes choses
Il faudra bien qu'un jour mon appareil s'y pose
Les ailes déchirées par les vents du parcours
Ne me permettront pas le voyage retour…

PHOTO : ÉCHOS VEDETTES

Avec ou sans sa guitare, Francis Cabrel continue d'émouvoir et d'émerveiller les foules dans toute la francophonie. Avec des chansons poétiques et réalistes, il brosse un portrait réel du temps et des gens qui passent.

Comme à l'époque du romantisme des années 1800, Cabrel est resté un homme libre, joyeux et chantant, sous des traits parfois tristes et songeurs. Dès qu'il commence à chanter, tout naturellement, le miracle se produit. Les gens de la rue peuvent facilement l'aborder et s'apercevoir qu'il a contribué énormément à consolider les bases de la chanson populaire.

Francis a cet art de grouper sous un même toit, riches et clochards, femmes heureuses ou filles de joie. Il a un public autant du côté rural que citadin. Son œuvre comprend quelques thèmes accessibles à tous : poésie, musique, histoire. Il lui en a fallu du génie, en 1979, pour écrire *Je l'aime à mourir* :

Moi je n'étais rien
Et voilà qu'aujourd'hui
Je suis le gardien
Du sommeil de ses nuits
Je l'aime à mourir

Vous pouvez détruire
Tout ce qu'il vous plaira
Elle n'a qu'à ouvrir
L'espace de ses bras
Pour tout reconstruire (bis)
Je l'aime à mourir

C'est bien difficile de savoir qui a le plus influencé Cabrel, chez les grands noms de la francophonie, dans les années de sa prime jeunesse. Félix Leclerc, Jacques Brel ? Même s'il a adoré Charles Trenet, il le trouvait trop joyeux et engageant pour ne pas passer à côté des problèmes. Quant à Georges Brassens, il ne manquait pas de le toucher, surtout dans les textes où l'humour se mêlait à la poésie, mais il n'en était pas pour autant enthousiaste.

On peut affirmer que Cabrel a créé un nouveau courant poétique, plus intellectuel, plus près de la vie sociale, plus actuel, dans les années 80, tout comme Trenet ou Leclerc dans les années 40 et 50. Francis a souvent rendu hommage à Renaud, un ami aussi proche que fidèle. Il a aussi évoqué le souvenir de Daniel Balavoine (1952-1986), dont le destin a été brisé trop tôt. Sur son album *Sarbacane*, envolé à trois millions d'exemplaires, il lui a dédié cette chanson, *Dormir debout* :

L'homme qui pouvait sauver l'amour
Est parti sans laisser d'adresse
Depuis le fond du ciel
Jusqu'aux murs des hôtels
Les étoiles sont floues
J'ai dû dormir debout.

Dans ce livre, *On connaît la chanson*, nous avons mis l'accent sur l'histoire des chansons et la vie de plusieurs auteurs, compositeurs et interprètes. Des artistes bien ancrés dans ce nouveau siècle tels que Lynda Lemay, Patrick Bruel, Laurence Jalbert, Pierre Lapointe et, bien entendu, Francis Cabrel.

Quand ces pages seront imprimées, de nouvelles chansons et d'autres créateurs se seront affirmés et dont nous n'avons pas pressenti la naissance. Il manque déjà bien des chapitres que l'on écrira demain, dans cent ans. On parlera encore de *Répondez-moi* et de *La fille qui m'accompagne*.

La fille qui m'accompagne

Paroles et musique : Francis Cabrel

Elle parle comme l'eau des fontaines
Comme les matins sur la montagne
Elle a les yeux presque aussi clairs
Que les murs blancs
du fond de l'Espagne

Le bleu nuit de ses rêves m'attire
Même si elle connaît
les mots qui déchirent
J'ai promis de ne jamais mentir
À la fille qui m'accompagne

Au fond de ses jeux de miroirs
Elle a emprisonné mon image
Et même quand je suis loin le soir
Elle pose ses mains sur mon visage

J'ai brûlé tous mes vieux souvenirs
Depuis qu'elle a mon cœur
en point de mire
Et je garde mes nouvelles images
Pour la fille avec qui je voyage

On s'est juré les mots
des enfants modèles
On se tiendra toujours
loin des tourbillons géants
Elle prendra jamais mon
cœur pour un hôtel
Je dirai les mots qu'elle attend

Elle sait les îles auxquelles je pense
Et l'autre moitié de mes secrets
Je sais qu'une autre nuit s'avance
Lorsque j'entends glisser ses colliers

Un jour je bâtirai un empire
Avec tous nos instants de plaisirs
Pour que plus jamais
rien ne m'éloigne
De la fille qui m'accompagne

On s'est juré les mots des enfants
modèles
On se tiendra toujours loin des
tourbillons géants
Je prendrai jamais son cœur pour
un hôtel
Elle dira les mots que j'attends

Elle sait les îles auxquelles je pense
Et l'autre moitié de mes délires
Elle sait déjà qu'entre elle et moi
Plus y'a d'espace et moins je respire

Francis Cabrel

Né le 23 novembre 1953, à Agen, sur la Garonne (France)

Comment expliquer la popularité de Francis Cabrel après plus de 30 ans de carrière ? Des millions d'admirateurs dans toute la francophonie connaissent ses chansons par cœur. De la *Petite Marie* (1977), dédiée à son épouse Mariette, en passant par *Les chemins de traverse* jusqu'à *Je t'aimais, je t'aime, je t'aimerai* (1993), il continue de brosser un portrait réel du temps et des gens qui passent.

Beaucoup d'eau a coulé sous les ponts de la Seine et du fleuve Saint-Laurent, depuis son enregistrement, en 1990, de *Quand j'aime une fois, j'aime pour toujours* de Richard Desjardins.

J'ai marqué d'une croix
La clôture de ta cour
Je suis rentré chez moi
Par la porte d'secours

Je me suis dit tout bas :
« Non ce n'est pas mon jour,
son cœur est un détroit
ses yeux un carrefour… »

Sans jamais changer sa façon d'être et de penser aux autres, il est resté bien enraciné à Astaffort, où il a grandi en allant à la pêche à la ligne sur le Gers et en jouant aux boules et au soccer sur la place centrale du village.

Ce fut une grande période de sa vie : la découverte de la musique et de la contestation politique, de la messe du dimanche et du maoïsme. L'été, il travaille à la même biscuiterie que son père et apprend le solfège et l'anglais en traduisant les chansons des Canadiens Leonard Cohen et Neil Young et de l'Américain Bob Dylan, qui aura une influence majeure sur sa carrière.

À 14 ans, Francis sort la guitare espagnole que son oncle Freddy lui a offerte à Noël. Dans l'entrepôt où il est magasinier, il s'en sert pour écrire les paroles et composer la musique de ses premières mélodies, tout en faisant l'inventaire du stock de souliers et pantoufles À 17 ans, il devient chanteur et guitariste pour différents groupes musicaux. Avec les *Jazzmen* qui deviendront les *Gaulois*, il sillonne les routes en chantant les tubes des Beatles et des Rolling Stones et ses propres compositions. Le samedi, il chante en Dordogne, le dimanche en Corrèze et le lundi, il est de retour aux études sans avoir vraiment fermé l'œil de la nuit.

En 1974, il participe à un important radio-crochet organisé par la station Sud-Radio, avec plus de 400 candidats. Le beau jeune homme, à la moustache taillée à la d'Artagnan, franchit toutes les étapes et remporte la grande finale avec sa chanson porte-bonheur *Petite Marie* qui se termine ainsi :

Je viens du ciel et les étoiles entre elles
Ne parlent que de toi
D'un musicien qui fait jouer ses mains
Sur un morceau de bois
De leur amour plus beau que le ciel autour
Dans la pénombre de ta rue
Petite Marie, m'entends-tu ?
Je n'attends plus que toi pour partir… (bis)

Ce joli texte sera le tube de son premier album, *Les murs de poussière*, édité par la maison de disques CBS. Francis fait de modestes débuts à l'Olympia, en première partie du chanteur hollandais Dave, créateur de *Vanina* et de *Dansez maintenant* (*Moonlight Serenade*). Suit une tournée avec Marie Myriam, Patrick Sébastien. Un an plus tard, en 1972, il remporte le prix du public au Festival de Spa, en Belgique, avec *Pas trop de peine*.

Sa carrière prend son envol avec son deuxième album, *Les chemins de traverse*, et surtout sa chanson *Je l'aime à mourir*, enregistrée également en italien et en espagnol, qu'il maîtrise parfaitement. « À la retraite, j'aimerais bien enseigner cette langue à Séville, en Espagne, habillé en torero. »

Francis ne s'attendait pas à un tel triomphe ; il doit se plier aux exigences de ses producteurs, qui lui poussent dans le dos pour sortir un troisième album, *Fragile*, contenant une ballade intitulée : *L'encre de tes yeux* et une chanson plutôt rockeuse : *La dame de Haute-Savoie*, qui deviendront *Todo aquello que escribi* et *La dama feliz*.

Tiraillé entre sa région d'origine et sa nouvelle vie parisienne, il doit faire face à la musique et sortir à un rythme effarant d'autres albums remplis de succès que l'on retrouve en tête de tous les palmarès francophones, aussi bien à Montréal qu'à Bruxelles et Lausanne. Grâce aux bonnes ventes de ces titres : *Carte postale, Répondez-moi, Je m'ennuie de chez moi, La fille qui m'accompagne*, le chanteur country à la française s'installe dans un bel appartement du Marais, en plein cœur de Paris.

C'est en 1978 que les Québécois font la connaissance de Francis Cabrel souvent vêtu de noir. Le voilà devenu plus aristocrate que troubadour. Il débute très modestement dans le petit club de l'hôtel Nelson, du Vieux-Montréal.

Le nouveau venu à la découverte d'un monde différent deviendra, tout comme Serge Lama et Salvatore Adamo, l'un des artistes les plus aimés au Canada français. On le verra attablé, aux petites heures du matin, avec son ami et agent Paul Dupont Hébert, en train de déguster les fameux *smoked meats* de chez Schwartz à Montréal. Pas surprenant que Francis ait gagné le Félix de l'artiste étranger le plus populaire au Québec, lors du gala de l'ADISQ en 1981.

Au journaliste parisien Hugues Royer, il déclare : « Montréal a été pour moi un gros choc et ma première grande histoire d'amour avec le public. Cette présence de la langue française que les Québécois protègent toutes griffes dehors, en même temps qu'ils construisent d'immenses buildings et roulent dans de grosses bagnoles américaines (…) Ça fait un contraste incroyable. »

Francis a plein de souvenirs à raconter de ses voyages au Québec. Un jour, il rencontre le chanteur western Willie Lamothe au cours d'une émission de télévision. Les deux collectionneurs ont la même passion pour la musique country et les guitares. Le sympathique Willie, qui est plutôt près de ses sous, va lui vendre à prix d'ami l'une de ses fameuses guitares *Martin* des années 50. Francis y tient comme à la prunelle de ses yeux et s'en sert à chaque fois qu'il entre en studio pour enregistrer un nouvel album.

Arrive 1986, une année charnière dans la vie de Francis Cabrel, celle du premier triomphe à l'Olympia de Paris, où il s'est produit sans grand succès quatre ans auparavant. À 33 ans, il est comblé par son métier et sa famille. Mariette donne naissance à leur première fille, Aurélie. Quatre ans plus tard, naîtra Manon.

Francis trouve refuge et soutien, depuis 1970, auprès de son épouse, qui est la seule à tout connaître de sa vie et à le guérir de sa timidité maladive. Elle est toujours à ses côtés pour l'épauler dans ses prises de positions contre le racisme et ses causes humanitaires comme la lutte contre la leucémie. Pour les enfants atteints de ce terrible mal, il a écrit les paroles et la musique de *Il faudra leur dire*, en 1987 :

Si c'est vrai qu'il y a des gens qui s'aiment
Si les enfants sont tous les mêmes
Alors il faudra leur dire
C'est comme des parfums qu'on respire
Juste un regard
Facile à faire
Un peu plus d'amour que d'ordinaire

PHOTO : ÉCHOS VEDETTES

Une rencontre inoubliable pour Marie Denise Pelletier à ses débuts. Francis Cabrel a pris son temps pour répondre aux questions de la chanteuse québécoise qui lui demandait des conseils sur la façon d'interpréter les succès de l'heure.

Francis se soucie tout autant du sort de la planète que de celui de sa région natale. Il a mis un frein à sa vie devenue trop bourgeoise à Paris en retournant vivre avec sa famille à Astaffort, non loin de sa mère Denise, de sa sœur Martine et de son frère Philippe. Petit-fils d'émigrés italiens, il a toujours eu une grande admiration pour son père, Remiso, employé dans une biscuiterie, et sa mère, qui fut caissière dans une cafétéria.

Tous les proches de Francis sont d'accord pour dire qu'il est un homme riche et généreux. Il donne de l'argent à des proches dans le besoin, à des associations également; pour lui, le temps consacré aux gens est tout aussi important. Pour les Restaurants du cœur, organisme créé par Coluche, et les enfants victimes du SIDA, il participe à toutes les campagnes de charité et de sensibilisation.

« Il y a un malaise vis-à-vis de l'argent que peut gagner un artiste dans le show-business, confiait-il à la journaliste Cécile Tisseyre, ce monde où tout peut te faire basculer du jour au lendemain dans la richesse. Je viens d'un milieu modeste. Chez nous, on ne jetait rien, pas le moindre morceau de pain, il y avait des garde-manger, on mangeait les restes jusqu'à l'épuisement. L'argent ne m'obsède pas et je ne suis pas tellement dépensier. Certes, la maison est plus confortable, j'ai de belles guitares, j'emmène parfois mes enfants au soleil pendant les vacances d'hiver et je peux faire plaisir à des potes, mais je n'ai pas l'impression d'en user comme un seigneur. »

Cabrel revient régulièrement au Québec, où le public continue de l'acclamer. Quelle grande surprise d'apprendre alors que le chanteur confiait à Isabelle Boulay la première partie de son spectacle en France, à l'automne 1999. Six soirs à l'Olympia (3 000 places), cinq au Zénith (7 000 places) et une tournée dans 12 villes.

Voilà qui met sur les rails la belle chanteuse gaspésienne, qui interpréta en duo avec Francis : *C'était l'hiver*, que l'on retrouve sur son album *D'une ombre à l'autre* en 1991.

En février 2000, Francis Cabrel foule pour la première fois la scène du Centre Molson (devenu le Centre Bell). Il s'y produit trois soirs consécutifs, puis retourne au Grand Théâtre de Québec pour cinq concerts. Il chante de nouvelles compositions et les tubes de ses derniers albums, *Samedi soir sur la terre* et *Hors saison*.

Toujours aussi discret et peu bavard, il lui arrive rarement de se confier aux médias. « Le succès, dit-il, n'est pas automatique et tout peut s'écrouler du jour au lendemain. Si cela m'arrivait, je crois que je deviendrais, comme mon frère, vigneron à plein temps. » Dans son Domaine du Boiron, situé entre Bordeaux et Toulouse, on serait très heureux de le voir piocher ses vignes en chantant *Le reste du temps* ou *Cent ans de plus*. Beaucoup de vin coulera dans les gosiers secs et les fins palais avant que cela ne lui arrive.

Pour célébrer ses 50 ans, tous les amis et la parenté étaient là pour le fêter dans la grange de son coin de paradis. Il est ensuite entré dans son propre studio, chez lui à Astaffort, pour enregistrer son album *Les beaux dégâts*.

De passage au Québec, en 2005 et en 2007, pour présenter plusieurs concerts et faire connaître ses nouvelles chansons, il était toujours aussi anxieux de savoir s'il avait gardé la cote d'amour. Francis peut dormir tranquille. Dans toute la francophonie, il ne laisse personne indifférent et donne le goût à chacun de vivre et de chanter *La fille qui m'accompagne* et *Répondez-moi.*

1984

Quand on est en amour

Paroles : Patrick Norman, Robert-Louis Laurin
Musique : Patrick Norman

Photo : Échos Vedettes

Interprètes...

Patrick Norman

Francine Beaulieu, Carole Blais, Normand Boivin, Noël Breton, Patrick Carle, Normand Chauvette, Crooners (les) Jean-Rock Cumming, Johanne Deschamps, Pierre Lalonde, Marie-Thérèse Lebeau, Robert Leroux, Alain Morisod et Sweet People, Lionel Normandin, Québecissime, Claude Sirois....

Quand on est en amour

1984

Si tu crois que l'amour t'a laissé tomber une autre fois
Et tu vois que tout ton univers s'écroule autour de toi
N'oublie pas vient toujours le soleil après les jours de pluie
Ouvre grand ton cœur ne cherche pas ailleurs écoute ce qu'il te dit

Ne laisse pas passer la chance d'être aimé
Le cœur devient moins lourd
Quand on est en amour

Si un jour tu sens que dans ta vie plus rien ne t'appartient
En bohème tu erres dans la nuit apaisant ton chagrin
Souviens-toi qu'il y a toujours quelqu'un qui n'attend que ta main
Ouvre grand ton cœur ne cherche pas ailleurs écoute ce qu'il te dit

Ne laisse pas passer la chance d'être aimé
Le cœur devient moins lourd
Quand on est en amour

Mais la vie parfois nous fait l'esclave de nos souvenirs
Entre nous qu'importe le passé il y a l'avenir
C'est pourquoi tu te dois de remettre l'amour dans ton lit
Ouvre grand ton cœur ne cherche pas ailleurs écoute ce qu'il te dit

Ne laisse pas passer la chance d'être aimé
Le cœur devient moins lourd
Quand on est en amour

La petite histoire du country

La popularité des chanteurs country ne se dément pas en Amérique du Nord, depuis les années 1920. Au Québec, l'auteur de *Quand on est en amour*, Patrick Norman, en est devenu le chef de file. On le glorifie et on le réclame dans tous les festivals consacrés à ce style musical, que ce soit à Dolbeau, Saint-Hyacinthe, Victoriaville, Saint-Tite, Longueuil, Kapuskasing...

Au Gala de l'ADISQ 1997, Patrick reçoit un Félix pour l'album le plus vendu (250 000) avec sa chanson fétiche et un autre trophée pour le titre de l'interprète de l'année. Dix ans plus tard, il est toujours aussi populaire et en demande au Canada français, tout comme Kenny Rogers, Johnny Cash, Anne Murray et Garth Brookes aux États-Unis.

La belle Ontarienne, Shania Twain, de Timmins, atteint les 25 millions d'albums dans le monde. En 2000, elle remporte le grand prix de l'*American Music Award* comme la meilleure chanteuse country. Chez les Québécoises, Renée Martel, Manon Bédard, Pier Béland, Guylaine Tanguay, Mélanie Grenier, Julie, Dany et Katia Daraîche occupent une place royale dans le cœur de leurs loyaux sujets.

On ne peut plus ignorer la force réelle du country. Boudés par les médias, mais adulés par leurs fans, ces artistes se battent pour enrayer les préjugés à leur égard. En les écoutant attentivement et sans parti pris, on découvre leur rythme, leurs états d'âme. Il a fallu à Patrick 25 ans de travail ardu et cette chanson phare, *Quand on est en amour*, pour que l'on tourne ses disques à la radio.

Norman rend souvent hommage à ses héros, le guitariste Chet Atkins et Willie Lamothe, qui a fait accepter ce genre musical, moitié cow-boy, moitié fantaisiste, comme il le disait si bien.

Durant six ans, il a animé *Le ranch à Willie* à Télé-Métropole. Derrière les accords de sa guitare et sa bague en or en forme de fer à cheval, se cache toute l'histoire de la chanson western et country francophone.

Comment a-t-il pu survivre aux vagues du rock 'n 'roll, du yéyé, des boîtes à chansons ? En 1967, son association avec Bobby Hachey, décédé en octobre 2006, est bénéfique pour l'un et pour l'autre. Patrick a les larmes aux yeux quand il évoque la carrière en dents de scie de ce pionnier, qui a pris une stature de comédien chevronné au cinéma. Les baby-boomers se rappellent d'avoir chantonné avec Willie *Je chante à cheval, Allo, allo, petit Michel* et *Mille après mille.*

Parlant de son ami Willie, l'auteur Marcel Lefebvre raconte : « La chose la plus étonnante et la plus merveilleuse qu'il m'ait été donné de rencontrer dans « le métier », c'est un sourire qui reste au visage d'un artiste, quand journalistes et photographes ont quitté les lieux, c'est un chanteur ayant encore le goût de prendre sa guitare, pour un ami, lorsque le public a quitté la salle, un comédien qui dans la vie n'est pas autre chose que celui qui amuse devant les caméras. »

Avant Willie Lamothe (1920-1992) on connaissait surtout Roy Rogers et Gene Autry, deux cow-boys du Far West, rois de la guitare et du lasso, célèbres grâce au grand écran d'Hollywood. Sur les rayons des disquaires, dans les marchés aux puces foisonne toute une panoplie de vidéos et d'albums de Georges Hamel, Denis Champoux, Bourbon Gauthier, Joëlle Bizier, Ovila Landry, Nicole Dumont, Gérard Poudrier, de bons chanteurs que l'on entend régulièrement aux émissions de Katia Daraîche et Benoît Bélanger à CJMS Country.

Pour sa part, le comédien Gildor Roy revendique cet honneur d'être classé dans cette catégorie. Comme Lucille Starr, Lévis Boulianne, Paolo Noël, Marie King, Paul Brunelle, il a enregistré *Quand le soleil dit bonjour aux montagnes*, presqu'un hymne national vers 1960. Larry Vincent et Harry Peace sont les signataires de cette chanson patrimoniale. Gildor Roy l'a aussi ajoutée sur un album en espagnol et en anglais :

Quand le soleil dit bonjour aux montagnes
Et que la nuit rencontre le jour
Je suis seul avec mes rêves sur la montagne
Une voix me rappelle toujours

Écoute à ma porte, les chansons du vent
Rappellent des souvenirs de toi
Quand le soleil dit bonjour aux montagnes
Je suis seul, je ne veux penser qu'à toi...

Durant la deuxième Grande Guerre mondiale, le Soldat (Roland) Lebrun (1919-1980) compose des douzaines de chansons western. Ses paroles nostalgiques font chavirer le cœur des fiancées et des mères qui ont des êtres chers au combat. L'entendez-vous chanter *L'adieu du soldat* ?

Viens t'asseoir près de moi petite amie
Dis-moi sincèrement que tu m'aimes
Et promets-moi que tu n'seras
L'amie de personne d'autre que moi

Aujourd'hui parents et amis
Je viens faire un dernier adieu
Je dois quitter mon beau pays
Pour traverser les grands flots bleus...

Le troubadour Roger Miron, comme on le désigne encore en 2007, débute en 1950, sur les traces de Paul Brunelle et de Marcel Martel. Sa chanson *À qui le p'tit cœur après neuf heures* s'est vendue à 300 000 exemplaires. Elle a été traduite en d'autres langues et reprise par Alain Morisod et Sweet People. Troisième enfant d'une famille de 15, Miron est l'un des grands noms du country au Québec et dans les Maritimes.

Patrick Norman peut revendiquer le titre de Monsieur Country. Cela ne l'empêche pas de toucher à tous les genres de musique. Il n'hésite pas à reprendre de grandes chansons qui n'ont pas d'âge. Il y en a une qui lui colle à la peau : *J'ai oublié de vivre*, énorme succès de Johnny Hallyday. Patrick l'a enregistrée en 1989. Depuis ce temps, le public lui demande sans cesse de la chanter.

Annette et Carmen Richer ont été les premières à enregistrer *Quand le soleil dit bonjour aux montagnes*. Lucille Star, à droite, l'a relancé, en 1964, au Québec et au-delà des frontières. Quant à Roger Miron, à gauche, elle est toujours dans son répertoire.

J'ai oublié de vivre

Paroles : Pierre Billon - Musique : Jacques Revaux

À force de briser dans mes mains des guitares
Sur des scènes violentes sous les lumières bizarres
À force de forcer ma force à cet effort
Pour faire bouger mes doigts pour faire vibrer mon corps

À force de laisser la sueur brûler mes yeux
À force de crier mon amour jusqu'aux cieux
À force de jeter mon cœur dans un micro
Portant les projecteurs comme une croix dans le dos

J'ai oublié de vivre (bis)

À force de courir la terre comme un éclair
Brisant le mur du son en bouquets de lasers
À force de jeter mes trésors aux brasiers
Mêlant tout en un coup pour me faire crier

À force de changer la couleur de ma peau
Ma voix portant les cris qui viennent des ghettos
À force d'être un Dieu, Hell's Angels ou bohême
L'amour dans une main et dans l'autre la haine

J'ai oublié de vivre (bis)

À force de briser dans mes mains des guitares
Sur des scènes violentes sous des lumières bizarres
À force d'oublier qu'il y a la société
M'arrachant du sommeil pour me faire chanter

À force de courir sur les routes du monde
Pour les yeux d'une brune ou le cœur d'une blonde
À force d'être enfin sans arrêt le coupable
Le voleur, le tricheur, le violent admirable

J'ai oublié de vivre (bis)...

Patrick Norman

Né Yvon Ethier, le 10 septembre 1946, à Montréal (Québec)

Avant de monter au firmament des étoiles, l'aîné de la famille Ethier, alias Patrick Norman, navigue sur une mer tourmentée, pendant 20 ans. Après la sortie de sa chanson, *Quand on est en amour*, en 1984, le public lui ouvre ses bras et l'adopte comme un enfant prodigue.

Cela ressemble à la belle histoire de Georges Moustaki, reconnu avec *Le Métèque*, après autant d'années à manger son pain noir.

Fernand Ethier, né le 11 février 1925, est un grand six pieds, déterminé, énergique, nerveux, mais de santé fragile. Il est bien découragé de constater que son fils, Yvon, n'a qu'une seule idée en tête : apprendre la guitare et devenir un musicien célèbre. Il a été son premier professeur, dès son plus jeune âge. « J'aurais bien voulu, dit son papa, qu'il prenne des cours de mécanique à l'Institut des Sourds et Muets et se trouve un emploi permanent à Air Canada, pour ne pas être forcé, comme moi, d'exercer 36 métiers. »

Sa mère, Marguerite Gaudet, née le 1er avril 1920, voit bien que son fils aîné a du tempérament et des aptitudes pour faire carrière dans le domaine des arts. Elle l'encourage fortement à réaliser son rêve et à devenir un jour indépendant de fortune, pour ne pas être obligé de se serrer la ceinture pour joindre les deux bouts. Raymond et Norman, mordus de la musique, encouragent leur grand frère à devenir vedette.

À l'âge de huit ans, Patrick participe à l'émission radiophonique de CKVL, *Les découvertes de Billy Munro*, le mystérieux fantôme au clavier, compositeur du hit américain *When my baby smiles at me*. L'amateur chante en anglais *Singing the blues*. Six ans plus tard, il donne son premier spectacle dans l'enceinte de l'école Sainte-Anne, à Sainte-Geneviève. Pendant toutes leurs années d'écoliers, les frères Ethier suivent, sans maugréer, leurs parents dans de multiples déménagements aux quatre coins de Montréal et des banlieues.

Patrick est avant tout un gars d'équipe; il a le sens du partage et ne cherche pas à tirer la couverture à soi. Il est très à l'aise au sein des différents groupes, comme les Red Stars, composé des musiciens Michel Martin, André Pilon, son frère Raymond Ethier et, plus tard, du soliste Claude Lacombe. Avec les Scorpions et les Fabuleux élégants, Patrick peaufine son style de guitariste surdoué. À force d'économiser, il s'achète une guitare de 800$.

En 1966, il enregistre son premier 45-tours et sa chanson, *Je pleure sous la pluie*, fait un peu d'effet. Sa rencontre avec le lutteur Claude Saint-Jean, dit la Merveille masquée, va lui apporter une sécurité passagère. Six soirs par semaine, il chante à son restaurant de Longueuil, lieu fréquenté par les sportifs et artistes de renom, Jean Béliveau, Johnny Rougeau, Jean Lapointe, Fernand Gignac... Ce dernier va le féliciter et l'inciter à ne pas toujours chanter au même endroit. Il doit voler de ses propres ailes, s'il veut être porté au pinacle.

Avec un contrat d'exclusivité de cinq ans, Claude Saint-Jean essaie, tant bien que mal, de faire avancer son poulain en liberté surveillée. Le tient-il vraiment, préfère-t-il le garder à son service? Le gérant est un excellent restaurateur, un chic type, mais pas un bon imprésario, ce n'est pas de son ressort. Il promet beaucoup à Patrick, mais ne peut pas tenir ses promesses.

Après l'aventure du microsillon raté en hommage à Kenny Rogers, et non Rodgers comme sur la pochette du disque, Norman comprend que son agent ne livre pas la marchandise. Il met alors fin à son contrat. Plus tard, Patrick vendra sa maison et s'endettera pour produire un nouvel album consacré à son idole. Au Café de l'Est et au Portage de l'hôtel Bonaventure, il entreprend une tournée de cabarets pour boucler son budget.

Chez RCA Victor, il enregistre quelques 45-tours en solo et obtient un premier succès avec *Mon cœur est à toi* et *On a toujours besoin d'aimer*. En cinq ans, il sort quatre albums, deux en français, deux en anglais. Il monte au palmarès avec la chanson-thème du film Papillon (*Free as the wind*), qu'il enregistre en français, en anglais et en espagnol.

PHOTO : ÉCHOS VEDETTES

C'était toujours un magnifique cadeau offert au public, lorsque Willie Lamothe, Renée Martel et Patrick Norman participaient ensemble à une émission de télévision ou à l'un des nombreux festivals country au Québec.

Patrick fait ensuite ses premières armes à Télé-Métropole. Il anime conjointement avec Renée Martel une série consacrée essentiellement à la musique country. Leur émission, *Patrick et Renée,* en 1977 et 1978, obtient la faveur populaire. Rien n'est encore gagné pour le troubadour moderne aux couvre-chefs changeants. Il accepte un engagement d'un an au restaurant La Grange, de Repentigny, avec un revenu fixe, qui lui permet de choyer ses filles Isabelle, née en 1968 et Debbie en 1975.

En 1984, le chanteur signe un contrat avec les Disques Star et lance un nouveau microsillon. Avec ses compositions, *Tu n'es plus là*, *L'hirondelle* et surtout *Quand on est en amour* qui relance sa carrière et l'amène vers les plus hauts sommets. Au Gala MétroStar, il est récipiendaire de deux trophées et le préféré du public.

PHOTO : MICHEL GAGNÉ, ÉCHOS VEDETTES

Maire Denise Pelletier s'est fait connaître avec *Tous les cris, les S.O.S* de Daniel Balavoine. À Patrick Norman, elle avait bien des choses à lui raconter sur son passage à *Champs-Élysées*, l'émission télévisée de Michel Drucker.

Profitant de l'engouement de ses fans, on y va d'un autre disque, comprenant 12 grands succès , dont *Papillon, Aiko Aiko, On part au soleil*. En 1988, apparaît un autre microsillon, *Soyons heureux*, avec une participation de son bon ami Paul Daraîche.

On y entend *Perce les nuages* et *J'ai oublié de vivre*. Cette production reçoit le Félix de l'année. Patrick est en possession de tous ses moyens lorsqu'il interprète les classiques de Gilbert Bécaud (*Je reviens te chercher*). Claude François (*Comme d'habitude*), Michel Sardou (*Les vieux mariés*).

En 1990, Norman enregistre à Bogalusa, en Louisiane, son premier disque compact, *Passion vaudou*, un nouveau tournant dans sa carrière. La critique le porte aux nues. Deux ans plus tard, son *Noël sans faim* se vend comme des petits pains chauds.

PHOTO : JOCELYN CHEVALIER, ÉCHOS VEDETTES

Après une longue et difficile ascension, Patrick Norman s'est hissé au firmament des étoiles de la chanson populaire. *Quand on est en amour* lui a permis de monter au palmarès et d'y rester pendant quelques années.

Après un autre album, reprenant une douzaine de standards country, en 1998, il participe aux FrancoFolies de Montréal, avec les Fameux élégants, regroupant le batteur Bourbon Gauthier et le bassiste William Dunker. Cette production remporte le Félix country.

Au tournant du millénaire, il lance son 20e album éponyme sur sa propre étiquette. La chanson *La guitare de Jérémie*, de Michel Rivard, grimpe au palmarès. À la télévision, il anime à Radio-Canada *Pour l'amour du country*, avant de produire son premier album enregistré en public, *Soirée intime*, en février 2003.

Pour marquer son 35e anniversaire de carrière et les 20 ans de *Quand on est en amour*, en 2004, il réenregistre une quinzaine de chansons qui ont marqué sa vie d'artiste. Pour *Simplement Patrick Norman*, il a fait appel à d'excellents collaborateurs, Laurence Jalbert, Pier Béland, Marie-Chantal Toupin, Judy Richards, Roger Tabra, Martin Deschamps...

Patrick n'est pas bavard. Il n'aime pas étaler sa vie privée à la une des revues du cœur. Ses amis intimes vous diront qu'il est resté fidèle à ses principes. C'est un homme doux et heureux en amour, avec sa femme, Danielle Binette. Il prend plaisir, dans son domaine de Saint-Joseph-du-Lac, à cuisiner de bons petits plats végétariens. Le jeune grand-père essaie de convaincre sa famille et ses quatre petits-enfants du bien-fondé de cette saine alimentation. Le couple fêtait son vingtième anniversaire de mariage le 5 septembre 2007.

1984

Y'a de l'amour dans l'air

Paroles et musique : Claude-Michel Schönberg

Interprètes...

Martine St-Clair

Les légendaires, Roméo Vaduva...

Y'a de l'amour dans l'air

1984

Ils dansent et dansent encore
Sachant bien que leurs corps
S'aimeront avec l'aurore
Et leurs mains impatientes
Trompent la longue attente
Moi, sous les haut-parleurs
Assise depuis mille heures
Je les vois et j'en pleure
Serais-je la seule ici
Que la tendresse oublie

Autour de moi on s'aime
Quels péché ai-je commis
Pour avoir le cœur blême
Pour assécher ma vie

(Refrain)
Y'a de l'amour dans l'air, ce soir
Y'a de l'amour dans l'air,
et moi je broie du noir
Qu'on me donne ma chance
Qu'on me regarde un peu

Je serai vot'délivrance
J'exaucerai vos vœux
Je me donne tout entière
Quand l'amour est dans l'air

Qu'elle me prête son histoire
Et je vous jure que la star
Ce sera moi, ce soir
C'est facile d'être jolie
Quand on est contre lui
Du fond de ma tanière
Je les vois s'envoler
Ne jamais toucher terre
C'est tout ce que j'ai rêvé

(Au refrain)

Certaines chansons dites commerciales, comme *Y'a de l'amour dans l'air*, deviennent avec le temps des refrains populaires. Après avoir beaucoup tourné sur les ondes et occupé le haut du palmarès, ces tubes entrent dans la catégorie des mélodies inoubliables. À condition que le public les fredonne encore, 25 ans après leur création.

Doit-on la survie d'une œuvre à la qualité du texte et de la musique des auteurs compositeurs ou au talent des interprètes ? Martine St-Clair est responsable du succès et de la longévité de cette chanson de Claude-Michel Schönberg, également signataire de *Ce soir l'amour est dans tes yeux*, dont elle est la seule interprète.

Ce soir c'est étrange dans tes yeux j'vois passer des anges
Il y a même dans tes silences des mots d'amour en transparence
Ce soir c'est bizarre tellement tellement j'ai besoin de croire
Tant de promesses qu'on ne peut tenir

Mais après auras-tu encore cette façon de me regarder ?
Mais après diras-tu encore ces choses qui me font chavirer ?

Ce soir l'amour est dans tes yeux,
Mais demain matin m'aimeras-tu un peu ?
Ce soir l'amour est dans ta voix
Mais demain matin penseras-tu à moi ?...

Depuis 25 ans, Martine fait partie du paysage musical francophone. Ses quelques années, loin du cirque médiatique, lui ont permis de se ressourcer et devenir, non seulement une interprète en demande, mais aussi une auteure-compositeure remarquable. C'est un titre qu'elle tentait d'obtenir, depuis ses premiers pas dans le music-hall.

Après son premier succès personnel, *Au cœur du désert*, elle ajoute une corde à son arc, en 1987. Ce tube fut numéro 1 pendant une douzaine de semaines. À ce moment-là, elle veut se dévoiler au public sous son vrai jour et se rapprocher davantage de lui.

« De plus en plus, dit Martine, je m'intéressais à la production, à la création et à l'enregistrement de mes chansons. J'adore le travail d'équipe. Dans les studios, je me sens comme chez moi. Ce sont des lieux magiques où tout le monde, musiciens, techniciens, met la main à la roue et travaille avec le même but : produire le meilleur album possible. »

Sur ces entrefaites, la perfectionniste s'est envolée pour Paris, a repris sa place dans *Starmania*. Avec une équipe française, elle a procédé à l'enregistrement d'un autre album, *Caribou*, avec d'excellents collaborateurs tels Marc Lavoine et Patrice Aboulker.

Pour son dernier album, *Tout ce que j'ai*, elle a écouté cent fois les bandes sonores enregistrées par la maison de disques. Avec la collaboration de l'excellent pianiste Peter Ranallo, Martine a de nouveau participé à toutes les étapes de production.

Son jeune frère Jean-François, devenu un homme prospère, a investi beaucoup de temps et les fonds additionnels à la réalisation de *Tout ce que j'ai*. « On rêvait tous deux d'un projet commun. À mes débuts dans Starmania, il évoluait au hockey avec les Nordiques. Entre nous, on parlait toujours de musique, de chansons. Finalement, nous avons fondé la Compagnie *Vintage Music*. »

Parlons-en de ce disque, coïncidant avec la relance de sa carrière, comme aux plus beaux jours des années 80. Elle a composé la musique et écrit les paroles de huit chansons et repris quelques succès d'autrefois. Martine a signé l'adaptation française d'un tube international, *Moon River* d'Henry Mancini.

Faut l'entendre et surtout la voir sur scène chanter *Faut que j'me pousse* de Gerry Boulet et *L'arbre est dans ses feuilles* de Zachary Richard :

L'arbre est dans ses feuilles, maluron, maluré
L'arbre est dans ses feuilles, maluron don dé!
Dans l'arbre il y a une petite branche (bis)
La branche est dans l'arbre
L'arbre est dans ses feuilles maluron, maluré
L'arbre est dans ses feuilles maluron, don dé!

Dans la branche y'a un nœud (bis)
Le nœud est dans la branche
La branche est dans l'arbre
L'arbre est...

Son spectacle de retrouvailles a pour toile de fond ce dernier album. Le public lui est resté fidèle, depuis déjà 25 ans, et accroché à sa nouvelle façon d'être et de paraître. Sur scène, elle est aussi à l'aise que dans sa cuisine ou son salon. Son interprétation de la chanson d'Eddy Marnay, rendue célèbre par Marie Laforêt, *Mon amour, mon ami*, lui a valu des tonnerres d'applaudissements. Ce classique de l'année de l'Expo 67 est resté sans rides, quarante ans plus tard.

Dans ses interviews et sur scène, Martine mentionne toujours le nom de ses complices, qui ont fait éclore ce disque compact, dans lequel elle a mis tout son cœur. « Un jour, dit-elle, un poète inconnu appelé Turcault m'est tombé du ciel. Il m'a fait parvenir une brique de poèmes et ballades. Après notre première rencontre, il s'est mis à sa table de travail et m'a rapporté des bijoux de chansons sur mesure. Elle racontait ma nouvelle vie, les hauts et les bas d'une artiste. » *Rien dans les mains*, *Vous*, *L'étranger* en sont un bel exemple.

L'intérêt de Martine pour les antiquités, les pierres précieuses et les airs d'autrefois datent de son enfance. Son grand-père lui chantait *La femme aux bijoux*, qui était une enjôleuse. Les hommes se pâmaient d'amour devant cette beauté fatale.

Elle a depuis compris que les notes de musique doivent couler avec fluidité et que les bijoux ont une si grande importance auprès des jeunes filles et des femmes de tous âges et de tous pays. Dans cette mélodie *Vous*, signée Turcault, on l'écoute chanter avec ravissement cet air enivrant :

« Moi, je m'enroule autour de vous
Je vous étreins et je vous couvre
De chaîne d'or
Et de diamant. »

On voit bien le côté sentimental de Martine St-Clair, qui adore les bijoux. Elle en confectionne elle-même pour les offrir à ses proches et, dans quelques années, au grand public. D'ici là, laissons la rêver et chanter cet autre diamant du répertoire d'Eddy Marnay : *Mon amour, mon ami*.

Mon amour, mon ami

Paroles : Eddy Marnay - Musique : André Popp

(Refrain)
Toi mon amour, mon ami
Quand je rêve c'est de toi
Mon amour, mon ami
Quand je chante c'est pour toi
Mon amour, mon ami
Et je ne sais pas pourquoi

Je n'ai pas connu d'autre garçon que toi
Si j'en ai connu je ne m'en souviens pas
À quoi bon chercher faire des comparaisons
J'ai un cœur qui sait quand il a raison
Et puisqu'il a pris ton nom
Toi mon amour, mon ami
Quand je rêve c'est de toi
Mon amour, mon ami
Quand je chante c'est pour toi
Mon amour, mon ami
Je ne peux vivre sans toi
Mon amour, mon ami
Et je sais très bien pourquoi

On ne sait jamais
jusqu'où ira l'amour
Et moi qui croyais
pouvoir t'aimer toujours
Oui je t'ai quitté et
j'ai beau résister
Je chante parfois à
d'autres que toi
Un peu moins
bien chaque fois

(Au refrain)

Martine St-Clair

Née Martine Nault, le 22 juillet 1962, à Montréal (Québec)

Avec cette beauté naturelle et ce regard ingénu, Martine St-Clair est toujours dans la fleur de l'âge, sereine et épanouie plus que jamais. Après avoir enregistré 35 de ses propres compositions et occupé le haut des palmarès avec 13 tubes comme *Y'a de l'amour dans l'air, Ce soir l'amour est dans tes yeux, Lavez lavez*, l'auteure et interprète a lancé son neuvième album, *Tout ce que j'ai*, en prévision de sa longue tournée, en 2006.

Quand Luc Plamondon téléphone chez les parents de Martine pour inviter leur fille à passer une audition pour une comédie musicale, son père, Charles Nault, fan de jazz inconditionnel, répond à brûle-pourpoint : « Ce ne serait pas sage de sa part de se lancer dans une telle aventure. Elle doit d'abord terminer ses études en techniques infirmières. Ma fille a le cœur sur la main et les larmes aux yeux lorsqu'elle voit souffrir un enfant ou un vieillard. Elle sera plus heureuse auprès des malades. « Je lui ferai part de votre offre alléchante. Après tout, c'est elle qui doit décider de son avenir. »

Martine ne peut résister au chant des sirènes. Elle se laisse séduire par cette proposition de jouer, dans l'opéra rock *Starmania*, le rôle de Cristal joué par France Gall, en 1976, épouse de Michel Berger (1947-1992), auteur de la musique de cet énorme succès. « J'ai alors commencé une étape dans ma vie sans aucune expérience de la scène : En avant la musique ! Allons-y gaiement. »

Elle fait ses premières répétitions sur les planches, en 1981 devant le public ravi de la découvrir dans sa tenue d'apparat. Ainsi costumée et maquillée à souhait, elle domine sa grande timidité en interprétant son personnage 450 fois, autant au Québec qu'en France. Sans aucun album à son crédit, elle remporte le Félix de la Révélation de l'année au Gala de l'ADISQ.

De passage à Montréal, en 1982, Gilbert Bécaud l'entend et lui propose de le rejoindre à Paris, afin d'enregistrer avec lui *L'amour est mort (Love On The Rocks)*, dont il a signé les paroles et la musique, avec Maurice Vidalin et Neil Diamond.

L'amour est mort
N'en parlons plus
Chacun sa route
Chacun sa rue
J'vais au soleil
Va où tu veux, où tu veux

L'amour est mort
Est mort d'ennui
De trop de jours
De trop de nuits
Notre passé est un passé
Dépassé

Moi, je veux courir mes grands chemins
Descendre en marche du train train
Moi je veux manger tout mon pain blanc
Être un voyou, être un héros vivant

C'est tout un privilège et une chance inouïe pour une chanteuse de 20 ans d'enregistrer un disque et de participer aux spectacles d'une si grande vedette surnommée à juste titre Monsieur 100 000 volts.

Adolescente, Martine ne se doute pas qu'elle deviendra du jour au lendemain une star à la une des médias. Elle est la sixième d'une famille montréalaise de huit enfants. À la maison, on parle beaucoup de musique, de bulletins scolaires, de voyages et de sports. Ses frères Jean-François, Daniel et Michel sont des sportifs passionnés.

Maman Laurette dorlote sa marmaille avec tendresse, tolérance et beaucoup d'amour. Dans le salon, Lyne chante les succès du jour et joue des pièces de Chopin et de Beethoven. Martine reste près de sa grande sœur, pendant des soirées entières, pour l'admirer et l'encourager à faire carrière comme pianiste classique. Suivra-t-elle ses traces ?

PHOTO : ÉCHOS VEDETTES

Martine St-Clair, toujours aussi chaleureuse et jolie, depuis ses débuts en 1980. Elle est ravie de poser avec Nathalie Simard et Nicole Martin, née le 29 septembre 1949, qui a repris avec succès la chanson d'Édith Piaf, l'*Hymne à l'amour*.

La gloire et la richesse la laissent bien indifférente. Son rêve est de devenir infirmière, neurologue ou championne olympique en plongeon. Ses autres sœurs Louise, Caroline, Suzanne sont aussi folles de joie lorsqu'elle remporte ses premières médailles. « Ce métier de chanteuse m'est arrivé par un pur hasard. Dans mon école, on organisait le concours *Cégeps en spectacle*. Mes amis m'ont carrément poussée sur scène en me disant : Vas-y, t'es capable. On sait que tu chantes et écris des chansons. Tu vas gagner le gros lot ! Timide à en mourir, j'ai obtenu le premier prix, avec ma sœur Line, en interprétant *La serveuse automate*, de *Starmania*, ainsi que *Le petit roi* de Jean-Pierre Ferland. »

Dans mon âme et dedans ma tête
Il y avait autrefois
Un petit roi
Qui régnait comme en son royaume
Sur tous mes sujets
Beaux et laids

Puis il vint un vent de débauche
Qui faucha le roi
Sous mon toit
Et la fête fut dans ma tête
Comme un champ de blé
Un ciel de mai

Hey. Je ne vois plus la vie de la même manière
Hey. Je ne sens plus le temps me presser comme avant

En 1982, Martine sort son premier album, *Cœur ordinateur*. Tous les textes sont de Luc Plamondon. *La fille du superman*, reprise plus tard par Céline Dion, et *Un homme sentimental* grimpent au palmarès. Entre 1984 et 1987, elle lance trois autres disques compacts, *Y'a de l'amour dans l'air*, *Ce soir l'amour est dans tes yeux* et *Au cœur du désert*.

Sur ce dernier album, elle fait ses premiers pas comme auteure et compositeure. Chaque lancement est suivi de longues tournées de promotion et de spectacles à travers le Québec. Partout, elle remplit ses salles durant toute la décennie 80. À ce stage-ci de sa carrière, Martine a déjà raflé 11 Félix et Métro Star. Il est temps de prendre un peu de recul et de repos bien mérité.

Lors de la soirée en hommage à René Lévesque, Premier ministre du Québec, de 1976 à 1985, elle a été la seule artiste invitée à lui rendre hommage, à la fin de sa carrière politique, en lui interprétant, à sa demande, *Ce soir l'amour est dans tes yeux*. Elle en garde un souvenir impérissable.

Martine St-Clair dans sa loge avec Gilbert Bécaud, né le 24 octobre 1927 et décédé en décembre 2001. Elle avait enregistré avec lui, *L'amour est mort* en 1982, alors qu'elle n'avait que vingt ans.

Luc Plamondon va convaincre Martine de reprendre son rôle de Cristal à Paris, en 1988. L'année suivante, elle enregistre un album live avec la troupe parisienne de *Starmania*, ainsi qu'un vidéoclip pour la chanson *Monopolis*... Elle se souviendra longtemps de sa rencontre au palais de l'Élysée avec la princesse Diana, en présence du président de la France, François Mittérand.

Profitant de son séjour dans la Ville lumière, elle enregistre l'album *Caribou*, réalisé par Marc Lavoine, auteur *De Bascule avec moi* et de *C'est ça la France*, en 1996 :

C'est ça la France
Du Chili dans les gamelles et du vin dans les bidons
C'est ça la France
Du Laguiole à l'Opinel partager les saucissons...

Il faudra attendre quatre ans avant le lancement d'une compilation de ses succès, *Un souffle de tendresse*, incluant *L'amour est loi*, version française de *Wheels of Live*, chantée en duo avec l'idole de ses 18 ans, Gino Vanelli.

Un autre disque suivra en 1996, *Un long chemin*, comportant plusieurs de ses compositions. Cinq ans s'écouleront avant qu'elle entre en studio pour enregistrer *Un bonheur fou*. Sur 12 chansons, elle en a composé six. On y retrouve *Débranche* que Michel Berger avait composé pour son épouse, France Gall, qui sera de la distribution de *Starmania* 76 avec Nanette Workman, Diane Dufresne...

Faut-il rappeler que dans la comédie musicale, *Dix commandements* présentée au Québec, Martine a très bien joué le rôle de Bithia, princesse égyptienne, mère adoptive de Moïse. Elle gagne beaucoup à être connue, non seulement comme chanteuse, mais aussi en tant que comédienne, au théâtre ou au cinéma. Avec son élégance, la couleur et la douceur de sa voix, sa beauté, sa façon d'exercer son métier sans prétention, on la verra sûrement un jour sur le grand écran.

Au journal *La Semaine*, Martine s'est confiée à Christiane Chaillé, en 2004 : « Si à 40 ans, tu ne sais pas où tu t'en vas, t'as un problème. J'aimerais à 50 ans pouvoir m'asseoir et me dire OK, ma carrière va bien. Ma vie de femme aussi. J'ai une belle base. Je suis en amour. Heureuse. Je ne cherche plus. Je suis bien. Pour moi, le passage de la quarantaine, c'est de prendre le contrôle de soi-même. C'est une fois pour toutes pouvoir exprimer vraiment qui je suis, mon vécu, heureux ou moins heureux. Voilà ce que mon neuvième album, *Tout ce que j'ai*, représente pour moi… »

PHOTO : ÉCHOS VEDETTES

Avec la toujours très populaire chanteuse et animatrice France Castel, qui anime, en compagnie de Michel Barette, un spectacle de variétés à l'antenne de la SRC. Gageons que Martine St-Clair sera parmi ses invités.

En 2006, Martine a repris la route des chansons, avec une équipe disciplinée et un itinéraire chargé, dans tous les coins du Québec. Son langage n'est plus le même, ni son comportement. Malheureusement, son rêve d'avoir un enfant ne se réalisera pas. Elle prête une oreille attentive aux joies et peines de tout un chacun. Toujours aussi belle et fraîche comme la rosée du matin, elle anime *Beauté du monde* au Canal Évasion.

« Ce qui m'intéresse dans ces émissions sur la beauté, c'est d'aller peindre une belle histoire, humaniser ces gens-là. » La chanteuse animatrice a eu la chance de voyager en France, en Allemagne et au Maroc et de s'entretenir avec des gens simples et chaleureux qui l'ont profondément marquée. Ce fut le cas avec Gérard Départdieu. Elle comprend mieux pourquoi ces superstars sont encore au sommet après tant d'années.

PHOTO : ÉCHOS VEDETTES

Jean-Pierre Ferland est toujours entouré de jolies femmes. On le voit ici en compagnie de Martine St-Clair, à droite, et de Véronique Béliveau, à gauche, qui a préféré se retirer du monde de la chanson, après sa rencontre avec Joselito Michaud.

Élevée dans une famille de huit enfants, Martine St-Clair connaît le sens des mots « partage » et « débrouillardise ». Un de ses plaisirs consiste à jouer la gardienne d'enfants pour ses neveux et nièces ; la chanteuse reconnaît d'ailleurs qu'elle voue un amour inconditionnel aux tout-petits. « Si je gagnais le gros lot, je ferais bâtir un camp de vacances qui privilégierait les activités culturelles et sportives, surtout pour les plus démunis de notre société. »

« Aujourd'hui, en 2007, je suis une femme comblée, bien dans ma peau, avec plusieurs projets en tête et sur la table. J'aime les gens qui m'entourent et me font confiance dans la vie de tous les jours et sur la scène. Le public me comble de joie et je l'en remercie. » À la voir si radieuse et resplendissante, on comprend bien qu'elle est une femme en amour.

PHOTO : PAUL DUCHARME, ÉCHOS VEDETTES

En compagnie d'Yvon Deschamps, lors du gala de clôture du festival Juste pour rire, le 30 juillet 2007. Une fête en l'honneur du populaire humoriste qui demeure, encore aujourd'hui, un des chouchous du public.

Au nom de la raison

Paroles : Laurence Jalbert
Musique : Pierre Carter

PHOTO : JACQUES GRÉGORIO, ECHOS VEDETTES

Interprète...

Laurence Jalbert

Au nom de la raison

Plus de raison d'exister
Tes châteaux en Espagne sont effondrés
Sur ton lit, il y a ta valise ouverte
Ta chambre est comme ta vie
Sans queue ni tête

Tu pleures tes déceptions
Chacune des larmes qui coulent
Porte un nom
Mais pourquoi donc toujours
Fuir une tempête
Qui n'existe que dans ta tête

(Refrain)
Au nom de la raison
Tu as laissé passer hier
Des amours des passions
Mais laisse donc ton cœur te guider

C'est quoi la vérité
Qui peut prétendre un jour y avoir goûté
À marcher toujours dos à la lumière
T'as jamais vu que l'ombre de toi-même

Tu pleures tes déceptions
Chacune des larmes qui coulent
Porte un nom
Mais pourquoi donc toujours
Fuir une tempête
Qui n'existe que dans ta tête

(Au refrain)

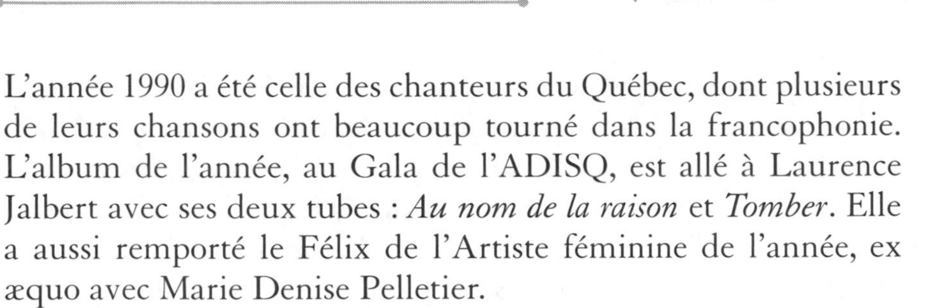

L'année 1990 a été celle des chanteurs du Québec, dont plusieurs de leurs chansons ont beaucoup tourné dans la francophonie. L'album de l'année, au Gala de l'ADISQ, est allé à Laurence Jalbert avec ses deux tubes : *Au nom de la raison* et *Tomber*. Elle a aussi remporté le Félix de l'Artiste féminine de l'année, ex æquo avec Marie Denise Pelletier.

Ginette Reno s'est illustrée avec *La prochaine fois que j'aurai vingt ans* et Francine Raymond avec *Souvenirs retrouvés.* D'autres interprètes ont monté en flèche avec *Les femmes voilées* (Joe Bocan), *À bout de ciel* (Marjo), *Lavez lavez* (Martine St-Clair), *L'enfant au tambour* (Johanne Blouin). Du côté des Françaises, Patricia Kaas a fait grimper au palmarès *Les hommes qui passent*, Liane Foly *Au fur et à mesure* et Vanessa Paradis *Mosquito*.

PHOTO : JACQUES GRÉGORIO, ÉCHOS VEDETTES

Auteure, compositeure, interprète et musicienne, voilà les mots qui caractérisent bien la chanteuse rousse à la voix rauque, venue de la Gaspésie pour faire sa marque au Québec et dans la francophonie.

Plusieurs autres chansons ont marqué l'année 1990 chez les hommes. Michel Rivard nous a fait cadeau de son hymne à la langue française, *Le cœur de ma vie* et Paul Piché de *Je lègue à la mer*. Quant à Gerry Boulet, il nous a laissé, avant de nous quitter pour l'au-delà : *Pour une dernière fois* et *Un beau grand bateau*. Il fallait bien que Julien Clerc fasse sa part avec *Fais-moi une place*.

Fais-moi une place
Au fond d'ta bulle
Et si j't'agace
Si j'suis trop nul
Je deviendrai
Tout pâle, tout muet, tout p'tit
Pour que tu m'oublies

Fais-moi une place
Au fond d'ton cœur
Pour que j't'embrasse
Lorsque tu pleures
Je deviendrai
Tout fou, tout clown, gentil
Pour qu'tu souris

J'veux q't'aies jamais mal
Qu't'aies jamais froid
Et tout m'est égal
Tout : à part toi
Je t'aime

C'est curieux de constater que chaque début de décennie est marqué par de nouveaux arrivants bourrés de talent. Plusieurs de ceux-là ont multiplié leurs efforts durant la décennie 80 pour prendre leur envol au tournant des années 90. Place à tous ces interprètes, auteurs et compositeurs, qui seront encore là après le début du nouveau millénaire. Patrick Norman (*Elle s'en va*), Roch Voisine (*Avant de partir*), Richard Desjardins (*Le bon gars*), Jean Leloup (*1990*) n'ont pas fini de nous émerveiller.

Il y a les missiles patriotes
Dirigés par ordinateur
Sony Fuji et Macintosh
Se culbutent dans les airs le rush
La guerre technologique fait rage
C'est un super méga carnage
Attention voilà les avions
Qui tirent
C'est l'heure de l'émission
En 1990
C'est l'heure de la médiatisation
En 1990
C'est l'ère de la conscientisation

Fini les temps maudits du sport
Du jogging et de la cigarette
La preuve en est nos beaux soldats
Américains qui sont là-bas
Bronzés à la vitamine D
Nourris aux fibres équilibrées
Les morts qui seront faits là-bas
Seront en bonne santé je crois

En 1990, il faut tenir compte et parler de l'engouement pour les voix fortes dans le domaine de la chanson populaire. Le phénomène mondial Céline Dion en est un bel exemple. Elle a suivi Ginette Reno et laissé une place à Lara Fabian, Marie Denise Pelletier, Marie Michèle Desrosiers, Johanne Blouin, des artistes qui ont du souffle et de l'ardeur.

Chez les hommes, Mario Pelchat a fait son entrée sur la pointe des pieds avec *Sur ta musique* et *Quand on y croit*. En 2007, il est en haut de l'affiche. Sylvain Cossette, Bruno Pelletier, Daniel Lavoie, font partie de cette catégorie de chanteurs à la voix forte et juste.

Laissons la musique et les paroles de la fin à Laurence Jalbert, qui nous chante avec beaucoup d'intensité : *Tomber*.

PHOTO : MICHEL GAGNÉ, ÉCHOS VEDETTES

Laurence Jalbert préfère souvent son rôle de maman. Son fils Nathan, né prématurément, lui a causé bien des soucis. Tout est maintenant rentré dans l'ordre. Elle a passé bien des nuits blanches à son chevet et à l'hôpital.

Tomber

1990

Paroles : Laurence Jalbert, Guy Rajotte - Musique : Guy Rajotte

J'ai blanchi toute une nuit
À noircir les feuilles
Noircir les feuilles de mes pensées
Arracher des morceaux de ma vie
Comme on déchire les pages d'un cahier
Au loin je les ai laissé partir
Je les ai laissé s'envoler
Partir à tous les vents
Partir de tous les côtés
Et tous ces inconnus qui les ont rattrapés
Ne connaissent de moi
Qu'une infime partie de mon infinité
Et je cherche encore

(Refrain)
On paie de sa vie à le chercher
On meurt d'envie de retomber
Tomber, tomber en amour
On s'fend le cœur
Pour vivre à deux
On s'rattrape et puis on devient vieux
À tomber, tomber en amour

J'ai marché pour blanchir une nuit
Fermé les yeux pour blanchir toute une vie
Entre le hasard et le choix
Y a pas d'excuses qui se glissent de ta foi
Non
De répondre oui de répondre non
Y a toujours quelqu'un qui pose trop de questions
Un jour tu finiras par comprendre
Que ta vie est suspendue à ton charme
Toi, l'imbécile, tu ris et tu danses
Mais y a des jours où tu ne paies rien pour attendre
Oh ! c'est pas facile

(Au refrain)

Laurence Jalbert

Née Lise Jalbert, le 18 août 1958, à Rivière-au-Renard (Québec)

Dans sa Gaspésie natale et au Québec, l'adolescente de 16 ans, deuxième d'une famille de trois enfants, entreprend de faire des tournées de pianos-bars et de sombres cabarets, seule ou avec des groupes rock. Elle connaît la gloire en 1990, avec deux grandes chansons : *Tomber* et *Au nom de la raison*, deux des dix tubes à avoir le plus tourné dans les stations de radio.

Comme auteure, compositeure et interprète, Laurence a pris le vent du large pour atterrir de l'autre côté de l'Atlantique. Elle a semé du bon grain dans dix grandes villes de France, Lyon, Grenoble..., avec son spectacle : *Petite vallée traverse la mer avec Laurence Jalbert à la barre.* Au fil des ans, elle a ajouté à son répertoire des chansons de Michel Berger (*Évidemment*), Michel Fugain (T*out va changer*), Charles Aznavour (*Il faut savoir*)...

La chanteuse à la voix rauque et aux cheveux roux naturels, écrit des textes percutants, laissant voir qu'elle n'a pas eu la vie facile. On voit sa préoccupation de la situation des femmes et la violence qu'on leur afflige. Sa chanson *Encore et encore* en dit long sur sa compassion et son état d'âme :

Je l'ai vue dans leurs yeux, l'envie folle
De te faire du mal, de te blesser
Je les ai vus t'arracher
Ce qui restait de ton âme et de tes poupées...

J'ai tellement voulu retenir
Supplier, regarder droit dans les yeux
Mais jamais je ne les laisserai t'emporter
Encore et encore

Dès sa naissance, son fils Nathan, né prématurément, lui a causé bien des maux de tête. Elle en a passé des nuits blanches à son chevet et effectué des allers-retours à l'hôpital. « Pour une mère, la maladie de son enfant, il n'y a rien de pire qu'on puisse vivre dans la vie. »

Puis à son tour, Laurence est tombée malade. Elle a combattu la bactérie mangeuse de chair et est sortie grandie de cette dure épreuve. Sa foi ardente a vacillé pour un moment de doute. Quant à sa fille Jessie, elle aurait bien voulu que sa maman soit jardinière plutôt que chanteuse, pour ne pas souffrir de ses absences. Depuis, elle lui a donné un petit-fils et toutes les deux sont devenues des amies inséparables.

PHOTO : DENIS ALIX, ÉCHOS VEDETTES

En 30 ans de carrière, Laurence Jalbert avoue n'avoir jamais pris d'année sabbatique. Trouvera-t-elle le temps de se reposer sur ses lauriers dans sa petite maison renovée du Parc Forillon.

Quand elle a rencontré le nouvel homme de sa vie en Gaspésie, Laurence a remercié le ciel de ce beau cadeau. « Mike a profondément bouleversé ma vie. C'est un Hollandais croyant comme moi. Lui, c'est la méditation au crépuscule du matin. Mariée depuis cinq ans, je vis heureuse et comblée, tout en restant bien proche des gens qui souffrent en silence dans la solitude. J'essaie de redonner ce que j'ai reçu et ce que je reçois au centuple. »

Après la sortie de son premier album éponyme, sur étiquette Audiogram au Québec et Vogue en France, elle est la découverte de l'année au Gala de l'ADISQ, en 1991. La vedette montante participe au Festival international de jazz de la Louisiane et au spectacle *Le Québec a des elles*, devant plus de 60 000 personnes rassemblées à Montréal, sa métropole depuis bientôt 30 ans. Son passage au Festival de La Rochelle ne passe pas non plus inaperçu.

PHOTO : JACQUES GRÉGORIO, ÉCHOS VEDETTES

Dès que Raymond Lévesque s'amène sur la place publique, tous les artistes tiennent absolument à se faire photographier en sa compagnie. Cet homme chaleureux trouve toujours les mots pour féliciter ses camarades.

Après avoir reçu un prix pour le meilleur spectacle au Festival international d'été de Québec, elle part en tournée dans 150 villes, avec le prix Ciel-Raymond Lévesque dans ses bagages. Laurence poursuit son cheminement par l'écriture de son album *Corridors*, en 1993, qui comprend *Héros, Il me reste à vous, Qui me l'a dit, De la neige, Encore et encore*... L'année suivante, la voilà de nouveau sur les routes des chansons, aux FrancoFolies de Montréal et au spectacle de clôture de La symphonie du Québec.

Récipiendaire d'un Félix pour son album pop-rock de l'année, certifié platine à plus de 100 000 exemplaires vendus, elle offre un tout nouveau spectacle acoustique. En compagnie des grands noms du spectacle du Québec, elle est acclamée à la Fête nationale de la Saint-Jean-Baptiste à Montréal, devant près de 100 000 personnes.

PHOTO : PAUL DUCHARME, ÉCHOS VEDETTES

Avec Laurence Jalbert, Monsieur Pointu donne un aperçu de son talent. Grâce à *La vente aux enchères* (Musique Gilbert Bécaud - Paroles Maurice Vidalin) notre violoneux a fait le tour du monde avec Monsieur 100 000 volts.

En 1995, Laurence est la marraine du *Festival annuel de la chanson de Petite-Vallée*, en Gaspésie, se rappelant l'importance pour elle d'avoir remporté à ses débuts le concours de l'*Empire des futures stars*. Son engagement envers les artistes de la relève ne s'arrête pas là. Elle sera, plus tard, porte-parole du *Festival international de la chanson de Granby*, où Lynda Lemay, Jean Leloup, Luc de Larochelière firent leurs débuts. Laurence jouera le même rôle dans le cadre de l'événement *Gatineau prend la scène*.

Son troisième album, A*vant le squall*, en 1998, la projette de nouveau sous les feux de la rampe. Le squall, explique la guerrière enjolivée par de fines dentelles, c'est une tempête, une rafale. Quelque chose de précis pour les gens au bord de la mer.

Pour les matins
Où je me sens comme un rien
Que le vent tient par la main
Le lendemain je me vois
Tout comme un matin
Dans un écrin
Où j'ai mis ma tête (bis)

Tous les marins
Peuvent me chanter le même air
Moi je n'entends plus rien
Je pose mes mains
Directement sur la terre
Là, j'les entends très bien
Je suis ma paix, ma guerre
Mon paradis, mon enfer

Dans l'espace qu'occupe un moment
Me reste-t-il encore de la place
Pour un instant ?...

Les thèmes de ses nouveaux textes traduisent toujours son engagement, sa combativité pour les êtres humains désireux de s'en sortir. Écoutez-la bien chanter *Mots de femme, Qui est cet homme, Chanson pour Nathan* et *Les blues du cœur*, qui occupa longtemps le haut des palmarès.

Un autre album prendra forme, en 2001, *Et j'espère*, avec des textes bien fignolés, *Berceuse, En silence, Ton habitude*... Elle fait appel à des paroliers réputés, Serge Lama, Nelson Mainville, Roger Tabra... La critique et le public sont parfaitement d'accord. Il faudra attendre le mois de février 2004 pour se procurer un autre disque compact comprenant ses plus grands succès. Cette année-là, elle va offrir à ses fans son plus beau cadeau du temps des fêtes, l'album : *Le Noël des anges*. Elle est accompagnée par une harmonie de cordes, sous la direction de Simon Leclerc.

Après une deuxième participation à la Fête nationale du parc Maisonneuve, à Montréal, avec Paul Piché, Luck Mervil, Daniel Boucher, Mélanie Renaud et Normand Brathwaite, elle est repartie en tournée avec son spectacle, *Évidemment*. En 30 ans de carrière, elle a vendu plus d'un demi-million de disques et avoue n'avoir jamais pris d'année sabbatique. Laurence Jalbert a besoin de chanter, ici et dans la francophonie, ses mots enflammés qu'on retrouve dans ses grandes chansons d'aujourd'hui et de demain. Réalisera-t-elle son rêve de prendre sa retraite en Gaspésie, dans la petite maison qu'elle a rénovée dans le Parc Forillon ?

Qui a le droit ?

Paroles et musique : Patrick Bruel

Photo : Echos Vedettes

Interprète...

Patrick Bruel

Qui a le droit ?

1991

On m'avait dit : Te poses pas trop de questions.
Tu sais petit, c'est la vie qui t'répond.
À quoi ça sert de vouloir tout savoir ?
Regarde en l'air et vois c'que tu peux voir.

On m'avait dit : « Faut écouter son père. »
Le mien a rien dit, quand il s'est fait la paire.
Maman m'a dit : « T'es trop p'tit pour comprendre. »
Et j'ai grandi avec une place à prendre.

(Refrain)
Qui a le droit, qui a le droit,
Qui a le droit d'faire ça
À un enfant qui croit vraiment
C'que disent les grands ?
On passe sa vie à dire merci,
Merci à qui, à quoi ?
À faire la pluie et le beau temps
Pour des enfants à qui l'on ment.

On m'avait dit que les hommes sont tous pareils.
Y a plusieurs dieux, mais y'a qu'un seul soleil.
Oui mais, l'soleil il brille ou bien il brûle.
Tu meurs de soif ou bien tu bois des bulles.

À toi aussi, j'suis sûr qu'on t'en a dit
De belles histoires, tu parles... que des conneries !
Alors maintenant, on s'retrouve sur la route,
Avec nos peurs, nos angoisses et nos doutes.

(Au refrain)

Après l'énorme succès de *Casser la voix*, en 1989, vendu à plus de deux millions et demi d'albums, il fallait une autre chanson de qualité afin de franchir et maintenir le cap de la popularité de Patrick Bruel. Son alter ego, Gérard Presgurvic, lui est venu en aide pour peaufiner ce nouveau tube, *Qui a le droit* ?, en 1991.

Depuis leur rencontre à New York, en 1980, ces deux auteurs-compositeurs sont devenus indispensables, l'un envers l'autre. Ils ont concocté un plan infaillible, une recette personnelle dans leur façon de travailler à l'éclosion de petits chefs-d'œuvre. Depuis, Presgurvic est devenu un musicien en demande. En 1982, il a écrit la musique de *Chacun fait ce qui lui plaît*, sur des paroles de Gérard Bourgoin. On peut dire que ce fut le premier rap français :

Cinq heures du mat'
J'ai des frissons
Pendant qu'Boulogne se désespère...

Au Gala de l'ADISQ de 1991, à Montréal, Patrick Bruel a reçu le Félix de l'artiste masculin étranger s'étant le plus illustré au Québec. Ses chansons *Qui a le droit* et *Place des Grands Hommes* ont contribué à cette reconnaissance. Du côté de l'interprète féminine étrangère la plus populaire au Québec, Patricia Kaas a mérité le même honneur.

En Europe, la nouvelle décennie 90 a été marquée par de nouveaux visages, qui sont toujours dans le paysage, en 2007. En plus de Patrick Bruel, on voit surgir les noms de Liane Foly, Pauline Ester, Jean-Jacques Goldman, Marc Lavoine, Julien Clerc, Claude Barzoti... Au Québec, on laisse entrer par la grande porte : Laurence Jalbert, Martine St-Clair, Lara

Fabian, Mario Pelchat, Richard Desjardins, avec sa chanson *Quand j'aime une fois j'aime pour toujours*, reprise par Francis Cabrel en 1992.

On ne peut pas passer sous silence les Félix accordés à Roch Voisine et Gerry Boulet comme les artistes masculins de l'année 1990. Pour bien longtemps, on chantera *Les yeux du cœur*, dont les paroles sont de Jean Hould et la musique de Gerry Boulet :

Aujourd'hui je vois la vie
Avec les yeux du cœur
J'suis plus sensible à l'invisible
À tout ce qu'il y a à l'intérieur
Aujourd'hui je vois la vie
Avec les yeux du cœur
Les yeux du cœur

Revenons à l'ami Bruel : c'est à partir d'une liste de 200 chansons que Patrick et ses deux frères musiciens, Fabrice et David Moreau, ont fait un choix de 23 succès d'hier pour cet album, *Entre-deux*, paru en 2002. Des titres évocateurs d'une époque, des paroles inoubliables et historiques comme *La java bleue, Celui qui s'en va*, créée par Damia, *Ménilmontant* de Charles Trenet, chantée en duo avec Charles Aznavour, artiste le plus présent sur ce disque avec cinq refrains. Le chanteur a aussi fait appel à ses amis, Charles Aznavour, Alain Souchon, Francis Cabrel, Danielle Darrieux et, bien entendu, sa belle-sœur Isabelle Béart, mariée à son frère David.

Francis Cabrel reprend avec son ami Bruel *La complainte de la Butte* de Jean Renoir et Georges Van Parys. Quant à Johnny Hallyday, il interprète avec Patrick, sur un air de swing et de rock'n'roll, cette rengaine popularisée en 1937 par Ray Ventura

et son orchestre, *Qu'est-ce qu'on attend pour être heureux?*, paroles d'André Hornez sur une musique de Paul Misraki :

Qu'est-c'qu'on attend pour être heureux ?
Qu'est-c'qu'on attend pour faire la fête ?
Y a des violettes
Tant qu'on en veut
Y a des raisins, des roug's, des blancs, des bleus,
Les papillons

Une des versions les plus importantes de l'album, *Entre-deux*, est certainement l'interprétation française de *Tout le jour, toute la nuit*, adaptation de *Night and Day* créée par Cole Porter, en 1937. Bruel la chante en duo avec la Japonaise Kahimi Karl.

PHOTO : SIMON-PIERRE GINGRAS

Gilbert Rozon, à droite, en compagnie de son fils Arthur, à gauche, et de Michel Leeb, au centre. Cet humoriste peut facilement imiter Ray Charles, Patrick Bruel, Charles Trenet, Jacques Chirac...

La romance de Paris

1942

Paroles : Charles Trenet - Musique : Léo Chauliac

Ils s'aimaient depuis
deux jours à peine
Y a parfois du bonheur dans la peine
Mais depuis qu'ils étaient amoureux
Leur destin n'était plus malheureux
Ils vivaient avec un rêve étrange
Et ce rêve était bleu
comme les anges
Leur amour était un
vrai printemps, oui !
Aussi pur que leurs
tendres vingt ans

(Refrain)
C'est la romance de Paris
Au coin des rues elle fleurit
Ça met au cœur des amoureux
Un peu de rêve et de ciel bleu
Ce doux refrain de nos faubourgs
Parle si gentiment d'amour
Que tout le monde en est épris
C'est la romance de Paris !

La banlieue était
leur vrai domaine
Ils partaient à la fin de la semaine
Dans les bois pour
cueillir le muguet
Ou sur un bateau pour naviguer
Ils buvaient aussi
dans les guinguettes
Du vin blanc qui fait tourner la tête,
Et quand ils se donnaient
un baiser, oui !
Tous les couples en
dansant se disaient

(Au refrain)

C'est ici que s'arrête mon histoire
Aurez-vous de la peine à me croire ?
Si j'vous dis qu'ils
s'aimèrent chaque jour
Qu'ils vieillirent avec
leur tendre amour
Qu'ils fondèrent une
famille admirable
Et qu'ils eurent
des enfants adorables
Qu'ils moururent gentiment,
inconnus, oui !
En partant comme ils étaient venus.

(Au refrain)

CHARLES TRENET

Patrick Bruel

Né Patrick Benguigui, le 14 mai 1959, à Tlemcen (Algérie)

La famille Benguigui est au nombre du million de pieds-noirs qui quittent l'Algérie, en 1962, pour débarquer en France, avec ou sans bagages. Elle s'installe dans une école d'Argenteuil (Val d'Oise), au milieu de meubles usagés qu'on lui a donnés. Patrick est le fils d'enseignants, la jolie Augusta Kammoun, qui occupera un poste d'institutrice dans cet établissement scolaire, et Isaac Benguigui, natif d'Oran, qui sortira vite du décor matrimonial.

L'enfant abandonné par son père, il en souffrira toute sa vie, se colle au jupon de sa mère, mais ne tarde pas à lui venir en aide, dès son plus jeune âge. Il effectue à la ronde de petits travaux rémunérateurs. Au tournant des années 70, il aura deux demi-frères, Fabrice et David Moreau. Patrick, le débrouillard, aura de la difficulté à se faire accepter par sa belle-famille.

Avec un tel nom, Benguigui, les enfants sont victimes de quolibets et d'allusions racistes. Le clan reste solidaire et encaisse les coups sans rechigner. L'hostilité finira par s'estomper. Patrick rêve de devenir pompier ou chauffeur de bus, comme plusieurs de ses petits camarades de classe, qui le voient différemment. On lui répète qu'il sera un jour comédien ou chanteur populaire, ce qui ne l'impressionne pas du tout.

À sept ans, il entonne après le repas *Amsterdam* de Jacques Brel et *Aux marches du palais*, vieille chanson de France de 1732, que Guy Béart a reprise sur disque, en 1966, tout juste après Marie Laforêt et bien avant Sylvie Vartan, en 1997 :

Aux marches du palais (bis)
Y'a une tant belle fille, lon, la,
Y'a une tant belle fille.

Elle a tant d'amoureux (bis)
Qu'ell'ne sait lequel prendre lon, la,
Qu'ell'ne sait lequel prendre.

C'est un p'tit cordonnier (bis)
Qu'a eu sa préférence...

Adolescent, il est fou du foot et veut devenir champion dans cette discipline. Sera-t-il chanteur ou footballeur ? Encore aujourd'hui, il assiste à tous les matchs de gala avec le Variétés Club de France.

PHOTO : ÉCHOS VEDETTES

Sur les ondes de Rythme FM, l'animateur Mario Lirette reçoit des invités de marque à ses émissions de fin de semaine. Il est très heureux de s'entretenir avec le sympathique Patrick Bruel, qui se prête facilement au jeu de la publicité.

Après un premier grade universitaire, il fait un stage de GO dans un Club-Med, où il apprend l'anglais et l'espagnol, mais aussi la guitare et le répertoire de Jacques Brel, Serge Reggiani et Joe Dassin. Le gentil organisateur donne, le soir, ses premiers concerts improvisés

De passage à Paris, il voit une petite annonce dans *France-Soir*. On demande deux jeunes comédiens avec l'accent pour jouer dans le film d'Alexandre Arcady, *Le coup de Sirocco*. Il décroche le rôle du rapatrié d'Algérie, Paulo Narboni, aux côtés de Roger Hanin et Marthe Villanlonga, en 1978, et devient aussitôt une révélation au grand public et un vrai bourreau des cœurs.

Pendant un an, le bel Adonis s'installe à New York. Il a besoin de prendre le vent du large pour vivre de nouvelles expériences. Avec sa gueule d'ange, son charisme et son physique séduisant, il ne sait plus où donner de la tête. Ce n'est pas facile d'avoir vingt ans et d'être un prince charmant. Sa rencontre, en sol américain, avec Gérard Presgurvic est salvatrice. Ensemble, ils écrivent les textes d'un premier 45-tours, *Vide* et *Jusqu'au bout,* qui passera inaperçu.

Après 1983, deux chansons, *Marre de cette nana-là* et *Comment ça va pour vous?* font démarrer sa carrière. C'est en voyant Michel Sardou, à l'Olympia de Paris, qu'il avait eu un coup de foudre pour ce métier de chanteur.

De retour à Paris, on le fait tourner dans les films : *Ma femme s'appelle reviens, Les diplômés du dernier rang, Le bâtard, Le grand carnaval, Attention, bandits*! de Claude Lelouch, avec Jean Yanne. C'est grâce à son rôle au côté de Fabrice Luchini, dans P.R.O.F.S. de Patrick Schulman, qu'il acquiert sa grande renommée d'acteur. Jusqu'en 1999, on le verra dans une vingtaine de longs métrages.

On l'applaudit également au théâtre dans *Le Charimari*, 400 fois en deux ans, et dans *On m'appelle Émilie*. Au petit écran, il est au générique de plusieurs téléséries, *Maigret se trompe, Les malheurs de Malou*... « Il m'a fallu travailler pour vivre, pour payer mon loyer. Alors, il y a eu des films et des films. Des biens et des moins biens. Y'en a que j'aime pas revoir, mais bon, je les ai tournés. »

Arrivé à la trentaine, son charme de grand frère et d'amant romantique opère de plus en plus chez les ados. C'est le début de la Bruelmania. Sur scène, dit-on, les milliers de spectateurs sont en transe, les jeunes filles s'évanouissent et le public est séduit par son jeu de scène et sa simplicité. « Je ne fais rien, dit-il, pour plaire à tout le monde. Je ne vais pas m'emmerder avec des rapports fabriqués. »

PHOTO : JACQUES GRÉGORIO, ÉCHOS VEDETTES

L'événement musical de l'année 1989 est bien le début de la Bruelmania avec ce nouvel album vendu à deux millions et demi d'exemplaires. *Casser la voix* est propulsé au sommet du Top 50, suivi de *J'te l'dis quand même*.

Patrick a besoin d'être à la disposition des gens qui veulent le voir de près, lui parler, le toucher. Une nuit de cafard, alors qu'il se sent seul aux Francofolies de La Rochelle, il écrit d'une traite les paroles de *Casser la voix*. Son grand ami, Gérard Presgurvic lui viendra en aide. C'est le premier gros tube de Bruel sur son album, *Alors regarde*, qui s'envolera à plus de deux millions et demi d'exemplaires. Cette chanson sera reprise par Patricia Kaas, David Hallyday et Garou dans l'album *Enfoirés* en 2000.

Si, ce soir, j'ai pas envie d'rentrer tout seul,
Si, ce soir, j'ai pas envie d'rentrer chez moi,
Si, ce soir, j'ai pas envie d'fermer ma gueule,
Si, ce soir, j'ai envie d'me casser la voix,
Casser la voix, casser la voix,
Casser la voix, casser la voix.

J'peux plus croire tout c'qui est marqué sur les murs.
J'peux plus voir la vie des autres même en peinture.
J'suis pas là pour les sourires d'après minuit.
M'en veux pas, si ce soir j'ai envie...

Casser la voix engendre une série de tubes chantés dans toute la francophonie, notamment au Québec, au théâtre Saint-Denis, en octobre 2000. Le public connaît son répertoire par cœur et fredonne avec lui *Qui a le droit ?, J'te dis quand même, J'te mentirais, Place des Grands Hommes...*

On se rend compte que les chansons de Bruel sont pour les jeunes une échappatoire, une prise de position politico-morale. Le bagarreur s'engage dans la lutte contre le racisme et l'extrême droite et refuse de se produire dans les grandes villes représentées par le Front national de Jean-Marie Le Pen.

Les médias rapportent que la vie artistique de Bruel est riche, mais sa vie sentimentale, source d'inspiration de ses chansons, est malheureuse.

Être romantique, selon Patrick, « c'est savoir regarder l'autre. Sourire à quelqu'un qui se trouve à vingt mètres ou, quand tu es loin, sentir que l'autre est là. Moi, j'ai un cœur d'artichaut. Je suis fragile. Je me caparaçonne. De toute façon, j'ai envie de passer à autre chose. De fonder une famille. D'avoir des enfants. Envie de partager tout ce que je vis. Parfois, je me sens un peu seul. Comme tout le monde. »

Entre 1990 et 2000, on n'arrive pas à compter le nombre de spectacles qu'il a effectués dans toute la France et à l'extérieur de son pays d'adoption, au Liban, en Israël, au Sénégal... Ses albums *Si ce soir* et *Bruel (live)* se vendent toujours par millions. *Combien de murs, Pars pas, Bouge* sont au palmarès.

À deux mois d'intervalle, il remplit le Palais des Sports et surtout Bercy, qui selon Michel Drucker, est l'équivalent d'une Légion d'honneur pour un artiste. Sa maman fort discrète, Augusta, assiste régulièrement à ses concerts. Dans les coulisses, on la prend souvent pour sa sœur aînée.

Après cinq années de silence, Patrick sort l'album *Juste avant*, en 2000, avec des textes qui évoquent ses origines algériennes, sa famille, son grand-père Elie. Sa chanson *Le Café des délices* va droit au cœur des gens de toutes les couleurs et de tous les âges. Avec ses camarades, Jean-Jacques Goldman et les autres, il s'implique avec vigueur dans l'œuvre humanitaire de Coluche (1944-1986), créateur des Restaurants du cœur.

On ne s'étonne pas d'apprendre que Patrick, lors de son service militaire, quitte la caserne à six heures le soir pour y revenir à cinq heures du matin. Malgré le fait qu'il tient à garder personnelle sa vie quotidienne, il lui arrive de faire des confidences entendues par les échotiers toujours à la recherche d'une nouvelle de première page. Faut-il parler de sa passion pour le poker, dont il a été le champion d'un tournoi international à Las Vegas, en 1998 ?

On apprend beaucoup de petits secrets dans le livre intitulé *Patrick Bruel*, en 1991, de Sophie Grassin et Gilles Médioni, journalistes à *L'Express*. Il a eu de nombreuses liaisons amoureuses, souvent platoniques, avec Marion, Pascale, Laurence, Évelyne, Patricia, la Brésilienne, qui lui a appris la samba... En parlant de Marie-France Gros, mère de deux enfants, Patrick dit qu'elle a bouleversé sa vie, durant la production de son album *Juste avant*. « Elle a sa vie, j'ai la mienne. Seule l'écriture nous unit. »

PHOTO : ÉCHOS VEDETTES

« Partir en tournée, raconte Patrick, c'est astreignant physiquement. T'a envie de te déchirer avec tes potes dans une boîte de nuit, mais tu peux pas. Il faut aller te coucher. sous peine d'être mauvais le lendemain... »

Pour certains, Bruel est un obsédé du travail bien fait. Il cherche toujours à atteindre la perfection. Pas surprenant qu'il ait choisi comme nom, celui de Bruel, amalgame de ses idoles de jeunesse, Bruant (Aristide) et Brel (Jacques), deux géants de la chanson française. Patrick a finalement été reconnu comme un artiste polyvalent, sensible et intelligent. C'est toujours avec modestie qu'il reçoit ses décorations, ses Victoires de la musique en France et ses Félix au Gala de l'ADISQ au Québec.

Claude Lelouch connaît bien Patrick Bruel : « C'est un enfant qui a envie de devenir un homme, et il fera tout pour le devenir... Beaucoup d'acteurs veulent rester dans l'enfance, mais ils le restent seuls, car le public grandit et les oublie. Lui va durer. Il va aller plus loin encore. Au cinéma, j'ai envie qu'il prenne quelques rides... »

PHOTO : JOCELYN CHEVALIER, ÉCHOS VEDETTES

À quelques reprises, Patrick Bruel a remporté des Félix au Gala de l'ADISQ. En France, il a décroché sa première Victoire de la musique, en 1992, comme le meilleur interprète masculin.

Indépendant de fortune, Patrick peut se reposer sur ses lauriers et prendre tout son temps. *Le Figaro* révèle le nom des chanteurs les mieux payés, en 2002. Bruel est au premier rang, avec un revenu de près de huit millions de dollars. En deuxième position, on retrouve Renaud, suivi de Jean-Jacques Goldman, Johnny Hallyday et Pascal Obispo.

En 2007, le jeune retraité de 48 ans, pour un temps limité, vit paisiblement avec son épouse et ses deux enfants, dans sa demeure de Neuilly-sur-Seine. Sa belle vue sur le bois de Boulogne lui inspirera sûrement de nouvelles rengaines. Il a enfin trouvé le bonheur, le calme et la sérénité. Son dernier album, *Des souvenirs devant*, est un cadeau offert à ses nombreux admirateurs de la francophonie. « Depuis le début de ma vie, j'avais fait confiance à mon destin. Mais je ne savais pas de quoi il allait être fait, si ça allait être un destin de chanteur, d'acteur, de footballeur, de prof... »

S'il suffisait d'aimer

Paroles et musique : Jean-Jacques Goldman

Interprètes...

Céline Dion

Chœur des saisons, Yvette d'Entremont, Jocelyne Gagnon, Angèle Giroux, France Levasseur. Québecisme, Symphonie vocale des policiers de la CUM, Suzanne Tardif, Roméo Vadura, Marilyne Vaugeois, Annie Villeneuve...

S'il suffisait d'aimer

Je rêve son visage, je décline son corps
Et puis je l'imagine habitant mon décor
J'aurais tant à lui dire si j'avais su parler
Comment lui faire lire au fond de mes pensées ?
Mais comment font ces autres à qui tout réussit ?
Qu'on me dise mes fautes, mes chimères aussi
Moi j'offrirais mon âme, mon cœur et tout mon temps
Mais j'ai beau tout donner, tout n'est pas suffisant

S'il suffisait qu'on s'aime, s'il suffisait d'aimer
Si l'on changeait les choses un peu, rien qu'en aimant donner
S'il suffisait qu'on s'aime, s'il suffisait d'aimer
Je ferais de ce monde un rêve, une éternité

J'ai du sang dans mes songes, un pétale séché
Quand des larmes, me rongent que d'autres ont versées
La vie n'est pas étanche, mon île est sous le vent
Les portes laissent entrer les cris mêmes en fermant

Dans un jardin d'enfant, sur un balcon des fleurs
Ma vie paisible où j'entends battre tous les cœurs
Quand les nuages foncent, présages des malheurs
Quelles armes répondent aux pays de nos peurs ?

S'il suffisait qu'on s'aime, s'il suffisait d'aimer
Si l'on changeait les choses un peu, rien qu'en aimant donner
S'il suffisait qu'on s'aime, s'il suffisait d'aimer
Je ferais de ce monde un rêve, une éternité

S'il suffisait qu'on s'aime, s'il suffisait d'aimer
Si l'on pouvait changer les choses et tout recommencer
S'il suffisait qu'on s'aime, s'il suffisait d'aimer
Nous ferions de ce rêve un monde
S'il suffisait d'aimer

Pour assurer la relève d'Eddy Marnay et de Luc Plamondon auprès de Céline Dion, il fallait un parolier de génie comme Jean-Jacques Goldman pour suivre la trajectoire de cette étoile en orbite. Cet auteur, compositeur et interprète est entré dans le cœur des Français, il y a 25 ans, avec sa chanson *Il suffira d'un signe*, suivi de *Quand la musique est bonne*.

En 1995, la première rencontre de Céline avec Jean-Jacques porte fruit. Il s'engage à lui écrire un album complet, en tenant compte de ses aspirations, de son cheminement. Ce disque compact intitulé *D'eux* sortira quelques mois plus tard. On y retrouve 12 titres, notamment R*egarde-moi, Je sais pas, J'irai où tu vas, Le ballet, Pour que tu m'aimes encore*, qui a dominé les palmarès de toute la francophonie :

J'ai compris tous les mots, j'ai bien compris, merci !
Raisonnable et nouveau, c'est ainsi par ici
Que les choses ont changé, que les fleurs ont fané
Que le temps d'avant, c'était le temps d'avant
Que si tout zappe et lasse, les amours aussi passent

Il faut que tu saches

J'irai chercher ton cœur si tu l'emportes ailleurs
Même si dans tes danses d'autres dansent tes heures
J'irai chercher ton âme dans les froids dans les flammes
Je te jetterai des sorts pour que tu m'aimes encore…

Lors de la remise des Victoires de la musique en France, cette chanson de Goldman, reprise par Liane Foly et Hélène Segara, est choisie comme la meilleure de l'année 1996. Lors de cet événement, Céline reçoit le trophée de la chanteuse francophone la plus populaire. Jean-Jacques confie à Alain Brunet de

La Presse : « J'ai travaillé avec Céline, puis je n'ai plus eu très envie de travailler avec les autres. Quand on a affaire à un phénomène comme celle-là, les autres après c'est difficile, quoi. »

En 1998, Céline Dion renoue avec le tendre et prolifique auteur-compositeur pour produire 12 chansons sur un deuxième album, *S'il suffisait d'aimer*, dont plusieurs titres tournent régulièrement sur nos ondes : *On ne change pas, En attendant ses pas, Zora sourit, Je chanterai* :

Et quand nous aurons fait le tour de nos ultimes projets
Quand nous apprendrons à aimer nos échecs et nos regrets
Quand nous en serons à ouvrir
nos livres de souvenirs
Je chanterai, je chanterai, je chanterai
Je chanterai toujours

Pendant un bon moment, ce faiseur de tubes en or met en veilleuse sa collaboration avec d'autres interprètes de renom tels Patricia Kass (*Il me dit que je suis belle*), Khaled (*Aïcha*), Florent Pagny, Marc Lavoine, Johnny Hallyday, Robert Charlebois avec lequel il s'est produit pour la première fois au Québec.

Comment expliquer l'immense succès de Jean-Jacques Goldman, né à Paris, le 11 octobre 1951 ? Il est le troisième d'une famille juive polonaise de quatre enfants. « Avec un père polonais et une mère allemande, même en naissant en France, on a toujours l'impression de venir d'ailleurs... »

Dès 1965, ce musicien de bal joue du piano, de la guitare, du violon et chante à l'occasion. Il étudie trois ans à Lille, ville culturelle d'un million d'habitants, dans une école des Hautes études commerciales et fait aussi son service militaire dans l'armée de l'air.

Au milieu des années 70, Goldman enregistre trois microsillons avec son groupe, Taï Phong (Grand vent en vietnamien), mais aussi trois 45-tours en solo. En 1981, il lance son premier album et la chanson *Il suffira d'un signe* sera le tube de l'année. D'autres disques suivront, celui de 1985, *Non homologué* (Epic/Sony) se vendra à plus d'un million d'exemplaires. C'est la folie furieuse lorsqu'il monte sur la scène de l'Olympia et du Palais des Sports pour chanter *Confidentiel*, dédié à Daniel Balavoine, décédé le 14 janvier 1986, avec trois autres personnes, quand leur hélicoptère s'est écrasé à Mali. Les paroles de cette mélodie évoquent le souvenir de cet artiste, qui occupa un premier rôle dans *Starmania* de Luc Plamondon et Michel Berger :

Je voulais simplement te dire
Que ton visage et ton sourire
Resteront près de moi
Sur mon chemin
Ça restera comme une lumière
Qui m'tiendra chaud dans mes hivers
Un petit feu de toi qui s'éteint pas

Après 18 concerts au Zénith à Paris, Goldman entreprend de longues tournées européennes pour se retrouver au Festival international d'été à Québec, en 1986. C'est seulement au début des années 90 qu'il se met à écrire sans relâche pour d'autres artistes. Cet homme discret, généreux, intelligent, qui n'aime pas les voitures sport et les vêtements de luxe, ne veut pas trop en dire sur sa vie sentimentale. Marié à Catherine en 1975, il est père de trois enfants, Michaël, Caroline et Nina. Malgré sa fortune colossale, il refuse de s'offrir bien des extravagances. « Je pourrais, dit-il, vivre loin des lumières et des bravos. »

Quant à Eddy Marnay, on sait que ce gentilhomme par excellence est responsable de la montée fulgurante de Céline en France. Cet auteur de 3500 chansons lui en a écrit une soixantaine sur mesure. Plusieurs ont été couronnées d'or et de grand prix. On a tous chantonné un jour ou l'autre *D'amour ou d'amitié, Mon ami m'a quitté, Tellement j'ai d'amour pour toi, Mélanie* sur une musique de Diane Juster :

Mélanie pardonne-moi si je t'appelle ainsi
Mais les chagrins sont des millions
Et je rassemble en un seul nom
Tous les enfants de ma chanson

Les enfants qui sont au bord de la nuit
Les enfants qui ne deviendront jamais grands…

Eddy Marnay, de son vrai nom Edmond David Bacri, est né le 18 décembre 1920 en Algérie, sous le régime français. Il déménage à Paris avec sa famille, au début des années 30, à l'époque où Mistinguett, Maurice Chevalier et Lucienne Boyer prennent leur envol. En 1948, Édith Piaf chante l'un de ses premiers textes, *Les amants de Paris*, sur une musique de Léo Ferré.

Au début des années 60, il écrit de grandes chansons pour Yves Montand (*Planter café*), Bourvil (*La ballade irlandaise*), Marie Laforêt (*Yvan, Boris et moi*), Michel Legrand (*Les moulins de mon cœur*), Jacqueline François (*Que sera, sera*). On ne compte plus les tubes qu'il a signés pour Serge Reggiani, Claude François, Nana Mouskouri, Dalida, France Gall, Frida Boccara, qui a remporté le prix de l'Eurovision, en 1969, avec *Un jour, un enfant.* Puis Mireille Mathieu, issue d'une famille de 14 enfants tout comme Céline Dion, est devenue sa principale interprète.

Dans les années 80 et jusqu'à la fin de sa vie, il collabore surtout avec des artistes québécois tels Ginette Reno, Mario Pelchat, Marie Denise Pelletier, Johanne Blouin, Shirley Théroux. Avec Suzanne-Mia Dumont, qui l'a amené à Céline Dion, il a partagé une belle et intense histoire d'amour et d'amitié qui a duré plus d'une quinzaine d'années. Elle était à son chevet en 2003, affirme le chanteur Pière Senécal, qui a sorti en 2002 un bel album en hommage à Eddy Marnay.

Dans une lettre adressée le 20 novembre 2001, il nous fait un immense plaisir, que nous aimerions partager avec nos lecteurs : « Cher Marcel, je viens de recevoir vos derniers ouvrages qui dénotent une passion sincère et un talent véritable. Merci de m'y avoir fait une place qui m'honore. Il est vrai que j'ai beaucoup écrit pour les artistes québécois et qu'il m'a été offert d'être au départ de la carrière de Céline Dion, mais je n'ai fait que rendre à votre beau pays le dixième de ce qu'il m'a donné. Cette belle terre et les gens qui la peuplent m'ont apporté un regain d'enthousiasme et de jeunesse, beaucoup d'amour et des joies. »

En chantant *Une colombe*, en présence du pape Jean-Paul II, en 1984, Céline Dion a touché le cœur de la foule rassemblée au Stade olympique de Montréal et des nombreux téléspectateurs d'ici et d'ailleurs. Les paroles de cette superbe chanson de Marcel Lefebvre évoquent de bien beaux souvenirs. Cet auteur, né à Québec le 26 octobre 1941, fut le concepteur et metteur en scène de ce grandiose spectacle.

Jamais en mal d'inspiration, Marcel Lefebvre a écrit de nombreux tubes pour Jean Lapointe (*Chante-là ta chanson, Rire aux larmes, C'est dans les chansons*...), mais aussi pour Renée Claude (*Guevara*), Diane Dufresne (*Un jour, il viendra mon amour*), sans oublier les interprètes qui ont donné des ailes à ses refrains, Ginette Reno, Dominique Michel, Donald Lautrec, Roch Voisine…

En mai 2007, le public s'est procuré en grand nombre l'album *D'elles* supervisé par Jean-Jacques Goldman, dont le premier de ses disques consacrés à Céline s'intitulait *D'eux*. La chanteuse au faîte de sa gloire avait fait appel à des écrivaines québécoises réputées, Marie Laberge, Janette Bertrand, Denise Bombardier, Lise Payette et à d'autres plus connues en France, Francine Dorin, Nina Bouraoui, Christine Orban…

Que Céline Dion chante dans sa langue ou une autre, cela ne l'empêche pas de rappeler ses modestes origines, son attachement à ses valeurs familiales et à la nation québécoise.

PHOTO : PRODUCTION FEELING

Eddy Marnay est en grande partie responsable de la montée fulgurante de Céline Dion en France. Il lui a écrit une soixantaine de chansons sur mesure : *D'amour et d'amitié*, *Tellement j'ai d'amour pour toi*...

1984

Une colombe

Paroles : Marcel Lefebvre - Musique : Paul Baillargeon

Une colombe est partie en voyage
Autour du monde
elle porte son message
De paix, d'amour et d'amitié
De paix, d'amour à partager
Et c'est sa jeunesse qui la fait voler

Une colombe est partie en voyage
Pour faire chanter partout
sur son passage
La paix, l'amour et l'amitié
La paix, l'amour, la vérité
Quand elle ouvre ses ailes
C'est pour la liberté

Elle vole
Elle cherche le soleil
Elle rêve de merveilles
Elle espère arriver

Elle croit
Qu'il y a quelque part
Un pays pour l'espoir
Et qu'elle pourra le voir

Une colombe est partie en voyage
Autour du monde
elle porte son message
De paix, d'amour et d'amitié
De paix, d'amour à partager
Et c'est sa jeunesse qui la fait voler

Une colombe est partie en voyage
Pour faire chanter
partout sur son passage
La paix, l'amour et l'amitié
La paix, l'amour, la vérité
Quand elle ouvre ses ailes
C'est pour la liberté

Une colombe est partie en voyage
Autour du monde
elle porte son message
De paix, d'amour et d'amitié
De paix, d'amour à partager
Et c'est sa jeunesse qui la fait voler
Et c'est sa jeunesse
Qui la fait voler

Céline Dion

Née le 30 mars 1968, à Charlemagne (Québec)

Plus rien ne peut nous surprendre en ce qui concerne les succès inimaginables de Céline Dion. La plus populaire des chanteuses francophones, avec 150 millions d'albums vendus dans le monde, est selon le magazine Forbes (la bible du spectacle) au cinquième rang des femmes les plus riches du showbiz. Sa fortune s'élève à 250M$ US, en 2007. La petite Québécoise de Charlemagne est réellement prophète en son pays.

Jacques Brel a écrit *La quête* pour la comédie musicale *L'Homme de la Mancha*. Les paroles de cette chanson ressemblent étrangement à la vie de Céline : « Rêver un impossible rêve (...) Et puis lutter toujours (...) Sans question ni repos (...) Pour atteindre l'inaccessible étoile. » À l'aube de ses 40 ans et après 25 ans de carrière, elle verse encore des larmes quand le gouvernement français lui attribue le titre de Chevalier des Arts et des Lettres. Sa sensibilité est à fleur de peau lorsqu'elle interprète cette autre mélodie de Jacques Brel, *Un enfant* :

Un enfant
Ça vous décroche un rêve
Ça le porte à ses lèvres
Et ça part en chantant
Un enfant
Avec un peu de chance
Ça entend le silence
Et ça pleure des diamants
Et ça rit à n'en savoir que faire
Et ça pleure en nous voyant pleurer
Ça s'endort de l'or sous les paupières
Et ça dort pour mieux nous faire rêver

L'existence de Céline est une véritable saga se déroulant sur la place publique devant les projecteurs. Un beau roman d'amour avec ses joies et ses peines. Elle est toujours un livre ouvert lorsqu'elle étale ses nobles sentiments à l'égard de sa famille, de ses admirateurs, de la chanson, de l'homme de sa vie René Angélil et de son fils adoré René-Charles, né le 25 janvier 2001.

Quatorzième et dernière d'une famille modeste sans histoire, Céline devient vite la chouchou du clan Dion. Son prénom, elle le doit à la populaire chanson d'Hugues Aufray, qui tourne sans cesse à la radio, en 1968, tout comme *Adieu monsieur le professeur* de ce même auteur.

Sa mère, Thérèse Tanguay, connaît par cœur tous les refrains qui portent des prénoms féminins tels *Marie-Claire* de Jean-Pierre Ferland, *Nathalie* de Gilbert Bécaud, *Moïra* de Marc Gélinas, *Monia* de Michel Cogoni. Maman Dion opte pour celui de Céline, avec l'approbation de son mari Adhémar et de la majorité de ses enfants.

Les Dion partagent la même passion : la musique et le goût de plaire en tirant leur épingle du jeu. La mère joue de l'harmonica et du violon et le père de l'accordéon. Tous les membres de la famille ont des belles voix et maîtrisent un instrument de musique. Le soir venu, personne ne se fait prier pour faire son numéro, à commencer par Claudette, Ghislaine et Michel. Les autres suivront à tour de rôle.

Quant à Céline, elle peut interpréter un registre si vaste que ses sœurs et frères lui cèdent volontiers la place. « Quand je serai grande, je serai numéro un dans le monde entier. » Peut-on s'imaginer que cette fillette de 11 ans puisse tenir de telles affirmations prémonitoires. Quand elle monte au sommet du palmarès de *Billboard*, 14 ans plus tard, avec la chanson *The Power of Love*, le prestigieux magazine américain titre en première page : « She's the Number One around the World. »

Bonne élève à l'école Saint-Jude de Charlemagne, petite ville de 5 000 habitants, en banlieue de Montréal, Céline ne jure que par son idole Ginette Reno, dont elle connaît tout le répertoire, *Tu vivras toujours dans mon cœur, J'ai besoin d'un ami, Je ne suis qu'une chanson* de Diane Juster et *Ma mère chantait toujours* de Luc Plamondon et François Cousineau :

Ma mère chantait toujours la la la
Une vieille chanson d'amour
Que je chante à mon tour
Ma fille tu grandiras
Et puis tu t'en iras
Mais un beau jour
Tu te souviendras à ton tour
De cette chanson-là…

Quand Thérèse Tanguay épouse Adhémar Dion, le 18 juin 1945, à La Tuque, lieu de naissance de Félix Leclerc, elle est loin de se douter qu'elle aura une famille de 14 enfants. Écrire les noms des frères et sœurs de Céline, c'est comme faire l'appel des élèves en classe. Allons-y donc avec l'aînée Denise, née le 15 juin 1946. Suivent Clément, Claudette, Liette, Michel, Louise, Jacques, Daniel, Ghislaine, Linda, Manon, Paul, Pauline et Céline, qui racontait encore récemment : « Il y avait de l'amour, du partage, de la musique et des chansons, des vêtements chauds, de la bonne nourriture avec des recettes économiques et une belle complicité entre nous tous. »

Partout où elle passe, la jeune fille déterminée surprend, enchante et gagne tous les concours amateurs. Le jour où son père Adhémar prend possession d'un restaurant-bar, Le Baril, à Le Gardeur, Céline chante devant un public plus exigeant. Son frère Paul, 17 ans, joue de l'orgue pour réchauffer l'atmosphère.

En 1981, la maman de Céline signe les paroles du premier 45-tours de sa fille : *Ce n'était qu'un rêve*. Son fils Jacques compose la musique de cette chanson que sa sœur interprétera à l'émission de Michel Jasmin diffusée à Télé-Métropole. Trois mois plus tard, l'animateur invite de nouveau Céline. En présence du cardinal Paul-Émile Léger, elle est au septième ciel lorsqu'elle chante *La voix du Bon Dieu* de l'illustre parolier Eddy Marnay, décédé le 3 janvier 2003.

PHOTO : PRODUCTION FEELING

Céline est toujours un livre ouvert lorsqu'elle étale ses sentiments à l'égard de sa famille. On la voit ici entourée de son père Adhémar, de sa mère Thérèse et de tous ses frères et sœurs.

À 39 ans, René Angélil abandonne tous les artistes dont il gère la carrière pour se consacrer uniquement à sa découverte. Il multiplie les rendez-vous avec les banquiers, les gens d'affaires, car il lui faut trouver le financement pour enregistrer au plus vite des microsillons. Il n'hésitera pas à s'endetter et à hypothéquer sa propre maison pour lancer la jeune chanteuse à la voix d'or.

En moins de trois ans, René Angélil réussit l'exploit de lancer trois albums de sa protégée au Québec et en France : *La voix du bon Dieu, Chante Noël* et *Tellement j'ai d'amour pour toi*. Pour connaître le pouls du public, il accepte que Céline chante dans six établissements commerciaux, accompagnée de bandes musicales. Elle commence par le Centre Domaine, de la rue Sherbrooke à Montréal, le 4 décembre 1982, et termine sa course au Saguenay/Lac-Saint-Jean.

Céline remporte la médaille d'or au Festival de la chanson de Tokyo, au Japon, avec *Tellement j'ai d'amour pour toi* (Eddy Marnay - Hubert Giraud) devant plus de 115 millions de téléspectateurs. Le célèbre auteur, Eddy Marnay, associé à la production de la nouvelle star, lui décroche, en janvier 1983, un passage à Champs-Élysées, la grande émission de télévision animée par Michel Drucker. Elle chante à l'Olympia en première partie de Patrick Sébastien. Le public a le coup de foudre pour *D'amour et d'amitié*, dont les paroles sont d'Eddy Marnay et la musique de Jean-Pierre Lang et Roland Vincent :

Il est si près de moi
Pourtant je ne sais pas
Comment l'aimer
Lui seul peut décider

Qu'on se parle d'amour ou d'amitié
Moi je l'aime et je peux lui offrir ma vie
Même s'il ne veut pas de ma vie
Je rêve de ses bras
Oui mais je ne sais pas
Comment l'aimer
Il a l'air d'hésiter
Entre une histoire d'amour ou d'amitié
Et je suis comme une île en plein océan
On dirait que mon cœur est trop grand…

À la sortie de son quatrième album, *Les chemins de ma maison* et ce titre d'Eddy Marnay, *Mon ami m'a quittée*, elle rafle quatre Félix au Gala de l'ADISQ et s'illustre à Cannes, lors du MIDEM (Marché international du disque et de l'édition) en 1983. À ce moment-là, elle s'engage dans la lutte contre la fibrose kystique sachant que sa nièce Karine, fille de sa sœur Liette, en est atteinte. Elle chante alors à la Place des Arts, à Montréal, au cours d'un gala de charité, dont les profits sont versés à la recherche pour vaincre cette maladie.

Après sa performance, l'année suivante, devant 65 000 personnes au Stade olympique de Montréal, en présence du pape Jean-Paul II, rien ne sera plus pareil pour Céline. Ses albums se succèdent à un rythme accéléré. Sur les ondes, on fait tourner ses enregistrements de *Tire l'aiguille, Les roses blanches, Une colombe, Mélanie*… Son spectacle *Incognito*, donné à la Place des Arts et en tournée au Québec, en 1985, lui apporte la consécration de ses pairs. Elle interprète avant tout des textes d'Eddy Marnay, mais épate tout le monde avec sa façon de chanter *Carmen* de Georges Bizet et *Bozo* de Félix Leclerc.

Dans un marais
De joncs mauvais
Y avait
Un vieux château
Aux longs rideaux
Dans l'eau

Dans le château
Y avait Bozo
Le fils du matelot
Maître céans
De ce palais branlant…

En 1987, elle enregistre en allemand *Ne partez pas sans moi*. Avec ce titre, elle remporte le concours Eurovision à Dublin, en Irlande, et fait la conquête des pays germanophones. Elle avoue son amour pour son producteur René Angélil, autrefois membre du trio Les Baronets. Celui-ci sort toute son artillerie pour en faire une superstar aux États-Unis. Son premier album en anglais, *Unison*, passe facilement la rampe, que ce soit dans le monde anglo-saxon, mais aussi, au Brésil, en Argentine, au Japon…

Pour ses dix ans de carrière, Céline se produit au Forum de Montréal, en 1991, avec l'Orchestre symphonique métropolitain pour venir en aide, une fois de plus, à l'Association de la fibrose kystique. Le 2 mai 1993, Karine va s'éteindre dans les bras de sa tante Céline. Elle chante devant le Prince Charles et Lady Di à Ottawa. Au même moment, la voilà comédienne dans la télésérie *Des fleurs sur la neige*. Plusieurs chansons de son album *Dion chante Plamondon* s'installent en permanence au palmarès. Luc Plamondon prend la relève de Marnay avec *Le fils du superman,*

Je danse dans ma tête, Un garçon pas comme les autres (Ziggy), L'amour existe encore, sur une musique de Richard Cocciante :

Quand je m'endors contre ton corps
Alors je n'ai plus de doute
L'amour existe encore

Toutes mes années de déroute
Toutes, je les donnerais toutes
Pour m'ancrer à ton port

La solitude que je redoute
Qui me guette au bout de ma route
Je la mettrai dehors

PHOTO : PRODUCTION FEELING

Après Eddy Marnay et Luc Plamondon, il fallait un parolier de génie comme Jean-Jacques Goldman pour suivre la trajectoire de Céline Dion. On le voit bien en écoutant ses deux albums *D'eux* et *D'elles*.

Après de multiples triomphes dans le monde entier à guichets fermés, Céline Dion reprend son souffle. Le 17 décembre 1994, elle prend pour époux son imprésario René Angélil, à la basilique Notre-Dame de Montréal. Elle a 26 ans, lui 52. Une fois la noce terminée, les nouveaux mariés s'envolent aussitôt vers les chemins de la gloire. Elle va se produire dans les deux plus grandes salles parisiennes : le Zénith et le Bercy.

C'est à Paris que Céline fait connaître les chansons de son album *D'eux*, en 1995, concocté par Jean-Jacques Goldman. En peu de temps, son quatrième disque en anglais, *Falling into You*, dépasse les 26 millions d'exemplaires, détrônant ainsi *The Colour of my Love* vendu à 12 millions. Quant à ses albums en français, *Céline Dion à l'Olympia*, *D'eux* et *Live à Paris*, ils vont totaliser des ventes de plus de 10 millions en 2000.

PHOTO : PAUL DUCHARME, ÉCHOS VEDETTES

Pendant quatre ans, le couple va devoir se cacher des médias. Dès que leur amour sera public, leur liaison sera officialisée par les liens du mariage. En 2007, Céline et René affirment au monde entier leur amour indéfectible.

Pour sa chanson *Pour que tu m'aimes encore* et comme chanteuse francophone de l'année, Céline reçoit deux Victoires de la musique en France. Un autre événement mondial consacrant la carrière de Céline est sans conteste sa participation aux cérémonies d'ouverture des Jeux olympiques d'Atlanta, en 1996. Elle interprète *The Power of the Dream* devant les téléspectateurs du monde entier.

« L'une des principales différences entre le travail de Céline Dion en anglais et en français, selon Alexandre Vigneault de *La Presse*, c'est le nombre de créateurs mis à contribution. Une armada d'auteurs et de compositeurs américains, canadiens, voire suédois, ont mis leur griffe sur l'un ou l'autre de ses albums en anglais. Ses derniers disques en français, à l'exception *D'elles* ont été écrits par une équipe réduite. »

PHOTO : ÉCHOS VEDETTES

Ce fut une joie immense pour Céline Dion et son mari, René Angélil, d'avoir leur premier enfant. René-Charles est né sept ans après le mariage de ses parents. Ici lors de son baptême en la basilique Notre-Dame de Montréal.

Devant un public ravi, la diva virevolte et déploie toutes ses ressources au Centre Molson à Montréal, durant quatre soirées magiques, en mai 1997. Les deux années suivantes, elle y reviendra pour une autre série de concerts. C'est d'ailleurs là, le 31 décembre, à la toute fin du siècle, qu'elle annonce officiellement son retrait de la scène pour un temps indéterminé. Elle n'a qu'une idée en tête : avoir un enfant. René-Charles naîtra le 25 janvier 2001, dans le domaine de ses parents à Jupiter Island aux États-Unis. Elle se consacrera à l'homme de sa vie souffrant d'un cancer à la gorge, en annulant sa tournée européenne, à l'exception du Stade de France les 19 et 20 juin 1999. René sortira indemne de cette dure épreuve. Que de chemin parcouru pour cet homme, né le 16 janvier 1942, de parents immigrés libanais.

Ses admirateurs ont vibré de joie en l'entendant chanter le thème musical du film Titanic : *My Heart Will Go On*. Ce titre a valu à son auteur le prix de la meilleure chanson originale, lors de la remise des Oscars. « The Sky is the Limit » semble être le leitmotiv de Céline, surtout avec son album *Let's Talk about Love*, où l'on peut entendre Luciano Pavarotti. Cet album s'est vendu à 30 millions d'exemplaires. De plus, sa chanson *Tell him* lui a également permis de chanter en duo avec Barbra Streisand.

Pendant deux ans, après la naissance de René-Charles, elle ressent le besoin de se ressourcer auprès des siens, loin des caméras. Refusera-t-elle d'entendre la voix des sirènes provenant du pays de l'Oncle Sam ? La voilà en grande vedette au fastueux Colosseum du Caesars Palace de Las Vegas. Avec un cachet, affirme-t-on, de 100 millions de dollars pour les trois premières années, à raison de 150 à 200 représentations par an. Son contrat prolongé se terminera en décembre 2007. On connait déjà les dates de sa tournée mondiale.

Biographie

Tout au long de sa carrière, Céline Dion a été l'objet de nombreuses biographies. Depuis la publication de *Céline Dion : la naissance d'une étoile* de Marc Chatel, en 1983, il y a eu, entre autres, les ouvrages de Georges-Hébert Germain, Jean Beaunoyer, Francine Delbecq, Jeremy Dean, Jean Beaulne, Loic Tremblay. Son visage et son nom ont été imprimés et le sont encore sur les pages couvertures de centaines de magazines de toutes les langues.

Viendra le jour où l'on tournera le merveilleux conte de fées de Céline Dion, devenue comme par magie une légende de son vivant. Elle fascine et captive l'imaginaire des gens de tous les âges et de toutes races par sa ténacité, son courage et son talent. Voilà une vraie diva au destin exceptionnel.

PHOTO : ÉCHOS VEDETTES

Céline Dion en compagnie de l'animatrice Sonia Benezra. Que ce soit à son émission *Carte blanche*, sur les ondes de CHMP-FM (98.5), ou à la télévision, cette dernière reçoit toujours chaleureusement les vedettes de la chanson, du théâtre et du cinéma.

La marmaille

Paroles et musique : Lynda Lemay

Interprète...

Lynda Lemay

La marmaille

Longtemps j'ai cru que la marmaille
J'en voudrais jamais
dans mes jambes
Que j'endurerais jamais qu'ça braille
Même en punition dans
une chambre

Longtemps j'ai cru que la marmaille
Y'avait des filles faites pour ça
Et qu'elles méritaient des médailles
Et j'étais pas de ces filles-là

Mais d'où me vient cette envie folle
Mais d'où me sortent ces idées-là
Cette passion des cours d'école
Cet attendrissement que voilà

J'm'émeus devant
les femmes enceintes
Qui magasinent les berceaux
Qui ont les seins gros
comme ma crainte
D'avoir toute la marmaille à dos
Toutes mes certitudes s'écroulent
J'veux d'la marmaille à moi

J'veux moucher les
p'tits nez qui coulent
J'veux mettre ça en pyjama
Je veux qu'ça crie,
je veux qu'ça saute
Que ça brise des matelas
Et j'veux que ça salisse
des chaises hautes
J'veux d'la marmaille à moi

J'sais pas pourquoi,
mais la marmaille
J'croyais qu'ça m'aimait pas la face
Que ça priait pour que j'm'en aille
Quand j'arrivais dans leur espace

Longtemps j'ai cru que la marmaille
J'en n'aurais jamais sur les bras
Qu'j'avais ni l'cœur, ni les entrailles
Assez solides pour porter ça

J'veux nettoyer les
genoux qui saignent
J'veux d'la marmaille à moi
Je veux qu'ça boude,
je veux qu'ça s'plaigne
J'veux emmener ça au cinéma

J'veux ressusciter l'père Noël
Je veux que ça y croie
J'veux qu'ça attrape la varicelle
J'veux d'la marmaille à moi

Mon univers a basculé
J'veux d'la marmaille à moi
Et c'est depuis qu't'es arrivé
que j'veux d'la marmaille...
...J'veux d'la marmaille de toi.

Au moment où Lynda Lemay porte sa première fille Jessie, en 1998, elle écrit *La marmaille* et enregistre un album comprenant 11 magnifiques chansons dont plusieurs montent à l'assaut des palmarès. On y retrouve notamment *Chéri tu ronfles, Paul-Émile a des fleurs* et *Les filles seules* :

Les filles seules
Elles habitent avec des copines, les filles seules
Parlent des plats qu'elles se cuisinent, elles s'engueulent
À propos de choses anodines qui les agacent
Elles dorment avec des pyjamas très confortables
Elles ont l'horaire du cinéma dans un cartable
Où elles se font aussi des listes interminables
Les filles seules...

En même temps, les Éditions Raoul Breton publient son premier recueil intitulé *Les souliers verts*, avec les partitions musicales et les paroles de 15 mélodies racontant avec franchise la condition des femmes, tout en évoquant les problèmes de notre société. Ses nombreux écrits tournent autour de la famille, des relations parents-enfants, de la jeunesse et de la vieillesse et de l'évolution de l'être humain.

Après avoir entendu Lynda Lemay chanter *La visite* et *La marmaille*, Charles Aznavour a eu un véritable coup de cœur pour celle que l'on compare aux grands auteurs, compositeurs et interprètes tels Georges Brassens, Jacques Brel, Véronique Sanson. « Avec sa voix impeccable, lit-on dans *L'Européen*, sans mâcher ses mots, sans rechigner à aborder des sujets graves, cette belle Québécoise nous raconte d'un coup de plume intelligent des histoires du quotidien, tristes et mélancoliques souvent, très drôles parfois. »

C'est très rare qu'une vedette de réputation internationale comme Charles Aznavour s'engage publiquement à soutenir une artiste arrivée à la croisée des chemins dans son pays. Lynda Lemay franchira-t-elle l'océan pour faire la conquête de tous les francophones de la planète ?

Voyons ce que le compositeur de *La bohème*, toujours en spectacle à 83 ans, pense de sa découverte : « Lynda Lemay avec ses deux « L » fait partie de ces oiseaux rares. Elle ajoute à ses dons, indispensables pour réussir, des idées originales, une imagination fertile et très personnelle, une rare qualité d'écriture, une personnalité particulière et pleine de fraîcheur. Je la trouve étonnante, surprenante, exceptionnelle... ! Écoutez-la attentivement pour, à votre tour, être sous le charme. »

Quand Lynda a écrit *Le plus fort c'est mon père*, en 1992, elle ne se doutait pas de l'impact que cette chanson pourrait avoir auprès du public. « Elle a été jouée dans plusieurs églises du Québec, au moment des funérailles de bien des papas ou dans des circonstances plus heureuses, comme la fête des Pères. Les filles l'ont souvent chantée ou récitée à leur papa à l'occasion de leur anniversaire de naissance. »

Quand on lui demande le titre de la chanson qui lui a apporté le plus de satisfaction, elle répond sans hésiter : « C'est bien sûr *Le plus fort c'est mon père*. Chaque fois que je la chante et Dieu sait que je l'ai fait des milliers de fois, je ressens toujours la même émotion. C'est aussi celle dont on me parle le plus. J'ai reçu beaucoup de lettres et de commentaires à ce sujet. »

Dans son livre intitulé *Les cahiers noirs de Lynda Lemay,* publié en 2002, Claude Paquette nous livre à sa façon les commentaires de nombreux admirateurs de cette femme ardente et passion-

née. Voici l'histoire de Maud, venue de Nanterre pour voir son idole à Paris : le 10 novembre 2001, dans une petite salle de l'Olympia, après son concert, une vingtaine de personnes dont le cœur battait un peu plus fort qu'à l'accoutumée ont chanté *La plus forte c'est Lynda*. Chantons en chœur les trois premiers couplets :

C'est ta dernière, Lynda
quel vide à l'Olympia
nous les maudits Français
on n'peut plus s'passer d'toi
alors avant d'partir
s'il te plait écoute ça
c'est à nous de chanter juste pour toi

Comment t'as fait, Lynda
pour en arriver là
monsieur Aznavour doit
être si fier de toi
crois-tu qu'il le savait
qu'on allait tant t'aimer
toi l'oiseau rare qu'il nous a présenté

Comment t'as pu trouver
ces mots qui touchent nos cœurs
qui savent nous faire pleurer
nous remplir de bonheur
on l'sait depuis longtemps
qu'y en a pas deux comme toi
on a d'la chance vraiment
t'es la plus forte, Lynda

C'est en écrivant ses chansons, à toute heure du jour ou de la nuit, surtout sur la table de cuisine, jamais loin du poêle, qu'elle apprivoise toutes ses peurs. Il faut l'accepter comme elle est, naturelle et spontanée, sans se poser de questions... Elle écrit, dit-on, comme elle respire, elle chante comme elle parle, elle crée une chanson par semaine et les consigne toutes dans ses gros cahiers reliés.

Dans la revue *Je chante*, elle se confie à Raoul Bellaïche : « C'est comme pour *Le plus fort c'est mon père* : au moment où je l'écrivais, je vivais cette frustration de femme, je me disais : il ne doit plus en rester des hommes en qui je peux croire vraiment pour bâtir quelque chose ! Effectivement, ces chansons finissent par illustrer ou soulever des problèmes de société, mais ça n'est pas nécessairement voulu. Jamais je ne me prépare à écrire une chanson sur un thème en particulier. Ça se passe au moment de l'écriture, je ne sais pas de quoi je vais parler, mais je me sens inspirée. Je prends ma guitare et c'est la mélodie que je vais composer qui va m'inspirer une phrase... »

Quand elle se sent en confiance avec les journalistes, elle n'hésite pas à parler de sa vie sentimentale, de son état de santé et d'esprit. À Geneviève Borne, elle jacasse avec volubilité de tout et de rien : « Au Québec, c'est le bonheur ! Plusieurs rêvent d'habiter dans le Sud, mais pas moi. Ici, l'arrivée d'une nouvelle saison est toujours magique. Si je vivais ailleurs, il faudrait que ce soit à proximité d'un grand cours d'eau comme un fleuve, et aussi qu'il y ait quatre saisons. »

En parlant du repos bien mérité, elle avoue qu'elle a souvent souffert d'insomnie. « Je sais à quel point un bon sommeil réparateur est plus précieux que n'importe quelle autre richesse, car il permet la clarté d'esprit, la bonne santé, la capacité de fonctionner et d'accomplir de belles choses. Sans le sommeil, rien de tout cela n'est possible. » Elle n'aurait certainement pas eu la lucidité et l'inspiration pour écrire, en pleine possession de ses moyens, d'aussi belles chansons que *Ceux que l'on met au monde* et *Du coq à l'âme* :

Salut les hommes, salut les femmes
Et salut la marmaille
Huit heures sonnent, mon cœur s'enflamme
J'ai tout un éventail

D'émotions fortes à vous transmettre
Comme toutes sortes de lettres
Que j'écris, puis que je vous donne
Et que ma voix fredonne

Je serai logique ou je serai folle
Je serai laide ou belle
Je vais m'lancer du haut du ciel
Jusqu'au dernier sous-sol...

En 10 albums, 20 ans de carrière et 40 ans d'une vie parsemée de pétales de roses, Lynda Lemay a été capable de séparer le bon grain de l'ivraie pour en arriver au but qu'elle voulait atteindre.

Le public a appris à l'aimer en écoutant ses chansons à la radio, en se procurant ses disques, en la voyant à la télévision, mais surtout en spectacle. Avec ses yeux pétillants, elle va vous chercher droit au cœur. Elle n'a pas fini de faire «tourner la tête» au Québec et dans toute la francophonie et de chanter *Le plus fort c'est mon père*.

Le plus fort c'est mon père

Paroles et musique : Lynda Lemay

Comment t'as fait, maman
Pour savoir que papa
Beau temps et mauvais temps
Il ne partirait pas
Est-ce que t'en étais sûre
Ou si tu ne savais pas
Est-ce que les déchirures,
ça se prévoit

Comment t'as pu trouver
Un homme qui n'a pas peur
Qui promet sans trembler
Qui aime de tout son cœur
J'le disais y'a longtemps
Mais pas d'la même manière
T'as d'la chance, maman
Le plus fort c'est mon père

Comment ça s'fait, maman
Que dans ma vie à moi
Avec autant d'amants
Avec autant de choix
Je n'ai pas encore trouvé
Un homme comme lui
Capable d'être ami, père et mari

Comment t'as fait maman
Pour lui ouvrir ton cœur
Sans qu'il parte en courant
Avec c'que t'as d'meilleur
Est-ce qu'y'a des mots magiques
Que t'as dits sans t'rendre compte
Explique-moi donc c'qu'y
faudrait que j'raconte

Quand j'ai l'air d'les aimer
Les hommes changent de regard
Si j'ose m'attacher
Y'se mettent à m'en vouloir
Si je parle d'avenir
Y sont déjà loin derrière
J'avais raison d'le dire
Le plus fort c'est mon père

Vas-tu m'dire, maman
Comment t'as pu savoir
Dès le commencement
Qu'c'était pas un trouillard
Qu'il allait pas s'enfuir
Et qu'il allait tout faire
Pour que je puisse dire :
Le plus fort, c'est mon père

Quel effet ça t'a fait
Quand tu l'as rencontré
Est-ce que ça paraissait
Qu'il allait tant t'aimer
Les hommes bien souvent
Paraissent extraordinaires
Mais dis-toi bien maman
Qu'le plus fort... c'est mon père.

Biographie

Lynda Lemay

Née le 25 juillet 1966, à Portneuf, (Québec)

Avant sa consécration à l'Olympia de Paris, en avril 2000, le prestigieux magazine *Paris Match* publie une grande photo de Lynda Lemay en page frontispice et un excellent reportage de Florence Saugues : « Voilà la Québécoise qui fait fondre la France. Il y avait Céline Dion et son organisation à l'américaine. Désormais, il faut aussi compter avec cette petite voix venue du froid, à mi- chemin entre Georges Brassens et Barbara. »

Un retour sur le passé s'impose. En juillet 1996, Lynda Lemay participe au Festival de jazz de Montreux, en Suisse. C'est là que Charles Aznavour, en compagnie de Charles Trenet, la voit sur scène pour la première fois. Il est ravi de sa découverte et de l'entendre chanter *La visite*, dont voici quelques extraits :

J'veux pas d'visite
Parce que quand ça sonne à la porte
J'ai comme une envie d'être morte
Toute la visite
C'est hypocrite en arrivant
Et puis ça r'part en mémérant
J'veux pas d'visite
J'veux qu'on me traite de sauvage
Et que ça s'dise dans l'voisinage
J'veux qu'on m'évite
Que les enfants demandent à leur mère
« Est-ce que c'est vrai qu'c'est une sorcière ? »

Charles Aznavour va aussitôt proposer à Lynda Lemay de la parrainer et de lui faire signer un contrat avec les Éditions Raoul Breton, dont il est le nouveau propriétaire avec Gérard Davoust. Attendons pour voir les résultats de cette inoubliable rencontre.

Quand on raconte une belle histoire, un véritable conte de fées, il faut bien commencer par le tout début. Il était une fois une jeune fille timide et intelligente qui vivait modestement dans le petit village de Portneuf, à l'ouest de la pittoresque ville de Québec. Elle rêvait de faire de grandes choses pour venir en aide aux plus démunis de la société. Dans un climat harmonieux, sa mère Jeannine et son père Alphonse, dessinateur industriel, l'encourageaient déjà dans sa quête du mot juste, de la phrase qui traduit son quotidien. Elle ne tient pas à ce que l'on fouille dans ses cahiers noirs et son coffret mystérieux rempli de jolis poèmes en gestation.

La gamine très fleur bleue se souvient des années où elle agissait comme sacristine, faisant le ménage à l'église paroissiale, allumant les cierges et les lampions, préparant la crèche de Noël, sonnant les cloches et assistant le prêtre aux cérémonies de baptême. Adolescente, elle rêve de devenir dentiste ou encore archéologue pour fouiller la terre et le passé. Au cégep de Sainte-Foy, elle porte jeans serrés et blousons de cuir qu'elle laissera ensuite tomber pour de fins lainages et des vêtements soyeux.

L'idole de Lynda, celui dont elle rêve en s'endormant, ce n'est pas Jacques Brel ou Jean-Pierre Ferland, mais bien Johnny Hallyday. «Il a fait vibrer mon enfance, mon adolescence et ma fibre artistique.» Elle apprend tout son répertoire, regarde toutes ses émissions, recopie ses chansons. Elle le trouve tellement beau quand il chante *Que je t'aime* :

Quand tes cheveux s'étalent
Comme un soleil d'été
Et que ton oreiller
Ressemble aux champs de blé
Quand l'ombre et la lumière
Dessinent sur ton corps
Des montagnes, des forêts
Que je t'aime, que je t'aime, que je t'aime…

À 18 ans, Lynda entreprend des études en lettres et prend une année sabbatique pour écrire un roman, qui, jusqu'à ce jour, n'a pas encore été publié. Après avoir suivi des cours de musique, quand elle était enfant, elle redécouvre le piano et se met à pondre toutes les paroles et les mélodies qui lui passent par la tête. Elle renoue avec la tradition où le texte a préséance sur la composition musicale. Au départ, elle ne pensait pas qu'elle pourrait elle-même interpréter ses propres chansons. « Mes parents m'ont dit que je n'avais pas une grande voix, mais qu'elle avait le mérite d'être juste et originale. »

Pour se faire un peu d'argent et se payer quelques gâteries, Lynda fait différents boulots comme bien des filles de son âge : barmaid au Restaurant du Phare de son village, serveuse de jus à la Fontaine Santé de la Place Québec et vendeuse de salades au centre commercial Fleur de lys. Elle s'est ensuite présentée dans quelques concours d'amateurs de la région.

En 1986, elle enregistre un premier démo avec trois de ses compositions et est élue découverte de *Québec en chansons*. À la salle Albert-Rousseau de la capitale, elle fait une tentative bien timide et compte se reprendre avec plus d'assurance et de détermination.

À l'émission télévisée *Musicart*, animée par Serge Laprade, elle est finaliste avant de se présenter au Festival international de la chanson de Granby pendant trois années consécutives. Elle finira par décrocher le premier prix, en 1989, avec sa chanson *La veilleuse* :

Sais-tu que je chantais souvent, avant
Que je mettais des mots sur chaque sentiment
Sais-tu combien je m'amusais, avant
Sur des mélodies qui me venaient d'en dedans

Sais-tu que j'avais des amants, avant
Des hommes que j'ai laissé mourir dans le temps
Et sais-tu que je n'ai jamais eu d'enfants
Et que j'ai peur de ce qu'il m'a toujours manqué à l'intérieur

Photo : Michel Gagné, Échos Vedettes

Seule en scène aussi bien qu'en compagnie de 100 musiciens, avec ou sans guitare, Lynda Lemay y est aussi à l'aise que dans sa cuisine de Verchères, à deux pas du fleuve Saint-Laurent.

Comme récompense , elle choisit de renoncer à une petite vie stable, métro-boulot-dodo, et quitte subitement l'agence de publicité où elle vient de décrocher un emploi. Lynda prend son premier bain de foule, dans le cadre des FrancoFolies de Montréal.

Après un premier voyage en France et une participation au Festival de Saint-Malo, elle se produit seule au Bistro d'autrefois, à Montréal, à la fin de 1991. Avec plus de métier et de bagou, elle interprète les titres de son premier album *Nos rêves*, qui sera suivi d'un deuxième intitulé tout simplement « Y », avec quelques chansons que l'on entendra à la radio : *Drôle de mine* et *Jamais fidèle.* « Au début de sa carrière, écrit Nathalie Petrovski, les producteurs lui ont prédit un succès confidentiel auprès d'un public restreint. Personne ne croyait au potentiel commercial de son répertoire. Aujourd'hui, les chiffres parlent en son nom... »

PHOTO : PAUL DUCHARME, ÉCHOS VEDETTES

Avec la parution de son album, *Ma signature*, en 2006, Lynda Lemay est fidèle à sa réputation; elle est d'humeur jasante avec les journalistes. Elle ne cache pas ses émotions, ses sanglots et ses éclats de rire.

Lynda se souvient des jours et des lieux où elle a rédigé la plupart de ses chansons. Il lui arrive souvent de les griffonner sur des napperons de restaurants ou sur du papier d'emballage. « J'ai écrit *La visite*, le 1er mars 1993, alors que j'habitais avec ma sœur Diane à Grondines, près des cascades de la rivière Sainte-Anne. »

En 1994 et 1995, elle revient sur la grande scène extérieure des FrancoFolies de Montréal et à la Place des Arts où se produisent également Éric Lapointe et Axelle Red. Sa notoriété et sa crédibilité font en sorte qu'elle devient en demande dans toutes les stations de télévision et les grands festivals comme ceux de La Rochelle, en 1995, et celui de Montreux, en Suisse, l'année suivante, où comme on le sait, elle a eu la chance de rencontrer Charles Aznavour, qui, par la suite, lui a ouvert les portes dans la francophonie.

En 1998, Lynda fait la conquête de tout le Québec avec des spectacles à guichets fermés, notamment au Capitole et au Grand Théâtre de Québec, au Monument-National et au Théâtre Saint-Denis à Montréal. Avec son titre d'interprète féminine de l'année et son trophée Félix remporté au Gala de l'ADISQ, elle s'envole pour Paris. Aussitôt, elle fait un tabac au Sentier des Halles pendant 42 soirs et à l'Européen, 12 concerts d'affilés. Tout baigne dans l'huile et dans la joie.

De retour à Montréal avec des douzaines d'articles et de critiques élogieuses dans son balluchon, Lynda tente de refaire sa vie et d'oublier sa séparation du comédien Patrick Huard. Leur fille Jessie, née la veille des 31 ans de sa mère, l'attend pour lui inculquer le courage d'accepter son nouveau rôle de mère monoparentale et de garde partagée. Elle prend le temps de s'occuper de Jessie et l'inscrit à des cours de gymnastique, de danse et autres activités sportives.

Lynda renoue avec son fidèle public québécois à la Place des Arts. En décembre 1999, elle est de nouveau à Paris au Bataclan, avant d'entreprendre une tournée de 45 spectacles dans l'Hexagone et en Belgique. En avril 2000, elle foule les planches de l'Olympia. Tout un triomphe ! Le lendemain du concert, Patrick Labesse écrit dans *Le monde* : « Lynda Lemay chante d'un timbre clair de petits bonheurs simples, ceux que revendiquent tout un chacun, les grands sentiments (…) L'émotion passe comme une tonne de briques, dirait-on au Québec. »

PHOTO : JACQUES GRÉGORIO, ÉCHOS VEDETTES

La famille pour Lynda Lemay, c'est très important. Elle parle souvent, en entrevue, de sa mère Jeannine et de son père Alphonse, à qui elle a rendu hommage dans sa chanson : *Le plus fort c'est mon père*.

Pour sa part, l'animateur Michel Drucker parle en termes très flatteurs de l'écriture de Lynda, devant Serge Lama et Francis Lalanne, qui en rajoutent à n'en plus finir. L'écrivain Alexandre Jardin, auteur du *Zèbre*, signe dans *Le Figaro* : « Elle passe sans transition de l'extrême drôlerie à la gravité la plus cinglante. Impossible de ne pas être en larmes et de ne pas hurler de rire... »

Au mois d'août 2000, c'est de nouveau à la Place des Arts, dans le cadre des FrancoFolies de Montréal, qu'elle présente son nouveau spectacle, toujours empreint de chaleur, de simplicité et de spontanéité. Elle remporte à l'automne un autre Félix au Gala de l'ADISQ comme étant l'artiste qui s'est le plus illustré à l'étranger.

Cet événement coïncide avec le lancement de son cinquième album, *Du coq à l'âme*, où l'on retrouve 20 superbes chansons racontant sa vie et celle des autres, Tout y passe dans ses textes drôles ou émouvants : rêves, déceptions, ruptures, joies et peines. Écoutez-la bien chanter *Alphonse, Au nom des frustrées, Le plus fort c'est mon père, Les maudits français* avec 17 couplets dont voici les quatre premiers :

Ils parlent avec des mots précis
Puis y prononcent toutes leurs syllabes
À tout bout d'champ, y s'donnent des bis
Y passent leurs grand'journées à table

Y ont des menus qu'on comprend pas
Y boivent du vin comme si c'tait d'l'eau
Y mangent du pain pis du foie gras
En trouvant l'moyen d'pas être gros

Y font des « manifs » aux quarts d'heure
À tous les mautadits coins d'rue
Tous les taxis ont des chauffeurs
Qui roulent en fous, qui collent au cul.

Et quand y parlent de venir chez nous
C'est pour l'hiver ou les indiens
Les longues promenades en Ski-doo
Ou encore en traîneau à chiens

Le temps file en TGV pour la vedette qui voyage continuellement entre le Québec et l'Europe. Elle peut toujours compter sur l'aide indispensable de ses deux sœurs France et Diane et d'une solide équipe autour d'elle. « Sans ma famille, je n'aurais pas passé au travers de certaines périodes de ma vie. »

Toujours le temps, elle voudrait bien en trouver pour séjourner dans sa maison de briques blanches de Verchères, au bord du fleuve Saint-Laurent. C'est là où elle cache tous ses livres et disques, ses souvenirs de voyage et sa galerie de portraits en compagnie de ses idoles et amis.

Les salles débordent en 2001, que ce soit au Gesù à Montréal ou à l'Olympia de Paris et en tournée. Elle fréquente un certain temps le brillant imitateur Laurent Gerra et présente, l'année suivante, son album *Les lettres rouges* avec 18 chansons, dont 17 nouvelles.

Voyons ce que Gérard Davoust, des Éditions Raoul Breton, écrit à ce sujet : « En écoutant ce nouveau disque, où l'on retrouve l'atmosphère d'une salle qui vibre pour cet univers si particulier que Lynda génère… et pour notre langue, qu'elle régénère… pour ses trouvailles… pour les portraits-chansons irrésistibles qu'elle fait naître devant nous. Elle va ainsi, de l'audace surréaliste à la transgression absolue du tabou... » Que de belles chansons : *Macédoine, Un homme de cinquante ans, Va rejoindre ta femme, La centenaire* en 24 couplets :

Ça fait cent longs hivers
Que j'use le même corps
J'ai eu cent ans hier
Mais qu'est-ce qu'elle fait la mort

J'ai encore toute ma tête
Elle est remplie d'souvenirs
De gens que j'ai vus naître
Puis que j'ai vus mourir

J'ai tellement porté d'deuils
Qu'j'en ai les idées noires
J'suis là que j'me prépare
Je choisis mon cercueil...

La carrière de Lynda est époustouflante. On n'arrive pas à la suivre à la trace sur les routes de la francophonie et des nombreux festivals, notamment sur la grande scène du Paléo en Suisse, en 2001, où elle se surpasse devant plus de 25 000 spectateurs.

Après avoir été en nomination à quatre reprises, Lynda a remporté, en 2003, le prix de l'interprète féminine de l'année, lors du 18e gala des Victoires de la musique au Zénith de Paris. Ce trophée venait de couronner sa conquête du public franco-européen.

Avec ou sans sa guitare, seule ou avec 100 musiciens, elle s'impose à nouveau sur scène ou en studio, en puisant dans son vaste répertoire de plus de 1000 chansons. D'autres albums surgissent par enchantement : *Les secrets des oiseaux*, réalisé en 2003, par Lynda Lemay et Louis Bernier. Êtes-vous d'accord avec les paroles de sa chanson *J'aime pas les femmes* ?

Y'a bien des fois, j'aime pas les femmes
Souvent, j'les hais parce qu'elles sont belles
Quand elles sont fortes, je les blâme
De vouloir s'prendre pour des hommes

Y'a bien des fois, j'aime pas les hommes
Je leur en veux d'être infidèles
Mais, quand j'pense aux femmes qu'ils trompent
J'me dis que c'est bien fait pour elles...

PHOTO : MICHEL GAGNÉ, ÉCHOS VEDETTES

Lynda Lemay en compagnie de Michel Louvain, né à Thetford Mines, le 12 juillet 1937. Deux artistes populaires qui ont su faire mentir le vieil adage : nul n'est prophète en son pays.

Après l'immense succès de ce dernier album, elle s'arrête pour écrire son spectacle musical, *Un éternel hiver* présenté en tournée parisienne de janvier à juin 2005, avant de l'être au Québec. Elle partage la scène avec Fabiola Toupin, Manon Brunet, Daniel Jean et Yvan Pedneault. Cette année-là, elle lance un autre album, *Un paradis quelque part* avec des chansons qui se glissent au palmarès.

Malgré le fait que Lynda poursuit sa tournée européenne, elle trouve le temps de produire son dixième album, *Ma signature*, réalisé par son conjoint et père de sa deuxième fille Ruby, Michael Weisinger. Sa chanson *Une mère* fait l'objet d'un vidéo réalisé par Yannick Saillet.

Lynda se promet bien de ne plus faire de longues tournées et de grandes salles, histoire de reprendre son souffle et de s'occuper de sa petite famille. Voilà qu'en février 2007, elle débute une tournée au Québec, en commençant par le Lion d'or à Montréal, salle de 300 personnes. En compagnie de ses deux guitaristes Marco Savard et Yves Savard, son complice de première heure, elle refait ses succès antérieurs et de nouveaux textes durant près de trois heures. Le public ravi a la nette impression de l'avoir à ses côtés, de la toucher. De l'interpeller de belles retrouvailles en famille !

Peu importe l'endroit où elle se trouve, Lynda est toujours accueillie avec le même enthousiasme. Dans ses chansons, on y retrouve les mêmes ingrédients avec encore plus d'émotions et d'éclats de rire. C'est vraiment une femme de scène, une mère courageuse et heureuse que l'on voit rayonnante, en 2007, en minijupe, en jeans ou en robe de scène. Voilà une autre belle histoire qui n'a pas fini d'être racontée.

1999

Tous ces mots

Paroles : Roger Tabra
Musique : Sylvain Michel

Photo : Jocelyn Chevalier, Echos Vedettes

Interprète...

Luce Dufault

Tous ces mots

Tous ces mots que je porte
Tous ces maux que je dis
Et qui frappe à la morte
De mes vieux incendies
Tous les mots que je mords
Pour briser le silence
Tous ces maux d'outre corps
Qui hantent mes souffrances

(Refrain)
Je te les donne
Tous ces mots que j'écris
Et que je crie
Quelques fois pour personne
Tous ces mots qui font mal
Et torturent
Comme une balle dans une blessure
Je te les donne

Tous ces mots que je perds
Quand tu ne me m'entends pas
Ces mots qui désespèrent
Quand je parle de toi
Et tous ceux que j'invente
Quand tu es loin de moi
Tous ces mots que je chante
Et qui brûlent ma voix

(Au refrain)

Tous ces mots qui s'envolent
En emportant ma vie
Tous ces mots sans parole
Pour te dire qui je suis

(Au refrain)

Pour que tu me pardonnes

Luce Dufault

À l'instar de Juliette Gréco (*Les feuilles mortes, Si tu t'imagines*), des paroliers ont offert à Luce Dufault des textes à la mesure de son talent. Elle continue, en 2007, d'être la muse d'auteurs à succès comme Zachary Richard, Sylvie Massicotte et, bien entendu, Roger Tabra avec *Tous ces mots*, une grande chanson de la fin du millénaire.

Qui est ce fameux Tabra, dont tous les interprètes parlent en ce moment ? Homme à tout faire dans une autre vie à Strasbourg, sa ville natale de France, il a exercé bien des métiers : déménageur, éboueur, ouvrier, garçon de table, animateur de radio. À l'âge de 19 ans, le poète écrit ses premières chansons. Quand il débarque au Québec, en 1992, il ne passe pas inaperçu avec sa forte personnalité et sa voix ressemblant aussi bien, selon les heures et selon les airs, à celle de Jean Gabin ou de Serge Gainsbourg. Comme interprète, il tente sa chance, mais ne casse pas la baraque. Partie remise. Son album, *Descente vers l'espoir* ne monte pas dans l'échelle de Richter.

Roger Tadra avoue candidement être ému de voir des jeunes auteurs faire appel à lui : « Après avoir écrit *Tous ces mots* pour Luce Dufault, j'ai reçu des textes dans lesquels il y a presque toutes mes douleurs d'homme de 55 ans. Ça me terrifie, je me demande dans quel état ma génération a laissé le monde... »

C'est comme auteur qu'il va s'imposer avec Éric Lapointe (*Mon ange, N'importe quoi*), France D'Amour (*Tombée de toi, Je comprends*). D'autres talents font appel à son imaginaire : Isabelle Boulay, Laurence Jalbert, Johnny Hallyday, Marie-Élaine Thibert, Marie Carmen... Il se définit comme un homme heureux et comblé, même si ses chansons sont parfois d'un réalisme cruel et mélancolique. Il aime partager le fruit de ses expériences, de son vécu et de son travail qui l'obsède jour et nuit. Sa journée commence tôt le matin pour se terminer dans la nuit. Il écrit à la main et se tient loin des ordinateurs. C'est peut-être l'homme caché derrière le décor, mais certains de ses textes révèlent au grand jour son réel talent, comme dans cette chanson qu'il a choisi de faire interpréter par Sylvain Cossette, *Je pense encore à toi* :

Et même s'il arrive que je pleure
À me souvenir d'autrefois
Je suis heureux de ton bonheur
Je pense encore à toi
Dans les désordres de ma vie
Entre l'ivresse et les grands froids
Je n'ai jamais trouvé l'oubli

PHOTO : MICHEL MARCIL, ÉCHOS VEDETTES

C'est surtout comme auteur que Roger Tabra va s'imposer avec le turbulent Éric Lapointe *(Mon ange, N'importe quoi)* et avec ce succès de Luce Dufault, *Tous ces mots*, une grande chanson de la fin du millénaire.

L'homme approche ses 60 ans en chantant, sans tourner le dos à la jeunesse. Il s'adresse aux étudiants afin de leur transmettre à tout prix son amour des mots, de l'écriture bien faite et de la langue bien parlée. Au Saguenay/Lac-Saint-Jean et en Abitibi, il est chaudement accueilli. Depuis, on l'entend dans tous les coins du Québec. C'est un professeur qui sort de l'ordinaire.

Le saltimbanque donne ce précieux conseil aux jeunes, qui sont à la recherche d'espoir et de compréhension : « Il faut que nos textes soient intemporels et universels, si on veut qu'ils passent à la postérité. » Il est déjà loin le temps où Roger Tabra, comédien à ses heures, jouait dans *Les Ripoux* et *Nikita*. Il n'a pas oublié ses amis Lény Escudero et la regrettée Monique Morelli, qui lui a jadis présenté Louis Aragon.

PHOTO : PAUL DUCHARME, ÉCHOS VEDETTES

Luce Dufault et Bruno Pelletier ont répondu à l'appel de Luc Plamondon, en 1992, pour jouer dans *La légende de Jimmy* et en 1993 et 1994 pour *Starmania*. Pelletier a aussi tenu un rôle dans *Notre-Dame de Paris,* en 1999.

Luce Dufault a su ajouter à son répertoire ces proses mélodiques à l'épreuve du temps. En effet, on ne peut passer sous silence le fait que Luce Dufault ait repris, en 1993, la chanson de Raymond Lévesque, *Quand les hommes vivront d'amour* composée en 1956. Elle lui a donné une autre vie, après les nombreux enregistrements réussis d'Eddie Constantine, Nicole Croisille, Enrico Macias, Bruno Pelletier, Claude Valade, Fabienne Thibeault... Plus de 50 ans après sa création, le public la chante toujours avec fierté et émotion. En voici quelques couplets :

Quand les hommes vivront d'amour,
Il n'y aura plus de misère
Et commenceront les beaux jours
Mais nous nous serons morts, mon frère

Quand les hommes vivront d'amour,
Ce sera la paix sur la terre
Les soldats seront troubadours,
Mais nous nous serons morts, mon frère

Dans la grande chaîne de la vie,
Où il fallait que nous passions,
Où il fallait que nous soyons,
Nous aurons eu la mauvaise partie

Luce Dufault possède cette capacité de mettre en valeur des mots et des airs que les générations futures continuent de chanter. On le voit bien avec *Des milliards de choses*.

Des milliards de choses

Paroles : Thierry Séchan - Musique : Daniel Lavoie

Je suis une forteresse oubliée
Dans un désert, y a des millions d'années
Comme un endroit où il fait toujours froid
J'sais pas où tu vas, mais j'irai avec toi

Je suis une fleur d'oranger
Née dans un jardin abandonné
Comme un soleil qui se coucherait sur toi
Même si t'y vas pas, j'irai avec toi

(Refrain)
Nous allons faire des milliards de choses
Cent mille enfants et presque autant de roses
Nous allons nous faire que du bien sur la terre
Et même ailleurs si jamais tu préfères

Je suis une tigresse délaissée
Par un lion qu'y
avait trop de vanité
Mais ce soir,
j'suis toute seule devant toi
Et je tremble,
pour la première fois

Je suis une fleur de cerisier
Tu m'as cueillie,
placée dans ton cahier
Et maintenant,
qu'est ce qu'on fait dis-moi
Des p'tites filles,
ou des milliers d'dégâts

(Au refrain)

Luce Dufault

Luce Dufault

Née le 19 août 1966, à Orléans, Ontario (Canada)

Que de bravos obtenus dans toute la francophonie, depuis ses débuts modestes, à l'âge de 15 ans, au centre commercial d'Aylmer, près d'Ottawa. Déjà, devant les badauds étonnés et ravis, Luce Dufault interprète, à en donner des frissons, les succès de Ginette Reno, Dalida, Francis Cabrel…

Elle voit le jour à Orléans, en Ontario. Ses parents se séparent, après avoir fêté son 11e anniversaire. Sa mère quitte le pays. Les quatre enfants Dufault emménagent avec leur père et sa nouvelle épouse, déjà mère de trois enfants. On n'est pourtant pas encore à l'époque des familles reconstituées.

Malgré cette situation pas toujours drôle, au milieu de la marmaille enjouée, elle apprend à beaucoup donner, sans toutefois s'attendre à recevoir autant. Luce a le cœur sur la main et sait prendre la vie du bon côté et croire en son destin. Plus elle avance dans le temps, plus elle surprend par sa capacité de se renouveler et de bien choisir ses paroliers et musiciens.

Avec le groupe *Stable Mates*, elle part en tournée, en 1983, dans les bars où le *blues* est à l'honneur. Luce dans la fleur de l'âge, gagne le grand prix du concours télévisé *Musicart* animé par Daniel Lavoie. À la fin de la décennie 90, il va lui écrire la musique de *Des milliards de choses, T'aurais pas dû, Chanson pour Anna…*

J'avais peur et les fleurs se fanaient sur les murs
Le nuit après la nuit où tout était si dur
Quelques mots dans un rêve que je revis toujours
Si je meurs je te promets je t'envoie de l'amour...

Elle se produit dans de nombreux bars et cabarets plus ou moins réputés et part en Europe pour effectuer une série de concerts avec Roch Voisine. C'est tout un tremplin pour cette interprète, qui s'imposera comme l'une des grandes voix du Québec.

Pendant l'enregistrement de l'émission *Beau et chaud* à Radio-Québec (devenu Télé-Québec), Luc Plamondon la remarque et lui propose un rôle de groupie dans *La légende de Jimmy*, en 1992. Cet opéra rock, dont la musique est de Michel Berger, sera présenté à Montréal et à Québec. L'année suivante, sa carrière prend son envol avec l'enregistrement de *Quand les hommes vivront d'amour* de Raymond Lévesque. Tous les profits de ce disque iront au Refuge des jeunes de Montréal.

PHOTO : ÉCHOS VEDETTES

Luce Dufault est l'une des nombreuses chanteuses que Luc Plamondon a placée sur la route du succès au Québec et dans la francophonie. Il lui a fait jouer un rôle de groupie dans l'opéra rock, *La légende de Jimmy*.

À l'automne 1993, Luc Plamondon communique de nouveau avec Luce pour lui offrir le rôle de Marie-Jeanne dans *Starmania*. Pendant deux ans, elle foule les planches du théâtre Mogador à Paris, avant de partir en tournée en Europe et au Québec. Durant son séjour à l'étranger, elle participe aux grandes émissions télévisées : *Sacrée soirée, Taratata, Dimanche Martin...*

En plus de recevoir un Félix au Gala de l'ADISQ, elle décroche une Victoire de la musique, en France, et interprète *Le monde est stone* devant plus de 20 millions de téléspectateurs.

J'ai la tête qui éclate
J'voudrais seul'ment dormir
M'étendre sur l'asphalte
Et me laisser mourir.

PHOTO : ÉCHOS VEDETTES

Trois passionnés de la belle chanson : Raymond Lévesque, Luce Dufault et l'excellent animateur Joël LeBigot, qui est au micro de Radio-Canada depuis plus de 36 ans. Né en France, il arrive au Québec en 1948, à l'âge de deux ans.

Après toutes ces péripéties, Luce Dufault entre chez elle, à Saint-Denis-sur-Richelieu, en Montérégie, et accouche à l'automne 1995 d'une petite fille, Lunou, au grand bonheur de l'homme de sa vie, Jean-Marie Zucchini, également son imprésario. Leur mariage a été célébré à Saint-Zacharie, sur la côte d'Azur. « Quand on vit avec un Marseillais de souche, il faut s'adapter à ses habitudes culinaires. C'est un cordon-bleu hors pair. Il m'a appris à mieux m'alimenter et à déguster de bons vins. Fini le temps des sandwichs au beurre de peanuts. »

Son nouveau rôle de maman ne l'empêche pas de retourner en studio pour son premier album éponyme avec des chansons signées Luc Plamondon, Gilbert Langevin, Pierre Flynn, Marie Chabot… En 1997, elle reçoit trois Félix comme interprète de l'année, pour son album et son spectacle.

PHOTO : PAUL DUCHARME, ÉCHOS VEDETTES

Le succès de Lara Fabian n'est pas étranger à celui de Luce Dufault. À l'instar de Céline Dion, elles ont ouvert la porte aux chanteuses à voix. Ces vedettes possèdent les atouts pour s'imposer sur la scène internationale.

Cette année-là, on entend à la radio les tubes de Luce Dufault : *Belle encolie, Dans le cri de nos nuits*. Quant à Lara Fabian, plusieurs de ses chansons, dont elle est l'auteure montent aussi au plamarès : *Saisir le jour, Tout, Il existe un endroit.*

Pour son disque compact, *Des milliards de choses*, d'autres auteurs et compositeurs s'ajoutent à la liste déjà impressionnante : Zachary Richard (*Un cœur fidèle*), Richard Séguin (*Murmure et serment*), Roger Tabra, dont sa chanson est le titre de l'album. Rachel Lussier écrit dans *La Tribune* : « Elle est de la race des interprètes féminines majeures… sur lesquelles les poètes et les musiciens peuvent compter pour voir leurs ouvrages transcender. »

Pour son plaisir et celui de ses admirateurs, Luce enregistre en avril de l'an 2000, un album qui lui tient à cœur. Elle refait de grands succès de Carole King, Billie Holliday, Léonard Cohen, Etta James et de Jacques Brel.

À la fin d'une longue tournée au Québec, Luce donne naissance à son deuxième enfant, un fils nommé Mika. Après un repos bien mérité, elle entre de nouveau en studio pour compléter son album, *Au-delà des mots* et sillonner les routes avec de nouveaux titres dont *Si demain* (Alain Simard)…

Luce Dufault fait une pause pour s'occuper de sa petite famille et préparer son cinquième album, *Bleu*, où l'on retrouve *Tu me fais du bien* de Daniel Bélanger et de nouveaux collaborateurs, Sylvie Paquette, Hélène Pednault, Nelson Mainville, Pierre Lapointe, la brillante vedette montante de 2007. Elle aura toujours sa façon bien personnelle de faire les textes des auteurs qui voient en elle la muse rêvée, adorée du large public francophone.

Biographie

Dans le premier long métrage de fiction, *La rage de l'ange* de Dan Bigras, en 2006, cet auteur interprète avec Luce Dufault *La rivière perdue*, extrait musical du film mettant en vedette Marina Orsini, Pierre Lebeau, Louison Danis… D'autres surprises restent à venir pour cette chanteuse incomparable, qui embellit le monde de la chanson populaire. Écoutez-la bien chanter *Y'a des nuits* de Richard Séguin :

Y'a des nuits qui brûlent en désir de partir
Des nuits du poème qui reste oublié
Y'a des nuits qui brillent sur les routes en dérive
Des nuits de gloire que le temps a frôlé.
Y'a des nuits sans sommeil, parce que trop fatigué
Des nuits bonté qui ne demandent rien...

PHOTO : MICHEL MARCIL, ÉCHOS VEDETTES

Les chanteurs doivent une fière chandelle à Véronique Cloutier, au centre, qui leur accorde une place de choix dans ses émissions de radio et de télévision. On la voit ici avec Luce Dufault et l'animateur André Robitaille.

2006

Dans la forêt des mal-aimés

Paroles et musique : Pierre Lapointe

Interprète...

Pierre Lapointe

Dans la forêt des mal-aimés

À vous mes chers mal-aimés, à vous
Qui avez rêvé de terres un peu moins brûlées, à vous
Qui êtes venus jusqu'ici, jusqu'à moi
Cueillir le fruit du regret délaissé
Dans la forêt des mal-aimés

Dans la forêt des mal-aimés
Chaque arbre est un membre oublié
Chaque feuille, une âme délaissée
Dans la forêt des mal-aimés
Comme il fait bon s'y promener

Mais pourquoi donc êtes-vous venus
Dans cette forêt aux coins perdus
Où les murs tapissés de fleurs
Ne font que rappeler le malheur ?
Mais pourquoi donc êtes-vous venus
Dans cette forêt aux coins perdus ?

Venez à pied ou à dos de corneille
Venez vite boire le liquide vermeil
Venez vous saouler de blanchi sommeil
Ici, c'est sûr, tout ira moins que bien
Si vous osez suivre le chemin

Mais pourquoi donc êtes-vous venus
Dans cette forêt aux coins perdus
Où les murs tapissés de fleurs
Ne font que rappeler le malheur ?
Mais pourquoi donc êtes-vous venus
Dans cette forêt aux coins perdus ?

Le son unique de Pierre Lapointe varie entre la techno et la pop, entre le jazz et l'air classique du piano, son doux confesseur. Les airs sont nouveaux, mais toujours accrocheurs, c'est donc un public élargi qui l'écoutera, mais un public qui accepte le défi de se laisser surprendre. Lapointe ne se considère pas encore comme un artiste d'avant-garde, mais la critique ne peut renier l'originalité explosive de sa trame sonore qui repose en équilibre entre le marginal et le commercial. En d'autres mots, Pierre Lapointe est cet auteur-compositeur qui se donne pour mission de nous transmettre un avant-gardisme accessible.

L'année 2006 sera fructueuse pour le jeune homme de 26 ans qui remporte cette même année deux Félix, celui d'auteur-compositeur de l'année et celui du meilleur album populaire. Il est de même nommé Personnalité de l'année, catégorie Arts, au Gala de l'excellence en janvier et le CD hommage à Joe Dassin, sur lequel il interprète *Dans les yeux d'Émilie*, est certifié disque d'Or en mars. C'est donc dans le remous produit par l'arrivée de son deuxième album *La forêt des mal-aimés* que le jeune chanteur lyrique trouve l'élan nécessaire pour transposer son concert en territoire français.

Faisons un bref retour en arrière, au stade où *La forêt des mal-aimés* n'est qu'un embryon dans la tête de Lapointe. Le projet naît seulement quatre mois après la sortie du premier album, *Pierre Lapointe*, en 2004. L'artiste avoue qu'il sentira alors immédiatement le besoin de se remettre en processus de création, mais pas encore sous la forme d'un disque, mais plutôt d'un concert théâtral baptisé *La forêt des mal-aimés* n'ayant rien à voir avec le disque alors en vente chez les disquaires. L'appel au théâtre est aux sources de Lapointe qui a déjà étudié en ce domaine au collège Saint-Hyacinthe. Au-delà des décors, de la mise en scène et des effets scéniques, on retrouve le personnage de scène arrogant et moqueur construit par l'artiste. Campé à la perfection et avec humour, le personnage cache en réalité la timidité de Pierre Lapointe. On retrouve chez cet homme, un refus de catégoriser l'art dans des domaines. L'essence de son œuvre est son monde interne et personnel. Le piano devient alors un prolongement de lui-même, l'instrument qui canalise son énergie la plus brute, la plus personnelle. L'image d'art-souffrance que projette Lapointe est issue de son énergie la plus épurée. Il avouera lui-même qu'une partie de lui se complaît dans la douleur lorsqu'il crée. Il ne tente pas de comprendre les raisons de ses angoisses, elles sont un peu inexplicables, comme le spleen baudelairien. Publiquement, il ne se présente pas comme l'être tourmenté de ses chansons, mais comme un homme rieur au regard tendre, vif et rêveur.

Le chanteur explique son processus de création par une surconsommation de son et d'image. Pierre Lapointe est un excessif qui se laisse inspirer par coup de surdose. Il ne s'arrête qu'à l'apogée de l'étourdissement puis, quelques mois plus tard, les idées se placeront dans sa tête. « Mes sources d'inspiration sont très nombreuses, de Radiohead, Björk, les Beastie Boys, Gainsbourg, Barbara aux Dadaïstes du début du 20e siècle. J'aime l'idée de culture de masse, c'est-à-dire, l'envie que la culture soit pour tous, qu'elle pénètre tous les foyers. Quand j'écris une chanson, je garde ça en tête : j'ai envie que l'émotion soit accessible à tous, et pas seulement à une soi-disant élite intellectuelle. »

Cette fois, l'élément déclencheur de cette nouvelle « rechute créative », est une photographie du Canadien Jeff Wall. Sur une photographie de l'artiste est mis en scène une forêt dont le sol est envahi d'individus étendus qui s'entredévorent. L'image provoquée dans la tête du chanteur est si forte que le processus se met en branle et une maquette est construite. La forêt naît ainsi, mythique, nostalgique, mais parsemée de clairières et d'espoirs.

Finalement, le public qui venait assister au concert de Lapointe, se retrouve devant des décors à la Tim Burton de forêt hantée, à gauche de la clairière, le piano et les musiciens à la contrebasse, à la guitare, au violon et à l'accordéon. Un choix risqué et anti commercial qui réussit tout de même au compositeur. Le chanteur intègre pourtant quelques mélodies de son album précédent, celles qui s'approprient le plus à l'atmosphère enchantée du spectacle, au petit univers isolé et mélancolique d'un voyageur errant. Par exemple, *Tel un seul homme* :

Et si je vous disais que même au milieu d'une foule
Chacun par sa solitude a le cœur qui s'écroule
Que même inondé par les regards de ceux qui nous aiment
On ne récolte pas toujours les rêves que l'on sème

L'album inspiré du spectacle sortira donc avec fracas, une forme de légende ou de fable que raconte en chant Pierre Lapointe comme un compteur mélancolique nous confiant ses aventures en des lieux lointains :

L'épopée fantomatique commence
Au pays des fleurs de la transe
Les cheveux accrochés au vent
Je partirai les pieds devant
Le sourire amer d'irrévérence
Au pays des fleurs de la transe...

Alain Brunet de *La Presse* écrit : « Osons néanmoins affirmer qu'il s'agit là d'un grand disque, capable de nourrir l'entière

francophonie. La qualité de la langue, le raffinement des musiques et la singularité de la réalisation de cette *Forêt des mal-aimés* n'ont strictement rien à envier aux protagonistes de la nouvelle chanson française. »

Son album sort peu de temps plus tard à Paris, le 11 septembre 2006. Ce n'est pas sa première expérience en sol européen, mais une confiance nouvelle l'habite, une fierté d'avoir pu transmettre une partie de son univers intérieur dans ce deuxième album. Le public parisien est séduit par ce renouveau du côté de leurs cousins qui se distingue de la lignée des grandes voix fortes de Garou ou de Céline Dion. Il compte sur le distributeur V2 pour s'établir sérieusement dans le marché français et se produit à la Boule Noire à la fin novembre. Deux hebdomadaires culturels de référence, *Télérama* et *Les Inrockuptibles*, acclament haut et fort l'indéniable sens artistique de « ce qui est arrivé de mieux à la chanson depuis bien longtemps » selon *Télérama* et « sans aucun doute la meilleure nouvelle qui nous soit arrivée de Montréal depuis The Arcade Fire » d'après *Les Inrockuptibles*.

Cette fois, heureusement, le Québec n'a pas eu besoin de l'accord français pour constater que Pierre Lapointe n'a commis rien de moins qu'un « chef-d'œuvre de chanson pop » (*Le Devoir*). Il en sera ainsi pour sa nouvelle chanson, *Tous les visages*, que son auteur apprécie particulièrement.

Tous les visages

Y'a les regards de ceux que l'on croise
Et ceux que l'on habite
Avant d'avoir eu le temps de voir
J'ai fermé les yeux trop vite

Tous les visages parlent d'eux même
Avant qu'on les connaisse
Le mien t'a dit :
« Va t'en, cours au loin
Je ne serai que tristesse »

Y'a les sourires de ceux que l'on croise
Et ceux que l'on habite
Avant d'avoir eu le temps de boire
Tu as craché trop vite

Tous les visages parlent d'eux même
Le mien t'a dit :
« Va-t'en, cours au loin
Je ne serai que tristesse »

On s'est brisé la tête et le cœur
Avec bien trop d'adresse
On a noyé nos yeux dans les pleurs
Prétextant notre ivresse

Tous les visages
parlent d'eux même
Avant qu'ils se connaissent
Les nôtres ont fait
semblant jusqu'à la fin
Aidés de fausses promesses

PIERRE LAPOINTE

Pierre Lapointe

Né Pierre Lapointe, le 23 mai 1981, à Alma au Lac-Saint-Jean (Québec)

C'est un parcours hasardeux et ambigu qui dirigera Pierre Lapointe dans l'industrie musicale. Il quitte sa formation en arts plastiques au Cégep de l'Outaouais pour se diriger en théâtre au Cégep de Saint-Hyacinthe. La soif d'expression artistique est palpable chez le jeune homme, mais ses professeurs lui conseillent de trouver un autre domaine d'expression, qui lui conviendrait mieux. Il est aujourd'hui clair que le champ d'expression de Lapointe ne peut se limiter à une catégorie, il se trouve en équilibre dans une zone encore inexplorée, au-delà des limites, aux intersections des différents domaines artistiques.

Un professeur de théâtre remarquera à cette époque l'immense potentiel de Pierre pour la chanson, bien que celui-ci n'ait jamais osé s'aventurer dans cet art. Depuis des années déjà Pierre Lapointe pianote des mélodies sur son piano. C'est un rapport très sensuel qui l'unit à l'instrument, comme s'il était son extension, sa caisse de résonnance. Il ne s'est pourtant jamais désigné comme un « pianiste ». Il sait créer l'émotion dans la musique et c'est sa plus grande force. C'est un peu plus tard que des paroles naîtront dans les mélodies. Ce sera le début d'une quête continuelle de nouveauté et d'exploration.

En 2001, après avoir remporté le prix d'auteur-compositeur-interprète du Festival international de la chanson de Granby, Pierre Lapointe se donne corps et âme à la préparation de son premier album commercial avec l'aide d'une bourse du Conseil des arts et lettres du Québec. En 2002, le jeune homme se produit publiquement au studio-théâtre Stella Artois. Le spectacle baptisé *Petites chansons laides* déclenche une pluie de compliments de la part de la critique. Certains titres se retrouvent dans son spectacle actuel, comme la très délirante *Boutique fantastique* :

Je suis allé à la boutique, la boutique fantastique,
et malheureusement, aujourd'hui bien j'y travaille.
Je trouve ça très emmerdant,
mais il y a quelque chose de pratique
C'est qu'à chaque fois que je vomis, bien le client sourit
Ça vous étonne, hein ? Ben moi ça ne m'étonne plus du tout
Car j'ai compris pourquoi le client sourit
C'est qu'il ne peut faire autrement, devant tant de grandeur,
devant tant de beauté, devant tant de spaciosité intérieure.

PHOTO : MICHEL SÉGUIN - L'ŒIL

Une équipe gagnante à Bourges (France), en avril 2007. De gauche à droite : Philippe Bergeron, Guido Del Fabbro, David Joyal, Ludwig Toczek, Jocelyne Richer, Josianne Hébert, Julie Morin, Philippe Brault et Pierre Lapointe.

Sa poésie particulière, sa théâtralité et sa sensibilité sont déjà ses armes les plus fortes. Il préfère être assis à son piano, n'étant pas encore tout à fait à l'aise debout. Il parle à l'instrument comme s'il était au confessionnal, l'image est d'un grand romantisme.

Ses débuts en sol européen se font au début des années 2002, mais c'est à son retour à Montréal qu'il fait salle comble pendant quatre soirs au Monument-National lors des FrancoFolies et reçoit le Prix Félix Leclerc qui lui assure une nouvelle présence en France, au Festival Alors Chante ! l'année suivante.

Les premières présentations du fameux concert *La forêt des mal-aimés* ont lieu à Aylmer, dans la salle La Basoche puis, à Québec au Théâtre du Petit Champlain et à Montréal au Théâtre Corona. Son premier vidéoclip, *Le columbarium* figure dans les premières positions des palmarès dès sa sortie.

J'ai tout léché les vitrines
Bravant le columbarium
Désormais, jamais plus
Non rien ni vent ni personne
Ne pourra m'empêcher de souffrir en paix,
D'aller lécher les vitrines du columbarium

J'ai dégusté l'églantine ornant le columbarium
Désormais, jamais plus
Non rien ni vent ni personne
Ne pourra m'empêcher de manger par la racine
L'églantine décorant le columbarium

L'auteur compositeur y présente son côté plus loufoque, comique, à la manière d'un post chansonnier-français. Son deuxième vidéo-clip est plus sombre et angoissant puisqu'il transpose la dure complainte de *Tel un seul homme*. L'imaginaire de la forêt des mal-aimés est déjà repérable dans le décor sinistre et tourmenté dans lequel le personnage de la chanson déambule. Le scénario est coécrit avec André Turpin (*Un crabe dans la tête, Maëlstrom, Un 32 août sur terre*). Il va de soi que Lapointe sait s'entourer d'une équipe brillante ayant le même souci d'exploration. Le domaine visuel est primordial pour le chanteur, il aura notamment recours aux services de Doyon Rivest, Pascal Grandmaison et au collectif d'art contemporain BGL pour l'installation qui servira aux photographies de son deuxième album. C'est en quelque sorte une de ses causes primordiales; donner de la visibilité aux activités artistiques qui tentent de se forger un chemin sans s'accorder au moule. Il fait sortir l'art des galeries pour la présenter à un public différent, mais qui accepte d'ouvrir ses horizons.

PHOTO : MICHEL SÉGUIN - L'ŒIL

En juillet 2007, tout ce beau monde est heureux de se retrouver en France. De gauche à droite : Philippe Brault, Josianne Hébert, Pierre Lapointe, Philippe Bergeron, Guido Del Fabbro.

Lorsque son CD éponyme est certifié Disque Platine en 2005 (plus de 115 000 copies vendues), Pierre et son équipe deviennent le centre de l'attention des médias culturels québécois avec leurs 13 nominations au gala de l'ADISQ. Cette même année, il remporte six Félix dont : metteur en scène et sonorisation pour le spectacle *La forêt des mal-aimés*, réalisation et arrangements à Jean Massicotte pour l'album *Pierre Lapointe*, celui de l'album de l'année catégorie populaire puis celui de révélation de l'année. Une récompense n'attend pas l'autre, puisque l'Académie Charles Cros lui décerne le Grand Prix du disque.

Lorsque l'on demande à Pierre Lapointe s'il est intimidé par la quantité phénoménale de prix qu'il a reçus en début de carrière, il répond que l'angoisse de ne pas être à la hauteur de soi-même s'est rapidement transformé en confiance. « J'ai moins peur de suivre mes intuitions. Et grâce à ces prix, on me suit plus facilement : pour un créateur, c'est une chance incroyable (...) Je suis content d'avoir prouvé qu'on peut avoir un succès commercial et populaire sans suivre les prétendues recettes du succès. On peut écrire des choses complexes et faire réagir les gens. Et ils aiment. »

Côté vente, les chiffres sont aussi prolifiques que la critique. Dès sa première semaine en magasin, le deuxième disque de Pierre Lapointe est vendu à plus de 28 000 copies et atteindra 60 000 copies vendues après seulement un mois et demi. Il atteint les meilleures ventes au Canada alors que son album éponyme est situé en 7e position du palmarès. En septembre 2006, les Disques Audiogram remettent à Pierre Lapointe deux CD certifiés platine (100 000 copies vendues de chaque album), lors du Festival de la chanson de Granby, dont Pierre est alors le porte-parole.

On ne croit pas que la réputation de Pierre Lapointe soit un feu de paille, encore gagnant de trois Félix remis à l'ADISQ en 2006 (dont album de l'année catégorie Pop) il sort aussi deux albums où il remanie certains de ses succès : 2 X2 et 25-1-14-14. Finalement, il est aussi en nomination dans la catégorie artiste de l'année puis album francophone de l'année aux Juno Awards. Plus récemment, soit le 22 juillet 2007, il a reçu à SPA, en Belgique, le Prix Rapsat-Lelièvre.

Pierre Lapointe est un être difficile à cerner, aussi mystérieux que ses chansons. Son travail change avec le temps, mais garde une signature authentique et personnelle au créateur.

PHOTO : MICHEL SÉGUIN - L'ŒIL

On reconnaît Pierre Lapointe et le directeur de l'Orchestre métropolitain du Grand Montréal, Yanick Nézet-Séguin, lors des répétitions pour les FrancoFolies de Montréal, spectacle retransmis à la télévision de Radio-Canada.

Il est évident que l'artiste explore continuellement les limites les plus éloignées de son art et prépare encore à son public une œuvre de plus en plus éclatée, un univers « assez étrange pour qu'on s'y sente à la fois bien et mal à l'aise (...) J'ai essayé de recréer cette atmosphère sur scène. Elle provoque chez les spectateurs une mélancolie dans laquelle ils se sentent bien, mais qui les fait souffrir également... C'est l'ambiguïté du bien-être/mal-être qui est, finalement, celle de la vie. »

En août 2007, il clôture les FrancoFolies de Montréal avec ses Mal aimés et les musiciens de l'Orchestre métropolitain du Grand Montréal, sous la direction de Yannick Nézet-Séguin. Ce spectacle mettra fin à la tournée québécoise qui aura duré près de trois ans et récolté un Billet d'or (décerné par l'ADISQ pour 50 000 billets vendus).

En ce qui concerne le spectacle de Pierre Lapointe accompagné par ce grand orchestre, laissons le mot de la fin à Marie-Claire Blais de *La Presse* : « À compter de 21h et des poussières, cette foule, qu'on a estimée à quelque 100 000 personnes, a assisté à un spectacle tout simplement grandiose du début à la fin, tellement riche, tellement fluide que c'est comme si cette musique avait été faite de tous temps pour être interprètée par 80 musiciens. Permettez-moi de souligner tout de suite le travail colossal des arrangeurs Marc Ouellet, Yannick Plamondon et Philippe Brault, qui en outre n'ont jamais perdu de vue l'équilibre entre classique et pop. C'est mon confrère Sylvain Ménard qui a tiré le constat qui s'imposait : nous assistions peut-être là à la plus grande œuvre pop classique québecoise depuis *L'Heptade* d'Harmonium, rien de moins. »

Les grandes chansons d'aujourd'hui et de demain

Marcel Brouillard en compagnie de Charles Aznavour dans sa loge de l'Olympia de Paris, en 1971. (Photo : Max Micol)

Annexe

Les grandes chansons d'aujourd'hui et de demain

(50 titres)

AMONT, Marcel	Un mexicain	530
AZNAVOUR, Charles	Désormais	533
BÉDAR, Danny	Faire la paix avec l'amour	565
BÉLANGER, Daniel	Sèche tes pleurs	557
MARIEMAI	Encore une nuit	579
BOULAY, Isabelle	Un jour ou l'autre	564
BOUM DESJARDINS	Viens donc m'voir	572
BOURVIL	Salade de fruits	528
CALVÉ, Pierre	Quand les bateaux s'en vont	532
CHARLEBOIS, Robert	Je reviendrai à Montréal	543
CLERC, Julien	Femmes je vous aime	545
CORNEILLE	Parce qu'on vient de loin	569
COWBOYS FRINGANTS	Les étoiles filantes	576
CICCONE, Nicola	J't'aime tout court	570
D'AMOUR, France	Mon frère	558
DASSIN, Joe	Si tu t'appelles mélancolie	542
DESJARDINS, Richard	Quand j'aime une fois, j'aime pour toujours	553

Les grandes chansons d'aujourd'hui et de demain

(50 titres)

Les grandes chansons d'aujourd'hui et de demain

Annexe

(50 titres)

1952

Un jour, tu verras

Paroles : Marcel Mouloudji
Musique : Georges Van Parys
Interprète : Mouloudji

Un jour, tu verras, on se rencontrera
Quelque part, n'importe où, guidés par le hasard
Nous nous regarderons et nous nous sourirons
Et, la main dans la main, par les rues nous irons

Le temps passe si vite, le soir cachera bien
Nos cœurs ces deux voleurs qui gardent leur bonheur
Puis nous arriverons sur une place grise
Où les pavés seront doux à nos âmes grises

Il y aura un bal, très pauvre et très banal
Sous un ciel plein de brume et de mélancolie
Un aveugle jouera de l'orgue de Barbarie
Cet air pour nous sera le plus beau, le plus joli !

Moi, je t'inviterai,
ta taille je prendrai
Nous danserons tranquilles,
loin des gens de la ville
Nous danserons l'amour,
les yeux au fond des yeux
Vers une fin du monde,
vers une nuit profonde

Un jour, tu verras,
on se rencontrera
Quelque part, n'importe où,
guidés par le hasard
Nous nous regarderons et
nous nous sourirons
Et la main dans la main,
par les rues, nous irons

PHOTO : ÉCHOS VEDETTES
MOULOUDJI

1956

Attends-moi ti-gars

Paroles et musique : Félix Leclerc
Interprète : Félix Leclerc

La voisine a ri d'nous autres
Parce qu'on avait douze enfants
Changé son fusil d'épaule
Depuis qu'elle en a autant

(Refrain)
Attends-moi Ti-gars
Tu vas tomber si j'suis pas là
Le plaisir de l'un
C'est d'voir l'autre se casser l'cou

Quand le patron te raconte
Que t'es adroit et gentil
Sois sûr que t'es le nigaud
Qui fait marcher son bateau

(Au refrain)

Il est jeune il est joli
Il est riche il est poli
Mais une chose l'ennuie
C'est son valet qu'à l'génie

(Au refrain)

L'argent est au bas d'l'échelle
Et le talent par en haut
C'est pourquoi personne en haut
Pourtant la vue est plus belle

(Au refrain)

Parc'que j'avais pas d'manteau
J'ai pris la peau de mon chien
Tu vois qu'y a pas plus salaud
Que moi qui chante ce refrain

(Au refrain)

Quand on me dit : va à drette
C'est à gauche que je m'attelle
Vous qu'aux enfers on rejette
On s'reverra peut-être au ciel

(Au refrain)
Couplets censurés

La veille des élections
Il t'appelait son fiston
Le lend'main comme de raison
Y avait oublié ton nom

(Au refrain)

Quand monsieur l'curé raconte
Qu'la paroisse est pleine d'impies
C'est pas à cause des péchés
C'est qu'les dîmes sont pas payées

(Au refrain)

PHOTO : JOHN TAYLOR

FÉLIX LECLERC ET FRANÇOIS DOMPIERRE

1959

Salade de fruits

Paroles : Noël Roux
Musique : Armand Canfora
Interprètes : Bourvil, Annie Cordy

Ta mère t'a donné comme prénom
Salade de fruits, ah !
quel joli nom
Au nom de tes ancêtres hawaïens
Il faut reconnaître
que tu le portes bien

Salade de fruits, jolie, jolie, jolie
Tu plais à mon père,
tu plais à ma mère
Salade de fruits, jolie, jolie, jolie
Un jour ou l'autre
Il faudra bien
Qu'on nous marie

Pendus dans la paillote
au bord de l'eau
Y a des ananas,
il y a des noix de coco
J'en ai déjà goûté
je n'en veux plus
Le fruit de ta bouche
serait le bienvenu

Je plongerai tout nu
dans l'océan
Pour te ramener des
poissons d'argent
Avec des coquillages
lumineux
Oui mais en revanche
tu sais ce que je veux

On a donné chacun de tout son cœur
Ce qu'il y avait en nous de meilleur
Au fond de ma paillote
au bord de l'eau
Le palmier qui bouge
c'est un petit berceau

Salade de fruits, jolie, jolie, jolie
Tu plais à ton père,
Tu plais à ta mère
Salade de fruits, jolie, jolie, jolie
C'est toi le fruit de nos amours !
Bonjour petit !

Bourvil et Annie Cordy

Tous les garçons et les filles

1962

Paroles : Françoise Hardy
Musique : Françoise Hardy, Roger Samyn
Interprète : Françoise Hardy

Tous les garçons et
les filles de mon âge
Se promènent dans la rue
deux par deux
Tous les garçons et
les filles de mon âge
Savent bien ce que
c'est qu'être heureux
Et les yeux dans les yeux
Et la main dans la main
Ils s'en vont amoureux
Sans peur du lendemain
Oui mais moi, je vais seule
Par les rues, l'âme en peine
Oui mais moi, je vais seule
Car personne ne m'aime

Mes jours comme mes nuits
Sont en tous points pareils
Sans joie et pleins d'ennui
Personne ne murmure
« je t'aime » à mon oreille

Tous les garçons et
les filles de mon âge
Font ensemble des projets d'avenir
Tous les garçons et
les filles de mon âge
Savent très bien ce
qu'aimer veut dire
Et les yeux dans les yeux
Et la main dans la main
Ils s'en vont amoureux
Sans peur du lendemain
Oui mais moi, je vais seule
Par les rues, l'âme en peine
Oui mais moi, je vais seule
Car personne ne m'aime

Mes jours comme mes nuits
Sont en tous points pareils
Sans joie et pleins d'ennui
Oh! quand donc pour moi
brillera le soleil ?

Comme les garçons et
les filles de mon âge
Connaîtrai-je bientôt
ce qu'est l'amour ?
Comme les garçons et
les filles de mon âge
Je me demande quand
viendra le jour
Où les yeux dans ses yeux
Et la main dans sa main
J'aurai le cœur heureux
Sans peur du lendemain
Le jour où je n'aurai
Plus du tout l'âme en peine
Le jour où moi aussi
J'aurai quelqu'un qui m'aime

Un mexicain

1962

Paroles : Jacques Plante
Musique : Charles Aznavour
Interprètes : Marcel Amont, les Compagnons de la chanson

(Refrain)
Un Mexicain basané
Est allongé sur le sol
Le sombrero sur le nez
En guise en guise en guise en guise
en guise en guise de parasol

Il n'est pas loin de midi
D'après le soleil
C'est formidable aujourd'hui
Ce que j'ai sommeil

L'existence est un problème
À n'en plus finir
Chaque jour chaque
nuit c'est le même
Il vaut mieux dormir

Rien que trouver à manger
Ce n'est pourtant là qu'un détail
Mais ça suffirait à pousser
Un homme au travail

J'ai une soif du tonnerre
Il faudrait trouver
Un gars pour jouer un verre
En trois coups de dés

Je ne vois que des fauchés
Tout autour de moi
Et d'ailleurs ils ont l'air de tricher
Aussi bien que moi

Et pourtant j'ai le gosier
Comme du buvard, du buvard
Ça m'arrangerait bougrement
S'il pouvait pleuvoir

(Au refrain)

Voici venir Cristobal
Mon Dieu qu'il est fier
C'est vrai qu'il n'est général
Que depuis hier

Quand il aura terminé
Sa révolution
Nous pourrons continuer
Tous les deux la conversation

Il est mon meilleur ami
J'ai parié sur lui dix pesos
Et s'il est battu
Je n'ai plus qu'à leur dire adios

On voit partout des soldats
Courant dans les rues
Si vous ne vous garez pas
Ils vous marchent dessus

Et le matin quel boucan
Sacré nom de nom
Ce qu'ils sont agaçants, énervants
Avec leurs canons

Ça devrait être interdit
Un chahut pareil à midi
Quand il y a des gens, sapristi
Qui ont tant sommeil

(Au refrain)

Les vendanges de l'amour

Paroles : Michel Jourdan
Musique : Danyel Gérard
Interprète : Marie Laforêt

Nous les referons ensemble
Nous les referons ensemble
Demain les vendanges de l'amour
Car la vie toujours rassemble
Oui la vie toujours rassemble

Malgré tout, ceux qui
se quittent un jour
Et le soleil du bel âge
Brillera après l'orage
Un beau matin pour
sécher nos pleurs
Et ta main comme une chaîne
Viendra se fondre à la mienne
Enfin pour le pire et le meilleur

Nous les referons ensemble
Nous les referons ensemble
Demain les vendanges de l'amour
Car je sais que tu ressembles
Oui je sais que tu ressembles

Comme deux gouttes
d'eau à l'amour
Ma comparaison peut-être
Sur tes lèvres fera naître
Un sourire en guise de discours
Mais pourtant j'en suis certaine
(version masculine :
Mais pourtant sois en certaine)
Ce soir autant que je t'aime
Oui ce soir tu ressembles à l'amour
Il fera bon
Il fera bon
Il fera bon auprès de toi
L'étoile bleue
Des jours heureux
Va briller pour nous deux.

Nous les referons ensemble
Nous les referons ensemble
Demain les vendanges de l'amour
Car la vie toujours rassemble
Oui la vie toujours rassemble

Malgré tout, ceux qui
se quittent un jour
Et le soleil du bel âge
Brillera après l'orage
Un beau matin pour
sécher nos pleurs
Et ta main comme une chaîne
Viendra se fondre à la mienne
Enfin pour le pire et le meilleur

Nous les referons ensemble
Nous les referons ensemble
Demain les vendanges de l'amour
Nous les referons ensemble
Nous les referons ensemble
Demain les vendanges de l'amour

Quand les bateaux s'en vont

Paroles : Gilles Vigneault
Musique : Pierre Calvé

Quand les bateaux s'en vont
Je suis toujours au quai
Mais jamais je ne pars
Et jamais je ne reste

Je ne dis plus les mots
Je ne fais plus les gestes
Qui hâtent les départs
Ou les font retarder

(Refrain)
Je ne suis plus de l'équipage,
Mais passager
Il faut bien plus que des bagages
Pour voyager

Quand les bateaux s'en vont
Je reste le dernier
À jeter, immobile
Une dernière amarre

À regarder dans l'eau
Qui s'agite et répare
La place qu'il prenait
Et qu'il faut oublier

(Au refrain)

Quand les bateaux s'en vont
Je refais à rebours
Les départs mal vécus
Et les mornes escales

Mais on ne refait pas
De l'ordre au fond des cales
Quand le bateau chargé
Établit son parcours

Quand les bateaux s'en vont
Je suis silencieux
Mais je vois des hauts fonds
Dans le ciment des villes

Et j'ai le pied marin
Dans ma course inutile
Sous les astres carrés
Qui me crèvent les yeux

(Au refrain)

Quand les bateaux s'en vont
Je reste sur le quai

GILLES VIGNEAULT

Désormais

Paroles : Charles Aznavour
Musique : Georges Garvarentz
Interprète : Charles Aznavour

Désormais
On ne nous verra plus ensemble
Désormais
Mon cœur vivra sous les décombres
De ce monde qui nous ressemble
Et que le temps a dévasté
Désormais
Ma voix ne dira plus je t'aime
Désormais
Moi qui voulais être ton ombre
Je serai l'ombre de moi-même
Ma main de ta main séparée

Jamais plus
Nous ne mordrons au même fruit
Ne dormirons au même lit
Ne referons les mêmes gestes
Jamais plus
Ne connaîtrons la même peur
De voir s'enfuir notre bonheur
Et du reste désormais

Désormais
Les gens nous verrons l'un sans l'autre
Désormais
Nous changerons nos habitudes
Et ces mots que je croyais nôtres
Tu les diras dans d'autres bras
Désormais
Je garderai ma porte close
Désormais
Enfermé dans ma solitude
Je traînerai parmi les choses
Qui parleront toujours de toi

Jamais plus
Nous ne mordrons au même fruit
Ne dormirons au même lit
Ne referons les mêmes gestes
Jamais plus
Ne connaîtrons la même peur
De voir s'enfuir notre bonheur
Et du reste désormais

Évangéline

1971

Paroles et musique : Michel Seunes
Interprètes : Isabelle Pierre, Annie Villeneuve, Annie Blanchard

Les étoiles étaient dans le ciel
Toi dans les bras de Gabriel
Il faisait beau, c'était dimanche
Les cloches allaient bientôt sonner
Et tu allais te marier
Dans ta première robe blanche
L'automne était bien commencé
Les troupeaux étaient tous rentrés
Et parties toutes les sarcelles
Et le soir au son du violon
Les filles et surtout les garçons
T'auraient dit que tu étais belle

Évangéline, Évangéline

Mais les Anglais sont arrivés
Dans l'église ils ont enfermé
Tous les hommes de ton village
Et les femmes ont dû passer
Avec les enfants qui pleuraient
Toute la nuit sur le rivage
Au matin, ils ont embarqué
Gabriel sur un grand voilier
Sans un adieu, sans un sourire
Et toute seule sur le quai
Tu as essayé de prier
Mais tu n'avais plus rien à dire

Évangéline, Évangéline

Alors pendant plus de vingt ans
Tu as recherché ton amant
À travers toute l'Amérique
Dans les plaines et les vallons
Chaque vent murmurait son nom
Comme la plus jolie musique
Même si ton cœur était mort
Ton amour grandissait plus fort
Dans le souvenir et l'absence
Il était toutes tes pensées
Et chaque jour, il fleurissait
Dans le grand jardin du silence

Évangéline, Évangéline

Tu vécus dans le seul désir
De soulager et de guérir
Ceux qui souffraient plus que toi-même
Tu appris qu'au bout des chagrins
On trouve toujours un chemin
Qui mène à celui qui nous aime
Ainsi un dimanche matin
Tu entendis dans le lointain
Les carillons de ton village
Et soudain alors tu compris
Que tes épreuves étaient finies
Ainsi que le très long voyage

Évangéline, Évangéline

Devant toi était étendu
Sur un grabat un inconnu
Un vieillard mourant de faiblesse

Évangéline

Dans la lumière du matin
Son visage sembla soudain
Prendre les traits de sa jeunesse
Gabriel mourut dans tes bras
Sur sa bouche tu déposas
Un baiser long comme ta vie
Il faut avoir beaucoup aimé
Pour pouvoir encore trouver
La force de dire merci

Évangéline, Évangéline

Il existe encore aujourd'hui
Des gens qui vivent dans ton pays
Et qui de ton nom se souviennent
Car l'océan parle de toi
Les vents du sud portent ta voix
De la forêt jusqu'à la plaine
Ton nom c'est plus que l'Acadie
Plus que l'espoir d'une patrie
Ton nom dépasse les frontières
Ton nom c'est le nom de tous ceux
Qui malgré qu'ils soient malheureux
Croient en l'amour et qui espèrent

Évangéline, Évangéline (bis)

Le petit roi

Paroles : Jean-Pierre Ferland
Musique : Michel Robidoux
Interprète : Jean-Pierre Ferland

Dans mon âme et dedans ma tête
Il y avait autrefois
Un petit roi
Qui régnait comme en son royaume
Sur tous mes sujets
Beaux et laids
Puis il vint un vent de débauche
Qui faucha le roi
Sous mon toit
Et la fête fut dans ma tête
Comme un champ de blé
Un ciel de mai

Et je ne vois plus la vie
de la même manière
Et je ne vois plus le temps
me presser comme avant
Hé, boule de gomme !
S'rais-tu dev'nu un homme ? (bis)

Comme un loup qui
viendrait au monde
Une deuxième fois
Dans la peau d'un chat
Je me sens comme une fontaine
Après un long hiver
Et j'en ai l'air
J'ai laissé ma fenêtre ouverte
À sa pleine grandeur
Et je n'ai pas eu peur
Dans mon âme et dedans ma tête
Il y avait autrefois
Un autre que moi

Je ne fais plus l'amour
de la même manière
Et je ne sens plus ma peau
me peser comme avant
Hé, boule de gomme !
S'rais-tu dev'nu un homme ? (bis)

Tu diras aux copains du coin
Que je n'reviendrai plus
Mais n'en dis pas plus
Ne dis rien à Marie-Hélène
Donne-lui mon chat
Elle me comprendra
J'ai laissé mon jeu d'aquarelles
Sous le banc de bois
C'est pour toi
Dans mon âme et dedans ma tête
Il y avait autrefois
Comme un petit roi

Hé, boule de gomme !
S'rais-tu dev'nu un homme ? (4 fois)

Fais comme l'oiseau

Paroles et musique : Antonio Carlos, Marques Pinto
Version française : Pierre Delanoë
Interprète : Michel Fugain

(Refrain)
Fais comme l'oiseau
Ça vit d'air pur et d'eau fraîche, un oiseau
D'un peu de chasse et de pêche, un oiseau
Mais jamais rien ne l'empêche, l'oiseau, d'aller plus haut

Mais je suis seul dans l'avenir
J'ai peur du ciel et de l'hiver
J'ai peur des fous et de la guerre
J'ai peur du temps qui passe, dis
Comment peut-on vivre aujourd'hui
Dans la fureur et dans le bruit
Je ne sais pas, je ne sais plus, je suis perdu

(Au refrain)

Mais l'amour dont on m'a parlé
Cet amour que l'on m'a chanté
Ce sauveur de l'humanité
Je n'en vois pas la trace, dis
Comment peut-on vivre sans lui ?
Sous quelle étoile, dans quel pays ?
Je n'y crois pas, je n'y crois plus, je suis perdu

(Au refrain)

Mais j'en ai marre d'être roulé
Par des marchands de liberté
Et d'écouter se lamenter
Ma gueule dans la glace, dis
Est-ce que je dois montrer les dents ?
Est-ce que je dois baisser les bras ?
Je ne sais pas, je ne sais plus, je suis perdu.

(Au refrain)

Mille après mille

Paroles et musique : Gérald Joly
Interprète : Willie Lamothe

Ma vie est un long chemin sans fin
Et je ne sais pas très bien où je m'en vais
Je cherche dans les faubourgs et les villes
C'est dans l'espoir d'accomplir mon destin

(Refrain)
Mille après mille, je suis triste
Mille après mille, je m'ennuie
Jour après jour sur la route
Tu ne peux pas savoir
comme je peux t'aimer

Chaque mille que
je parcours semble inutile
Je cherche toujours
sans rien trouver
Je vois ton visage
qui me hante
Je me demande
pourquoi je t'ai quittée

(Au refrain)

Un jour,
quand mes voyages
auront pris fin
Et qu'au fond de moi,
j'aurai trouvé
Cette paix dont
je sentais le besoin
À ce moment,
je pourrai m'arrêter

(Au refrain)

PHOTO : RADIO-CANADA

WILLIE LAMOTHE ET SON ÉPOUSE JEANNETTE

J'entends frapper

1972

Paroles et musique: Michel Pagliaro

Trouver, trouver,
j'espère toujours retrouver
Quelqu'un,
quelqu'un qui pourrait m'aider
Tous ceux,
tous ceux que je croyais mes amis
Ils m'ont,
ils m'ont tous laissé tomber

J'entends frapper
Enfin ma chance a tourné
Je suis heureux d'apprendre
Que tout n'est pas terminé

Rouler, rouler,
il est encore temps de rouler
Personne,
personne ne peut m'arrêter
Plus loin, plus loin,
toujours l'idée d'aller plus loin
C'est ma,
c'est ma seule raison d'exister

J'entends frapper
Enfin ma chance a tourné
Je suis heureux d'apprendre
Que tout n'est pas terminé

J'entends frapper
Mais je n' ai rien oublié
Ce n'est pas seulement la chance
Qui me fera gagner

Unis, unis, nous voilà enfin réunis
Nous sommes,
nous sommes tous en frères
La main, la main,
oui tous la main dans la main
Allons, allons tous partager

J'entends frapper
Enfin ma chance a tourné
Je suis heureux d'apprendre
Que tout n'est pas terminé

J'entends frapper
Mais je n'ai rien oublié
Ce n'est pas seulement la chance
Qui me fera gagner

Ce n'est pas seulement la chance
Qui me fera gagner
Ce n'est pas seulement la chance
Qui me fera gagner

J'ai rencontré l'homme de ma vie

1973

Paroles : Luc Plamondon
Musique : François Cousineau
Interprète : Diane Dufresne

Aujourd'hui j'ai rencontré
L'homme de ma vie
Oh-oh-oh-oh aujourd'hui
Au grand soleil en plein midi

On attendait le même feu vert
Lui à pied et moi dans ma Corvair
J'ai dit : « Veux-tu un lift ? »

Aujourd'hui j'ai rencontré
L'homme de ma vie
Oh-oh-oh-oh aujourd'hui
Je l'ai conduit jusque chez lui

J'suis montée à son appartement
Entre la terre et le firmament
Il m'a offert un drink.

(Hommes)
Qu'est-ce que tu
fais dans la vie ?

(Femmes)
J'fais mon possible

(Hommes)
Prends-tu d'l'eau
dans ton whisky ?

(Femmes)
Non,
j'le prends straight

Aujourd'hui j'ai rencontré
L'homme de ma vie
Oh-oh-oh-oh aujourd'hui
Un seul regard nous a suffi

Mon horoscope me l'avait prédit
Quand je l'ai vu j'ai su
Qu'c'était lui
J'ai deviné son signe…

Aujourd'hui j'ai rencontré l'homme
de ma vie
Oh-oh-oh-oh aujourd'hui
Au grand soleil en plein midi

Diane Dufresne

1973

J'ai un problème

Paroles : Jean Renard
Musique : Michel Mallory
Interprètes : Johnny Hallyday, Sylvie Vartan, Monique Vermont, Jean Faber

Dis-moi pourquoi,
tu es mon seul problème
Dis-moi pourquoi,
tu es mon seul souci
On récole la vie que l'on sème
Et quand vient l'amour,
On est un peu surpris
À cause de toi,
je ne suis plus la même
Oh ! Moi par ta faute,
j'ai changé aussi
Je ne sais pas où ça nous entraîne
C'est la chance ou bien
C'est de la folie

Si tu n'es pas vraiment
l'amour tu lui ressembles
Quand je m'éloigne toi
tu te rapproches un peu

Si ce n'est pas vraiment
l'amour de vivre ensemble
Ça lui ressemble tant
que c'est peut-être mieux

J'ai un problème je sens
bien que je t'aime
J'ai un problème,
c'est que je t'aime aussi
Ces mots-là restent
toujours les mêmes
C'est nous qui changeons,
le jour où on les dit

J'ai un problème,
j'ai bien peur que je t'aime
J'ai un problème,
j'en ai bien peur aussi
En perdant on y gagne
quand même
Et puis après tout on
n'a pas choisi

Si tu n'es pas vraiment
l'amour tu lui ressembles
Quand je m'éloigne toi
tu te rapproches un peu
Si ce n'est pas vraiment
l'amour de vivre ensemble
Ça lui ressemble tant
que c'est peut-être mieux
(3x)

Si tu t'appelles mélancolie

Paroles (Adaptation) : Pierre Delanoë, Claude Lemesle
Interprète : Joe Dassin

Seule devant ta glace
Tu te vois triste sans savoir pourquoi
Et tu ferais n'importe quoi
Pour ne pas être à ta place

Si tu t'appelles mélancolie
Si l'amour n'est plus qu'une habitude
Ne me raconte pas ta vie
Je la connais, ta solitude

Si tu t'appelles mélancolie
On est fait pour l'oublier ensemble
Les chiens perdus, les incompris
On les connaît, on leur ressemble
Et demain peut-être

Puisque tout peut arriver,
n'importe où
Tu seras là, au rendez-vous
Et je saurai te reconnaître

Si tu t'appelles mélancolie
Si l'amour n'est plus
qu'une habitude
Ne me raconte pas ta vie
Je la connais, ta solitude

Si tu t'appelles mélancolie
On est fait pour l'oublier ensemble
Les chiens perdus, les incompris
On les connaît, on leur ressemble

Joe Dassin (Photo : Échos Vedettes)

Je reviendrai à Montréal

Paroles : Daniel François, René Thibon
Musique : Robert Charlebois
Interprète : Robert Charlebois

Robert Charlebois (Photo : Jean Tholance)

Je reviendrai à Montréal
Dans un grand
Bœing bleu de mer
J'ai besoin de
revoir l'hiver
Et ses aurores
boréales

J'ai besoin de
cette lumière
Descendue droit
du Labrador
Et qui fait neiger
sur l'hiver
Des roses bleues,
des roses d'or

Dans le silence de l'hiver
Je veux revoir ce lac étrange
Entre le cristal et le verre
Où viennent se poser des anges

Je reviendrai à Montréal
Écouter le vent de la mer
Se briser comme
un grand cheval
Sur les remparts
blancs de l'hiver

Je veux revoir le long désert
Des rues qui n'en finissent pas
Qui vont jusqu'au bout de l'hiver
Sans qu'il y ait trace de pas

J'ai besoin de sentir le froid
Mourir au fond de chaque pierre
Et rejaillir au bord des toits
Comme des glaçons de bonbons clairs

Je reviendrai à Montréal
Dans un grand Bœing bleu de mer
Je reviendrai à Montréal
Me marier avec l'hiver (bis)

Marie-Hélène

Paroles et musique : Sylvain Lelièvre
Interprète : Sylvain Lelièvre

Marie-Hélène vient
juste d'avoir vingt ans
Ça fait 6 mois qu'est
en appartement
Sur les murs blancs,
d'un p'tit troisième étage
Rue Saint-Denis est partie
en voyage

Marie-Hélène a pourtant
pas d'amant
Juste des amis qui viennent,
de temps en temps
Fumer son pot, écouter sa musique
Marie-Hélène est une
fille sympathique

(Refrain)
C'est pas facile d'avoir 20 ans
C'est plus mêlant qu'avant
C'est pas facile d'avoir 20 ans
Elle a le temps tout l'temps

En mobylette, en métro ou à pied
Marie-Hélène traverse la société
Mais par hasard dans
un mauvais pays
Au mauvais temps
Marie-Hélène s'ennuie

S'ennuie de qui,
elle ne sait pas trop bien
S'ennuie de quoi,
elle le sait encore moins
En attendant,
y a eu 2 mois d'ouvrage
Un mois d'étude pis
l'assurance-chômage

(Au refrain)

Le temps d'user jusqu'au
dernier sillon
Son Génésis pis sa cinquième saison
Et d'oublier les mots de Let it be,
qui joue la nuit
Quand tout le monde s'ennuie

Mais Let it be,
c'est déjà l'ancien temps
Marie-Hélène n'avait
même pas douze ans
Et c'est si loin,
qu'elle ne sait plus par cœur
Et c'est tout ça qui fait
qu'elle ait si peur

(Au refrain)

Femmes je vous aime

Paroles : Jean Loup Dabadie
Musique : Julien Clerc
Interprète : Julien Clerc

Quelquefois
Si douces
Quand la vie me touche
Comme nous tous
Alors si douces...

Quelquefois Si dures
Que chaque blessure
Longtemps me dure
Longtemps me dure...

Femmes... Je vous aime
Femmes... Je vous aime
Je n'en connais pas de faciles
Je n'en connais que de fragiles
Et difficiles
Oui... difficiles

Quelquefois Si drôles
Sur un coin d'épaule
Oh oui… Si drôles
Regard qui frôle...

Quelquefois Si seules
Parfois ell's le veulent
Oui mais... Si seules
Oui mais si seules...

Femmes... Je vous aime
Femmes... Je vous aime
Vous êt's ma mère,
je vous ressemble
Et tout ensemble mon enfant
Mon impatience
Et ma souffrance...

Femmes... Je vous aime
Femmes... Je vous aime
Si parfois ces mots se déchirent
C'est que je n'ose pas vous dire
Je vous désire
Ou même pire
O... Femmes...

La langue de chez nous

Paroles et musique : Yves Duteil
Interprète : Yves Duteil

C'est une langue belle avec des mots superbes
Qui porte son histoire à travers ses accents
Où l'on sent la musique et le parfum des herbes
Le fromage de chèvre et le pain de froment

Et du Mont-Saint-Michel jusqu'à la Contrescarpe
En écoutant parler les gens de ce pays
On dirait que le vent s'est pris dans une harpe
Et qu'il en a gardé toutes les harmonies

Dans cette langue belle aux couleurs de Provence
Où la saveur des choses est déjà dans les mots
C'est d'abord en parlant que la fête commence
Et l'on boit des paroles aussi bien que de l'eau

Les voix ressemblent aux cours des fleuves et des rivières
Elles répondent aux méandres, au vent dans les roseaux
Parfois même aux torrents qui charrient du tonnerre
En polissant les pierres sur le bord des ruisseaux

C'est une langue belle à l'autre bout du monde
Une bulle de France au nord d'un continent
Sertie dans un étau mais pourtant si féconde
Enfermée dans les glaces au sommet d'un volcan

Elle a jeté des ponts par-dessus l'Atlantique
Elle a quitté son nid pour un autre terroir
Et comme une hirondelle au printemps des musiques
Elle revient nous chanter ses peines et ses espoirs

La langue de chez nous

Nous dire que là-bas dans ce pays de neige
Elle a fait face aux vents qui soufflent de partout
Pour imposer ses mots jusque dans les collèges
Et qu'on y parle encore la langue de chez nous

C'est une langue belle à qui sait la défendre
Elle offre les trésors de richesses infinies
Les mots qui nous manquaient pour pouvoir nous comprendre
Et la force qu'il faut pour vivre en harmonie

Et de l'Île d'Orléans jusqu'à la Contrescarpe
En écoutant chanter les gens de ce pays
On dirait que le vent s'est pris dans une harpe
Et qu'il a composé toute une symphonie

Yves Duteuil

Je voudrais voir la mer

Paroles et musique : Michel Rivard
Musique : Marc Pérusse, Sylvie Tremblay
Interprètes : Sylvie Tremblay, Michel Rivard

Je voudrais voir la mer
Et ses plages d'argent
Et ses falaises blanches
Fières dans le vent
Je voudrais voir la mer
Et ses oiseaux de lune
Et ses chevaux de brume
Et ses poissons volants

Je voudrais voir la mer
Quand elle est un miroir
Où passent sans se voir
Des nuages de laine
Et les soirs de tempête
Dans la colère du ciel
Entendre une baleine
Appeler son amour

(Refrain)
Je voudrais voir la mer
Et danser avec elle
Pour défier la mort
Je voudrais voir la mer
Et danser avec elle
Pour défier la mort

Je voudrais voir la mer
Avaler un navire
Son or et ses canons
Pour entendre le rire
De cent millions d'enfants
Qui n'ont pas peur de l'eau
Qu'ont envie de vivre
Sans tenir un drapeau

Je voudrais voir la mer
Ses monstres imaginaires
Ses hollandais volants
Et ses bateaux de guerre
Son cimetière marin
Et son lit de corail
Où dorment les requins
Dans des draps de satin

(Au refrain)

Photo : Michel Gagné, Échos Vedettes

Sylvie Tremblay

Je voudrais voir la mer

Michel Rivard

Je vis dans une bulle
Au milieu d'une ville
Parfois mon cœur est gris
Et derrière la fenêtre
Je sens tomber l'ennui
Sur les visages blêmes

Et sous les pas pesants
Que traînent les passants
Alors du fond de moi
Se lève un vent du large
Aussi fort que l'orage
Aussi doux qu'un amour
Et l'océan m'appelle
D'une voix de velours
Et dessine en mon corps
Le mouvant...
Le mouvant de la vague

Je voudrais voir la mer (bis)

Je voudrais voir la mer
Se gonfler de soleil
Devenir un bijou
Aussi gros que la terre
Je voudrais voir la mer
Se gonfler de soleil
Devenir un bijou
Aussi gros que la terre

Je voudrais voir la mer (bis)

Mon mec à moi

Paroles et musique : Didier Barbelivien, François Bernheim
Interprète : Patricia Kass

Il joue avec mon cœur
Il triche avec ma vie
Il dit des mots menteurs
Et moi, je crois tout c'qu'il dit
Les chansons qu'il me chante
Les rêves qu'il fait pour deux
C'est comme les bonbons menthe
Ça fait du bien quand il pleut
Je m'raconte des histoires
En écoutant sa voix
C'est pas vrai ces histoires
Mais moi, j'y crois

Mon mec à moi
Il me parle d'aventures
Et quand elles brillent
dans ses yeux
J'pourrais y passer la nuit
Il parle d'amour
Comme il parle des voitures
Et moi, j'l'suis où il veut
Tellement,
je crois tout c'qu'il m'dit
Tellement,
je crois tout c'qu'il m'dit
Oh oui
Mon mec à moi

Sa façon d'être à moi
Sans jamais dire, je t'aime
C'est rien qu'du cinéma
Mais c'est du pareil au même
Ce film en noir et blanc
Qu'il m'a joué deux cents fois
C'est Gabin et Morgan
Enfin ça ressemble à tout ça
J'm'raconte des histoires
Des scénarios chinois
Ce n'est pas vrai ces histoires
Mais moi j'y crois

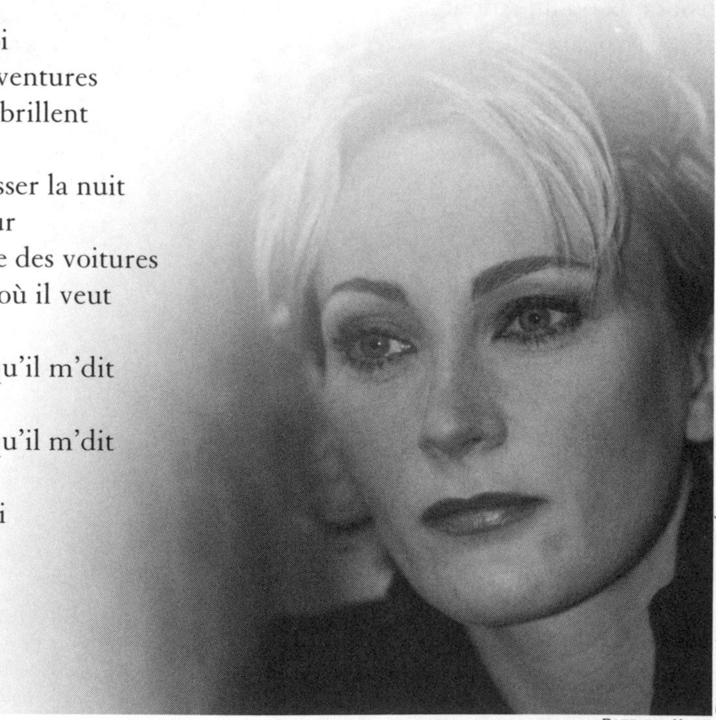

Photo : Michel Marcil, Échos Vedettes

Patricia Kaas

Souvenirs retrouvés

Paroles et musique : Francine Raymond, Christian Péloquin
Interprète : Francine Raymond

(Refrain)
En soixante-neuf,
j'avais treize ans
Deux rues, trois amies
Une guitare,
tout mon temps
Des grands rêves,
un journal
Une peine d'amour
Des jeans patchés
Un signe de « peace » en velours

Souvenirs retrouvés
Vingt ans et rien
n'a vraiment changé

Une rose sur la joue
Un voyage sul'pouce
Un trip à Katmandou
À Woodstock,
ils ont arrêté la pluie
Le Vietnam aeternam
et ses fusils

Parce qu'ils ont chanté
fort la liberté
Le monde entier écoute
Et veut changer
Leurs mots résonnent
Et on les chante encore

Les mêmes chants
s'éveillent en nous
La force qu'il fallait
pour se tenir debout
Une fleur dans un fusil
peut tout changer
Des airs d'amnistie
chantés par milliers

Souvenirs retrouvés
Vingt ans, et ça n'fait
que commencer

(Au refrain)

Parce qu'ils ont chanté
fort la liberté
Le monde entier écoute
Et veut changer
Leurs mots résonnent
Et on les chante encore

Souvenirs retrouvés (bis)

Car je t'aime

Paroles et musique : Paul Piché
Interprète : Paul Piché

Les journées sont passées, dont t'avais besoin pour savoir
Le temps s'est écoulé, t'arrive à m'oublier
Pour moi, c'est un abîme noir
Tu n'changeras plus d'idée
J'essaie d'éviter, tentation de n'pas y croire
Mon cœur est effleuré, il me reste un infime espoir

J'espère que tu t'es trompée et que tout ça te fais mal
J'l'espère mais j'en suis brisé car je t'aime, je t'aime vraiment
Car je t'aime, je t'aime vraiment
Tu prévoyais la fin d'un film que t'avais dessiné
J'étais comédien, l'amour était maquillé
L'amour était loin

J'espère que tu t'es trompée et que tout ça te fais mal
Je sais que je t'attendrai car je t'aime, je t'aime vraiment
Car je t'aime, je t'aime vraiment
Nos cœurs étaient suspendus, tout a déboulé
L'amour a perdu, mais j'aurais jamais cru
Je n'aurais jamais dû, pourtant

Les journées sont passées
J'essaie d'éviter, mais...

J'espère que tu t'es trompée et que tout ça te fait mal
Je sais tout ce que je sais car je t'aime, je t'aime vraiment
Car je t'aime, je t'aime vraiment. (bis)

Quand j'aime une fois, j'aime pour toujours

1990

Paroles et musique : Richard Desjardins
Interprètes : Richard Desjardins, Francis Cabrel, Isabelle Boulay

J'ai marqué d'une croix
La clôture de ta cour
Je suis rentré chez moi
Par la sortie d'secours.

Je me suis dit tout bas :
« Non, ce n'est pas mon jour
Son cœur est un détroit
Ses yeux un carrefour. »

J'ai pris l'harmonica
Descendu dans la cour
Et dessous le lilas
J'ai chanté sans détour :

Quand j'aime une fois
J'aime pour toujours (2x)

L'amour est un tournoi
Où tombent tour à tour
Les guerriers maladroits
Noyés dans la bravoure.

Si c'est ce que tu crois
Si tel est ton discours
Sois sûre qu'une proie
Deviendra ton vautour.

Alors que fais-tu là
Enfermée dans ta tour ?
Je veux briser les lois
Qui règlent tes amours.

Quand j'aime une fois
J'aime pour toujours (2x)

Tu entendras ma voix
Dans le ciel du faubourg
J'avancerai vers toi
Avec les yeux d'un sourd

N'entends-tu pas déjà
Le compte à rebours ?
Ouvre ta véranda
Annonce mon retour.

Je foncerai comme un ours
Aux pattes de velours
Je veux toucher du doigt
La peau de ton tambour

Quand j'aime une fois
J'aime pour toujours. (2x)

PHOTO : GEORGES DUTIL

RICHARD DESJARDINS

Isabelle

Paroles et musique : Jean Leloup, Michel Dagenais
Interprète : Jean Leloup

Elle t'a dit qu'elle serait juste à toi l'après-midi
Au rond-point au carré la fontaine Saint-Louis
Tu te rends, tu y vas à l'heure comme à l'habitude
Mais elle ne s'y trouve pas, tu es seul fait comme un rat
Ce n'est rien, ce n'est rien, je vais lui téléphoner
Ce n'est rien, ce n'est rien, elle a seulement oublié
Mais juste au moment où tu allais vers la cabine
Tu la vois rigolant avec copains et copines

C'est pas facile quand Isabelle te laisse tomber
Y a pas de quoi rire quand Isabelle te fait marcher
La salope, oh la vache mais pourquoi elle ne dit rien
La salope, oh la vache elle le traite comme un chien
Mais ton cœur est trop tendre
Et tu préfères l'attendre
Dans le café d'en face
Comme un espion comme un con

Mais enfin, au moment, où ton café s'en venait
Tu la vois, elle repart assise sur la mobylette
De ton pote ou enfin celui que tu t'en doutais
Tu te dis c'est fini, elle est partie avec lui
C'est pas facile quand Isabelle te laisse tomber
Y a pas de quoi rire quand Isabelle te fait marcher
Tu te rends dans le bar qu'elle préfère le soir venu
Arrivé, il est dix heures et c'est vide et incongru

Isabelle

Mais enfin d'quoi t'a l'air
T'en vois plusieurs qui rigolent
Qui se parlent dans ton dos
Qui se foutent de ta gueule
Où qu'elle est, où qu'elle est, ridicule tu demandes
À la blonde serveuse qui est sa meilleure amie
Elle répond qu'elle sait pas, ni le pourquoi ni le comment
Avec l'air innocent tu sais très bien qu'elle te ment

C'est pas facile quand
Isabelle te laisse tomber
Y a pas de quoi rire quand Isabelle te fait marcher
Ma p'tite abeille, je t'aime encore dis-moi qu'tu dors
Ma p'tite merveille, dis-moi que l'amour n'est pas mort
Isabelle, Isabelle, réponds-moi et parle-moi

JEAN LELOUP (PHOTO : JACQUES GRÉGORIO, ECHOS VEDETTES)

Aux portes du matin

1991

Paroles et musique : Richard Séguin
Interprète : Richard Séguin

Pour me sortir du chemin qui me conduit dans la poussière
Qui me retient et me fait taire, le long des saisons sans lumière...
Pour me sortir des sommeils qui vont mentir jusqu'à offrir...
Des paradis qui n'étaient rien, que terres brûlées, sans lendemains...
Pour pardonner tous ces remords, qui n'ont jamais crié : « Colère... »
Même sur les toits d'Outre-Mer, ivre mort à guetter l'aurore...

(Refrain)
Je frappe aux portes du matin, plus rien dans les mains...
Je frappe aux portes du matin, pieds nus dans la rosée...
Et plus rien à perdre...

Pour me sortir du remous
qui nous entraîne coup sur coup
Sur des vitrines qui s'moquent de nous...
Pendant qu'l'ennui sourit derrière...
Pour sortir de la honte,
un frisson froid que j'les revois...
Lancer les cailloux du mépris,
blesser la vie vaste et profonde...

(Au refrain, 2x)

PHOTO : DENIS ALIX, RADIO-CANADA

RICHARD SÉGUIN

1992

Sèche tes pleurs

Paroles et musique : Daniel Bélanger
Interprète : Daniel Bélanger

J'ai jamais vu une fille
Pleurer autant pour un garçon
Jamais vu l'amour
Créer de la haine
de cette façon
Ses chagrins de jour
Vont finir dans ceux de la nuit
Faut la voir marcher
d'un pas lourd
Comme si chaque pied
pesait sur lui

Sèche tes pleurs, sèche tes pleurs
J't'en prie sèche tes pleurs

Y a quinze jours est parti
Celui qu'elle voulait
pour longtemps
Est parti celui
Dont elle souhaite la
mort maintenant
Qu'il crève,
mieux qu'il souffre
Qu'une fille le largue
par-dessus bord
Que dans ses larmes
comme moi s'étouffe
Que l'sud d'la fille
lui face du nord

Sèche tes pleurs, sèche tes pleurs
J't'en prie sèche tes pleurs

À qui veut bien l'entendre
Elle en dit du mal
autant qu'elle peut
Le con le chien l'salaud
Pas d'gentillesse pas
d'souvenirs tendres
Et pleure et pleure encore
Qu'avec toutes les
larmes qui tombent
J'ai pensé calmer mes remords
Et fournir en eau le Tiers-monde

Sèche tes pleurs, sèche tes pleurs
J't'en prie sèche tes pleurs
Sèche tes pleurs, sèche tes pleurs
J't'en prie sèche tes pleurs

Qui j'vois c't'après-midi
Son pauvre diable tout aviné
« Je l'aime et je m'ennuie »
Pourquoi tu vas pas la r'trouver
Et ne m'disais tout bas
Vas-y elle se meurt de te revoir
Cours-y me rendre service à moi
Boucher l'affluent d'la mer Noire

Sèche tes pleurs, sèche tes pleurs
J't'en prie sèche tes pleurs
Sèche tes pleurs, sèche tes pleurs
J't'en prie sèche tes pleurs
Sèche tes pleurs, sèche tes pleurs
Sèche tes pleurs ma sœur (bis)

1994

Mon frère

Paroles : Lynda Lemay
Musique : France D'Amour, Guy Tourville
Interprète : France D'Amour

C'est toi qui a nagé
Dans ma seule rivière
C'est toi qui a sauté
Par-dessus mes barrières

Toi qui a mis le pied
Dans ma vierge forêt
Sur mes sentiers privés
Sur des chemins secrets

(Refrain 1)
T'as joué à la cachette
D'une drôle de manière
T'as triché, je regrette
Qu'est-ce qui t'as pris,
qu'est-ce qui t'as pris mon frère
C'est toi qui as frayé
Ce défendu passage
Toi qui a regardé
Fleurir mon paysage

C'est toi qui as reçu
Mes pluies et mes sanglots
Je te revois, pieds nus
Jouer dans mes flaques d'eau

(Refrain 2)
T'as joué à la cachette
D'une drôle de manière
T'as triché, je regrette
Qu'est-ce qui t'as pris mon frère
T'as joué à la cachette
D'une drôle de manière
T'as triché, je regrette
Qu'est-ce qui t'as pris,
qu'est-ce qui t'as pris mon frère

D'accord, tu ne viens plus
Nager dans ma rivière
Et tu ne sautes plus
Par-dessus mes barrières

Mais il flotte toujours
L'odeur trop familière
De ce jeu de l'amour
Que j'apprenais à faire

(Refrain 3)
T'as joué à la cachette
Drôle de manière
T'as triché, je regrette
Qu'est-ce qui t'a pris mon frère
C'est toi qui as enfoui
Dans mon cœur et ma terre
Cette honte qui grandit
Qu'est-ce qui t'as pris,
qu'est-ce qui t'as pris mon frère

S'il existe un sentier
Pour rev'nir en arrière
Tu m'en as tant montré
Montre-le moi, mon frère

Seigneur

Paroles et musique : Kevin Parent
Interprète : Kevin Parent

Seigneur, Seigneur,
qu'est-cé qu'tu veux que j'te dise ?
Y a plus rien à faire
j'suis viré à l'envers
J'aimerais m'enfuir
mais ma jambe est prise

Seigneur, Seigneur,
qu'est-cé qu'tu veux que j'te dise ?
Son indifférence m'arrache la panse
Pis j'pense plus rien qu'à mourir

Mon rôle dans la vie
n'est pas encore défini
Pourtant, je m'efforce
pour qu'il soit accompli
Je le sais, faut tout
que je recommence

Mais Seigneur, j'ai pas envie

Seigneur, Seigneur,
je l'sais tu m'l'avais dit
Respecte ton prochain
réfléchis à demain
Car la patience t'apportera
de belles récompenses

Travaille avec entrain
pour soulager la faim
De la femme qui t'aime,
elle en a de besoin

Elle a besoin d'un homme
fidèle qui sait en prendre soin

Lucifer, Lucifer,
t'as profité d'ma faiblesse
Pour m'faire visiter l'enfer

Mais je t'en veux pas c'est moi
Qu'a pensé que j'pourrais
être chum avec toi
Mais j'm'ai ben faite avoir
mon chien de Lucifer

Le sexe, l'alcool,
les bars et la drogue
C'est le genre d'illusions
que j'consomme
Si on est ce que
l'on mange Seigneur
Tu sais ben que trop
que j'serai jamais un ange

Mais j'veux changer de branche
Filtrer mon passé
pis sortir mes vidanges
J'aimerais prendre le temps de faire
la paix avec quelques souffrances
Oui, j'aimerais prendre le
temps de faire la paix avec
quelques souffrances

Plus haut que moi

Paroles et musique : Mark Blatte, Ken Cummings
Adaptation : Eddy Marnay
Interprètes : Mario Pelchat (Céline Dion)

Plus haut que moi
J'étais seule sur une île
Sans étoiles, sans violon
Et je flottais dans cette ville
Dans l'ennui des jours
toujours trop long

Dans ce désert où les hivers
venaient nous prendre
Des passants passaient sans
jamais nous entendre
Et c'est là quand on se croit
le plus désespéré
Qu'à travers la nuit que l'autre
vient vous trouver

(Refrain)
Tu m'as mené plus haut que moi
Et je touche le soleil
Sans même brûler mes doigts
Tu m'as porté plus haut que moi
Je suis fière de nous
Tout est clair pour nous
Oh, j'espère en nous
En croisant les doigts

Céline Dion (Photo : Radio-Canada)

Ces mains sont faites pour toi
Pour tout prendre et tout donner
Umm ! Cet amour, il est si tendre
Qu'il fallait nous deux pour l'inventer

Dans ce désert où les hivers venaient nous prendre
Des passants passaient sans jamais nous entendre
Et c'est là quand on se croit le plus désespéré
Qu'à travers la nuit que l'autre vient vous trouver

Plus haut que moi

(Au refrain)

Je me vois bien plus haut que moi
Faire un enfant à la vie
Nous serons trois
Plus haut chaque jour, plus loin chaque nuit
C'est le départ pour autre part
Où plus rien ne nous sépare

Plus haut que moi
Et je touche le soleil
Sans même brûler mes doigts
Tu m'as porté plus haut que moi
Je suis fière de nous
Tout est clair pour nous
Oh ! oui, j'espère en nous
En croisant les doigts

Tu m'as porté plus haut que moi
Et je touche le soleil
Sans même brûler mes doigts
Tu m'as porté plus
haut que moi
Je suis fière de nous
Tout est clair pour nous

Oh ! j'espère en nous
En croisant les doigts

Tu m'as mené plus haut que moi
Et je touche le soleil
Sans même brûler mes doigts

MARIO PELCHAT

Je t'aime

Paroles : Lara Fabian
Musique : Rick Allison
Interprète : Lara Fabian

D'accord, il existait d'autres façons de se quitter
Quelques éclats de verre auraient peut-être pu nous aider
Dans ce silence amer, j'ai décidé de pardonner
Les erreurs qu'on peut faire à trop s'aimer

D'accord la petite fille en moi souvent te réclamait
Presque comme une mère, tu me bordais, me protégeais
Je t'ai volé ce sang qu'on n'aurait pas dû partager
À bout de mots, de rêves, je vais crier
Je t'aime, je t'aime
Comme un fou, comme un soldat
Comme une star de cinéma
Je t'aime, je t'aime
Comme un loup, comme un roi
Comme un homme
que je ne suis pas
Tu vois, je t'aime comme ça

D'accord,
je t'ai confié tous mes sourires,
tous mes secrets
Même ceux, dont seul un frère
est le gardien inavoué
Dans cette maison de pierre,
Satan nous regardait danser
J'ai tant voulu la guerre de corps
qui se faisaient la paix
Je t'aime, je t'aime
Comme un fou comme un soldat
Comme une star de cinéma
Je t'aime, je t'aime
Comme un loup, comme un roi
Comme un homme que je ne suis pas
Tu vois, je t'aime comme ça

Lara Fabian

1998

Tassez-vous d'là

Paroles et musique : André Fortin
Collaboration aux paroles : Albadi Fall Diouf
Musique : André Vanderbiest - Interprètes : Les Colocs

Tassez-vous de l'là, y faut
que jvoye mon chum
Ça fait longtemps que j'l'ai pas vu
Y était parti y était pas là
La dernière fois que j'y ai parlé
Son cœur était mal amanché
Sa tête était dans un étau
y'était pas beau

Y avait d'la coke dans 'es yeux
Y avait d'l'héro dans l'sang
Y avait tout son corps qui penchait
par en avant
Y avait le goût d'vomir
Y avait envie d'mourir
Qu'est-ce qu'on fait dans ce temps-là
Moi j'avais l'goût d'm'enfuir

Je t'ai laissé tout seul
au bord de la catastrophe
Pardonne-moé. Pardonne-moé
J'ai pas voulu, j'ai pas voulu
Pas voulu t'abandonner dans le
moment le plus rough
Je suis le lâche des lâches
pas le tough des tough

Balma balma sama wadji
Khadjalama yonwi
Djeguelma djeguelma sama
Wadji khadjalama yonwi

Moé, j'fais mon chemin dans la foule
En espérant qu'une chose c'est voir
ton visage
Et de t'entendre crier :
J'en ai plein mon casse mais c'pas
encore l'overdose
Aidez-moi, aidez-moé

Moé, j'fais mon chemin dans la foule
En espérant qu'une chose
c'est voir ton visage
Et de t'entendre crier :
Avec ta voix immense
et ton cœur qui explose
Aidez-moé, aidez-moé

Moé, j'fais mon chemin dans la foule
En espérant qu'une chose
c'est voir ton visage
Et de t'entendre crier :
J'en ai plein mon casse
mais c'pas encore l'overdose
Aidez-moé, aidez-moé

Balma balma sama wadji
Kjadjalama yonwi
Djeguelma djeguelma sama
Wadji khadjalama yonwi

Ma woloula Dédé woloula
Mike woloula yow mi waniwo

Un jour ou l'autre

2000

Paroles et musique : Patrick Bruel et Marie-France Gros
Interprète : Isabelle Boulay

Pour arriver au coin de ta rue
Puisque derrière tes
paupières baissées
Tu as suivi les routes
où j'ai marché
Puisque tu vois la couleur
de mes nuages
Et les photos qui rient
dans mes bagages
Je garderais tous
ces morceaux de nous
Que tu as laissés cassés
un peu partout...

Un jour ou l'autre,
on se retrouvera
Comme un matin d'enfance
Un jour tout autre,
on se reconnaîtra
Pour une autre danse...

Tu as réveillé des
soleils endormis
Entre tes cils,
ils m'ont souri
Par tes yeux clairs,
j'ai vu des arcs-en-ciel
Là où j'avais laissé
fondre mes ailes
Même si tu vis dans
d'autres vies que moi
Si chaque nuit nous
éloigne pas à pas

Même si j'ai peur des
ombres qui s'avancent
Dans cette chambre qui
part vers le silence

Un jour ou l'autre, on se retrouvera
Comme un matin d'enfance
Un jour tout autre, on se reconnaîtra
Au-delà du silence... (2x)

Un jour ou l'autre, on se retrouvera
Comme un matin d'enfance
Un jour tout autre, on se retrouvera
Pour une autre danse...

Un jour ou l'autre (bis)

ISABELLE BOULAY

Faire la paix avec l'amour

Paroles et musique : Dany Bédar
Interprète : Dany Bédar

J'ai pas demandé de venir au monde
Je ne veux pas non plus
rester dans l'ombre
J'ai pas choisi celui que j'aime
Je veux pas non plus
cacher ma peine

Je suis pendu à tes lèvres
J'entends la porte qui se referme
J'éteins le soleil qui se lève
T'a jamais su calmer ma fièvre

T'a jamais pu lever les poings
Pourtant je pleure toutes les nuits
Cette blessure-là je l'ai guérie
J'ai l'impression que ça va trop loin

(*Refrain*)
J'ai dû combattre toutes mes envies
Faire semblant d'aimer la vie
Mais aujourd'hui c'est à mon tour
De pousser la porte et voir le jour
De reconnaître qui je suis
Faire la paix avec l'amour

J'ai peur de ta voix et du noir
Le noir qui longe le désespoir
Celui-là même qui me poursuit
Et qui me plonge dans l'oubli

J'ai pas demandé de venir au monde
Je veux pas non plus
rester dans l'ombre
J'ai pas choisi celui que j'aime
Je ne fais qu'un avec ma peine

J'ai dû combattre toutes mes envies
Et faire semblant d'aimer la vie
Mais aujourd'hui c'est à mon tour
De pousser la porte et voir le jour
De reconnaître qui je suis

(Au refrain)

PHOTO : JACQUES GRÉGORIO, ÉCHOS VEDETTES

DANY BÉDAR

Je n'ai que mon âme

2001

Paroles et musique : Robert Goldman
Interprète : Natasha St-Pier

Puisqu'il faut dire,
puisqu'il faut parler de soi
Puisque ton cœur
ne brûle plus comme autrefois
Même si l'amour, je crois,
ne se dit pas
Mais puisqu'il faut
parler alors écoute-moi

Mais je n'ai que mon âme
Pour te parler de moi
Oh juste mon âme
Mon âme et ma voix
Si fragiles flammes
Au bout de mes doigts
Dérisoires armes
Pour parler de moi

Même si tu dis que
je fais partie de toi
Que notre histoire
nous suivra pas à pas
Je sais tellement
que l'amour a ses lois
S'il faut le sauver
alors écoute-moi

Mais je n'ai que mon âme
Pour te parler de moi
Oh juste mon âme et ma voix
Et mon corps qui s'enflamme
Au son de ta voix
Je ne suis qu'une femme
Qui t'aime tout bas

Mais que Dieu me damne
Si j'oublie ma voie
Que la vie me condamne
Si tu n'es plus ma loi
Et s'éteint cette flamme
Qui brûle pour toi
Je n'ai que mon âme
Pour parler de moi
Je n'ai que mon âme
Pour parler de moi

PHOTO : BRUNO JUMINER

NATASHA ST-PIERRE

Comment j'pourrais te l'dire

2001

Paroles et musique : Dany Bédar
Interprète : Marie-Chantal Toupin

Comment j'pourrais te l'dire,
comment j'pourrais t'écrire
C'que j'suis, c'que j'pense
c'que j'aurais dû comprendre
T'avoir à mes côtés,
d'savoir c'qui t'a manqué
Avec qui t'es parti les soirs
que t'es sorti...Oh ! Oh ! Oh !...
De se frôler la main
ou de s'dire à demain
Une soirée compliquée
au milieu des corps froissés

De se revoir un peu
J'ne pourrais pas d'mander mieux
Les choses ont p't'être changé
Sans doute on va s'croiser

J'ai du mal à te l'dire
J'ai du mal à t'écrire
Écoute-moi donc chanter
Ce à quoi j'ai rêvé

T'avoir à mes côtés
D's'avoir c'qui t'a manqué
Avec qui t'es parti
Les soirs que t'es sorti Oh ! Oh !

Comment j'pourrais te l'dire
Comment j'pourrais t'écrire
C'que j'suis, c'que j'pense
C'que j'aurais dû comprendre

T'avoir à mes côtés
D'savoir c'qui t'a manqué
Avec qui t'es parti
Les soirs que t'es sorti

Comment j'pourrais te l'dire
Comment j'pourrais t'écrire
C'que j'suis, c'que j'pense
C'que j'aurais dû comprendre

J'ai du mal à te dire
J'ai du mal à t'écrire
Écoute-moi donc l'chanter
Ce à quoi j'ai rêvé
Rêvé... oh ! oh ! oh ! oh !

MARIE-CHANTAL TOUPIN

Sous le vent

Paroles et musique : Jacques Veneruso
Arrangeur : Christophe Robert Battaglia
Interprète : Garou (Céline Dion)

Et si tu crois que j'ai eu peur
C'est faux
Je donne des vacances
à mon cœur
Un peu de repos

Et si tu crois que j'ai eu tort
Attends
Respire un peu le souffle d'or
Qui me pousse en avant
Et...

Fais comme si
j'avais pris la mer
J'ai sorti la grand'voile
Et j'ai glissé sous le vent
Fais comme si
je quittais la terre
J'ai trouvé mon étoile
Je l'ai suivie un instant
Sous le vent

Et si tu crois que c'est fini
Jamais
C'est juste une pause, un répit
Après les dangers
Et si tu crois que je t'oublie
Écoute
Ouvre ton corps
aux vents de la nuit
Ferme les yeux
Et...

Fais comme si
j'avais pris la mer
J'ai sorti la grand'voile
Et j'ai glissé sous le vent
Fais comme si
je quittais la terre
J'ai trouvé mon étoile
Je l'ai suivie un instant
Sous le vent

Et si tu crois que c'est fini
Jamais
C'est juste une pause, un répit
Après les dangers

Fais comme si
j'avais pris la mer
J'ai sorti la grand'voile
Et j'ai glissé sous le vent
Fais comme si
je quittais la terre
J'ai trouvé mon étoile
Je l'ai suivie un instant
Sous le vent (2x)

Sous le vent... sous le vent...

Parce qu'on vient de loin

Paroles et musique : Corneille Nyungura
Interprète : Corneille

Nous sommes nos propres pères
Si jeunes et pourtant si vieux,
ça me fait penser, tu sais
Nous sommes nos propres mères
Si jeunes et si sérieux,
mais ça va changer
On passe le temps à
faire des plans pour le lendemain
Pendant que le beau temps passe
et nous laisse vide et incertain
On perd trop de temps à
suer et s'écorcher les mains
À quoi ça sert si on n'est
pas sûr de voir demain
À rien

(Refrain)
Alors on vit chaque jour
comme le dernier
Et vous feriez pareil si
seulement vous saviez
Combien de fois la fin
du monde nous a frôlés
Alors on vit chaque jour
comme le dernier
Parce qu'on vient de loin

Quand les temps sont durs
On se dit :
Pire que notre histoire n'existe pas
Et quand l'hiver perdure
On se dit simplement
que la chaleur nous reviendra
Et c'est facile comme ça
Jour après jour
On voit combien tout est éphémère
Alors même en amour
J'aimerai chaque reine
Comme si c'était la dernière
L'air est trop lourd
Quand on ne vit que sur des prières
Moi je savoure chaque instant
Bien avant que s'éteigne la lumière

(Au refrain)

Jour après jour
On voit combien tout est éphémère
Alors vivons pendant
qu'on peut encore le faire
Mes chers

(Au refrain)

J't'aime tout court

Paroles et musique : Nicola Ciccone
Interprète : Nicola Ciccone

J't'aime tout court
J't'aime tout court
Sans beaucoup ni vraiment
Sans faire peur ni semblant
Sans condition ni règle

J't'aime tout court
Sans peut-être ni seulement
Sans parure ni diamant
Sans artifice ni chaîne
J't'aime tout court

Sans tambour ni canon
Sans vainqueur ni perdant
Sans belle promesse ni piège
J't'aime tout court
Sans orage ni volcan
Beau temps comme mauvais temps
Au profond de moi-même

Tous ces mots,
ce ne sont que des mots
L'amour n'est qu'un seul mot
Lorsqu'il est pur et simple
Tous ces mots,
ce ne sont que des mots
Je n'ai pas besoin d'eux
Pour te dire que je t'aime

J't'aime tout court
Sans virgule sans accent
Sans détour ni serment
Sans complexe ni gène

J't'aime tout court
Sans une limite de temps
Au passé au présent
Bien au-delà du rêve

Tous ces mots,
ce ne sont que des mots
L'amour n'est qu'un seul mot
Lorsqu'il est pur et simple
Tous ces mots,
ce ne sont que des mots
Je n'ai pas besoin d'eux
Pour te dire que je t'aime

J't'aime tout court
Même si l'homme est violent
Même si vivre est dément
Même si lourdes sont nos peines

J't'aime tout court
Follement tendrement
Fort de tout mon vivant
Collé contre tes lèvres

Tous ces mots,
ce ne sont que des mots
L'amour n'est qu'un seul mot
Lorsqu'il est pur et simple
Tous ces mots,
ce ne sont que de mots
Je n'ai pas besoin d'eux
Pour te dire que je t'aime
(2x)

Poussière d'ange

Paroles et musique : Ariane Moffat
Interprète : Ariane Moffat

Respire un bon coup
Ne reste pas debout
Ouvre tes yeux,
j'te promets que demain
Tu iras mieux

T'as reçu un grand coup
Un coup de vie dans l'ventre
Un coup de vent dans ta vie
Mais reste calme je t'en supplie

(Refrain)
Juste au mauvais moment
Une poussière d'ange
t'est tombée dedans
Tu f'rais une super maman
Mais pas maintenant
Non pas maintenant

Un p'tit colimaçon
t'a pris pour sa maison
C'est pas une fille,
pas un garçon
Pas un bélier,
ni un poisson
Oublie ça,
c'est pas possible
Tu perdrais l'équilibre
Prends ma main,
je t'emmène loin
On s'ra d'retour
demain matin

Juste au mauvais moment
Une poussière d'ange
t'es tombée dedans
Tu f'rais une super maman
Mais pas maintenant
Non pas maintenant

On s'en va reporter
L'ange dans ses souliers
Il s'est trompé, mais c'est pas grave
Il peut revenir si tu restes sage

(Au refrain, 2x)

PHOTO : RADIO-CANADA

ARIANE MOFFAT

Viens donc m'voir

Paroles et musique : Christian Legault
Interprète : Boum Desjardins

Viens donc m'voir on en parl'ra pas
Tu couches dans
ton char depuis hier soir
Viens donc m'voir
parc'que j'te comprend
Parce que moé'ssi
y'a pas si longtemps
Viens donc m'voir
pour faire à semblant
Pour faire le coq, le chien savant
Le gars qui est
au-d'ssus d'ses affaires
Viens donc m'voir en attendant
Viens donc m'voir...en attendant

Viens donc m'voir
j't'écout'rai même pas
Quand tu vas m'conter
toutes tes peurs
Quand tu vas m'dire
qu'ça dérange même pas
T'es d'jà prêt à aller voir ailleurs
Viens donc m'voir juste pour être là
Pour penser à aut'chose qu'ça
On f'ra comme si tout allait ben
Viens donc m'voir
pour passer l'temps
Viens donc m'voir...en attendant

Là tu vas m'dire en
me r'gardant dans les yeux
Qu'a peut aller au diable, qu'a peut
ben faire c'qu'a veut
Qu'a r'tourne donc voir
ses ex toé ça t'f'ra pas mourir
Qu'ça t'en prend plus
que ça pour t'empêcher d'dormir
Que t'as toujours la
totche pis que tu pognes encore
Qui a encore des filles qui t'spottent
quand tu rentres dans les bars
Qu'était jamais contente
pis qu'a n'a pas des gros
Qui font ben toutes pareilles
pis toé t'es pas trop vieux
Que c'est ça qui pouvait
t'arriver de mieux

Viens donc m'voir juste pour être là
Pour penser à aut'chose qu'à ça
On f'ra comme si...tout allait ben
Viens donc m'voir
parc'que'j'suis ton ami
Viens m'raconter
toutes tes menteries
J'te croirai pas de toute façon
Quand tu vas m'dire
Qu't'es partie pour de bon

Dégénération

2004

Paroles et musique : Stéphane Archambault, Éric Desranleau, Marie-Hélène Fortin, Frédéric Giroux, Marc-André Paquet
Interprètes : Mes aïeux

Ton arrière arrière-grand-père, il a défriché la terre
Ton arrière-grand-père, il a labouré la terre
Et pis ton grand-père, a rentabilisé la terre
Pis ton père, il l'a vendu pour devenir fonctionnaire

Et pis toé mon p'tit gars, tu sais pu c'que tu vas faire
Dans ton p'tit 3 1/2 ben trop cher, frette en hiver
Il te vient des envies de dev'nir propriétaire
Et tu rêves la nuit, d'avoir ton petit lopin d'terre...

Ton arrière arrière-grand-père a vécu la grosse misère
Ton arrière-grand-père, il ramassait des cennes noires
Et pis ton grand-père, miracle est devenu millionnaire
Pis ton père en a hérité, il l'a tou'mis dans ses Réer

Et pis toé, p'tite jeunesse, tu dois ton cul au Ministère
Pas moyen d'avoir un prêt dans une institution bancaire
Pour calmer tes envies de holduper la caissière
Tu lis des livres qui parlent de simplicité volontaire...

Tes arrière arrière-grands-parents, ils savaient comment fêter
Tes arrière-grands-parents, ça swinguait fort dans les veillées
Pis tes grands-parents y'ont connu l'époque yéyé
Tes parents c'tait les discos, c'est là qu'ils se sont rencontrés

Et pis toé, mon ami, qu'est-c'que tu fais de ta soirée
Éteints don'ta T.V. faut pas rester encabané
Heureusement que dans vie, certaines choses refusent de changer
Enfile tes plus beaux habits....car nous allons ce soir danser…

Embarque ma belle

Paroles et musique : Steve Veilleux
Interprètes : Kaïn

Je suis fatigué de devoir
Fatigué d'entendre tout le monde me dire
De comment respirer
Comment je devrais agir

J'ai envie de retrouver
Ce que j'étais tout ce que je voulais devenir
Retrouver la sainte paix
Juste une bonne fois pour de vrai

(Refrain)
Envoye embarque ma belle
Je t'amène n'importe où
On va bûcher du bois, gueuler avec les loups ouais
Je ne veux jamais t'entendre dire jamais
Dans ma vieille Volks m'appelle viens donc faire un tour
On va faire les fous, on va faire l'amour
Puis je te jure qu'on va vivre vieux

À mort, la mornitude
Viens te coller dans ma solitude
On pourrait prendre la route
Jusqu'à temps qu'on trouve le boutte
On va se creuser un trou
Perdu quelque part au bout du monde
On aura pas d'argent
On fera pousser des enfants

(Au refrain)

Je te jure qu'on va vivre heureux.

Saskatchewan

Paroles et musique : Simon-André Proulx
Musique : Olivier Benoît, Pierre-Luc Boisvert,
Alexandre Parr, Charles Dubreuil - Interprètes : Les trois accords

Un beau matin
Je suis parti au loin
Aller mener mon troupeau
En Ontario

J'ai laissé ma femme
En Saskatchewan
Je lui ai dit bientôt
Tu vas voir un chapeau

Ça va être le mien
J'vais êt'au bout du chemin
Et tu vas dire v'là mon mari
Qui arrive d'la prairie

Mais à mon retour
Mon bel amour
M'avait sacré là
Pour un gars d'Régina

J'ai pris mon chapeau
Puis mon lasso
Et je noie ma peine
Dans les bars de la plaine
Saskatchewan
Tu m'as pris ma femme
Elle m'a crissé là
Pour un gars d'Régina

Saskatchewan
Tu m'as pris ma femme
Depuis qu'elle est partie
Moi, j'suis un gars fini Saskatchewan
Tu m'as pris ma femme
Mon cheval me parle plus
Mes vaches me disent tu

Saskatchewan
Tu m'as pris ma femme
Je vais prendre mon lasso
Et je vas t'crisser dans l'eau

Les trois accords (Photo : Echos Vedettes)

Les étoiles filantes

2004

Paroles et musique : Jérôme Dupras, Dominique Lebeau, Marie-Annick Lépine, Jean-François Pauzé
Interprètes : Les cowboys fringants

Si je m'arrête un instant
Pour te parler de ma vie
Juste comme ça tranquillement
Dans un bar rue St-Denis

J'te raconterai les souvenirs
Bien gravés dans ma mémoire
De cette époque où vieillir
Était encore bien illusoire

Quand j'agaçais des p'tites filles
Pas loin des balançoires
Et que mon sac de billes
Devenait un vrai trésor

Ces hivers enneigés
À construire des igloos
Et rentrer les pieds g'lés
Juste à temps pour Passe-partout

Mais au bout du
ch'min dis-moi c'qui va rester
De la p'tite école et
d'la cour de récré ?
Quand les avions en
papier ne partent plus au vent
On se dit que l'bon
temps passe final'ment...

...comme une étoile filante

Si je m'arrête un instant
Pour te parler de la vie
Je constate que bien souvent
On choisit pas, mais on subit
Et que les rêves des ti-culs
S'évanouissent ou se refoulent
Dans cette réalité crue
Qui nous embarque dans le moule

La trentaine, la bedaine
Les morveux, l'hypothèque
Les bonheurs et les peines
Les bons coups et les échecs

Travailler, faire d'son mieux
En arracher, s'en sortir
Et espérer être heureux
Un peu avant de mourir

Mais au bout du
ch'min dis-moi c'qui va rester
De not'p'tit passage
dans ce monde effréné
Après avoir existé
pour gagner du temps
On s'dira que l'on était final'ment ...

...des étoiles filantes

Si je m'arrête un instant
Pour te parler de la vie
Juste comme ça, tranquillement

Les étoiles filantes

2004

Pas loin du Carré Saint-Louis
C'est qu'avec toi je suis bien
Et qu'j'ai pu l'goût d'm'en faire
Parce que tsé voir trop loin
C'pas mieux
qu'd'regarder en arrière

Malgré les vieilles amertumes
Et les amours qui passent
Les chums qu'on perd dans brume
Et les idéaux qui se cassent
La vie s'accroche et renaît
Comme les printemps reviennent
Dans une bouffée d'air frais
Qui apaise les cœurs en peine

Ça fait que si à soir
t'as envie de rester
Avec moi la nuit est
douce on peut marcher
Et même si on sait ben
que tout dure rien qu'un temps
J'aimerais çà que
tu sois pour un moment...
...mon étoile filante

Mais au bout du ch'min
dis-moi c'qui va rester
Mais au bout du ch'min
dis-moi c'qui va rester...

...que des étoiles filantes

Les cowboys fringants (Photo : G. Lavoie, Echos Vedettes)

Un homme à la mer

Paroles et musique : Stefie Shock
Interprète : Stefie Shock

Déjà le temps de sortir les palmes
D'apprendre à nager seul dans le courant
Je surnage depuis que j'ai chaviré
En vogue en soufflant sur les eaux calmes

J'ai négligé le mode d'emploi
J'ai tendance à faire des choses qui n'plaisent pas
Il paraît que j'ai l'amour éphémère

Un homme à la mer pour chaque fille amère (x4)

Je suis pris au large
Mais il faut que je respire
Que je remonte à la surface
Je ne fais que ça
Jour et nuit, jour et nuit

Vas-tu me pardonner
Je ne sais que déconner
Jour et nuit, jour et nuit
Je suis pris au piège
Sur le dos d'un requin
J'ai beaucoup de chagrin
Le rivage est si loin

Un homme à la mer pour chaque fille amère (x2)

Il paraît que j'ai l'amour éphémère (2x)

Un homme à la mer pour chaque fille amère (x2)

Une fille à la mer
Pour chaque millionnaire
Sauvée par les dauphins
Une sirène c'est certain

L'a prise en otage
Mon radeau à l'envers
J'ai besoin de courage
De prendre un peu d'air

Il paraît que j'ai l'amour éphémère (x2)

Un homme à la mer pour chaque fille amère (x4)

Je suis pris au large
Mais il faut que je respire
Que je remonte à la surface
Je ne fais que ça
Jour et nuit, jour et nuit

Vas-tu me pardonner
Je ne sais que déconner
Jour et nuit, jour et nuit
Je suis pris au piège
Sur le dos d'un requin
J'ai beaucoup de chagrin
Le rivage est si loin

Un homme à la mer
pour chaque fille amère (4x)

Encore une nuit

Paroles et musique : Marie-Mai Bouchard
Interprète : Marie-Mai

Endors toi petite, j'te jure
Demain, tout ira mieux bien sûr
Oublie ses paroles
Oublie ses gestes qui
t'ont tant fait souffrir

Endors toi ma belle, je sais
Le provoquer c'est
pas c'que tu voulais
Je sais tu l'aimes
Tu n'as pas fait exprès

(Refrain)
Encore un nuit
Où tu est seule accroupie dans ton lit
Où tu as mal et tu n'as rien compris
Ne t'en fais pas, je sais
qu'il t'aime aussi

Pourquoi c'est toi
Qui finit toujours dans ses bras
À supplier de pardonner
Des gestes que t'as jamais posés

Je sais un jour
Tu lui pardonneras à ton tour
D'avoir cru que c'était d'l'amour
D'avoir volé l'enfance
que t'as toujours désirée

Assis tout seul dans le salon
Ton père marmonne ses illusions
Il se fait croire qu'il a raison
Qu'il n'a pas vu les bleus
sur ton front

Pourtant il a si mal
Pourquoi est-ce si normal
De tant vouloir t'aimer
Sans cesse te faire pleurer ?

(Au refrain)

Pourquoi c'est toi
Qui finit toujours dans ses bras
À supplier de pardonner
Des gestes que t'as jamais posés

Je sais un jour
Tu lui pardonneras à ton tour
D'avoir cru que c'était d'l'amour
D'avoir volé l'enfance
que t'a toujours désirée

(Au refrain)X2

Un ange qui passe

Paroles et musique : Dany Bédar
Interprète : Annie Villeneuve

Tu jures de rester sage
Tu jures de rester forte
De rester avec l'image
De Dieu qui a tort

Ce soir le ventre vide
Tu cacheras tes larmes
Ta mère, ton amour, ton guide
Cette nuit, jettera les armes

Tu chasses les anges qui passent
C'est la peur du silence
Cette nuit la vie t'a repris
La meilleure des amies

Une photo en souvenir
Une larme, un soupir
De cette nuit, qui s'achève
Elle te rejoint dans tes rêves

Elle dit qu'il est trop tard
Elle ne parle qu'au passé
Son corps implore la mort
Elle ne peut plus respirer

Tu as fermé les yeux
Ton ventre s'est rempli de feu
La rage, la peine et l'amour
Ont régné aux alentours

Tu chasses les anges qui passent
C'est la peur du silence
Cette nuit la vie t'a repris
La meilleure des amies

Une photo en souvenir
Une larme, un soupir
De cette nuit qui s'achève
Elle te rejoint dans tes rêves
Oh oh oh oh oh oh oh ...

Tu chasses les anges qui passent
C'est la peur du silence
Cette nuit la vie t'a repris
La meilleure des amies

Une photo en souvenir
Une larme, un soupir
De cette nuit qui s'achève
Elle te rejoint dans tes rêves

Photo : Échos Vedettes

Annie Villeneuve

Le bartendresse

Paroles et musique : Dan Georgesco, Éric Lapointe
Paroles : Jamil Azzaoui
Interprète : Éric Lapointe

C'est une princesse vraiment unique, c'est la sirène des alcooliques
On lui parle comme à un ami, c'est une déesse dans la nuit
À qui on dit tout ce qu'on ne dit pas, elle, t'écoutes, elle te juge pas
À soir, j'aimerais que la femme, derrière le bar, soit ma maîtresse

C'est l'agréable certitude, qu'elle te dira : Comme d'habitude ?
Elle livre, par petits bouts, sa vie, ses amours, ses envies de tout
Quand elle t'embrasse sur la joue, t'es son amant sans rendez-vous
À soir, j'aimerais que la femme, qui me sert le fort, soit ma maîtresse

C'est comme du bonheur en bouteille, toujours aussi tendre que la veille
Ses petits regards, tes illusions, sourire en coin un peu cochon
Un slow collé pas trop pressé, c'est comme de l'amour à petites gorgées
À soir, j'aimerais que la femme, qui tient le fort, soit ma maîtresse

Elle rêve de plage et de soleil, de vivre ailleurs que dans la nuit
Bien sûr, avant qu'elle soit trop vieille, de vivre en feu avec celui
Pour qui elle veut dénouer ses tresses, on lui a fait tant de promesses,
la bartendresse

C'est une princesse vraiment unique, le fort des alcooliques
La plus discrète dans l'ivresse, mon âme sœur dans la détresse
Mais quand enfin, finit la nuit, on se sent triste, elle nous trahit
Avec le premier, le premier chauffeur de taxi

Mais quand enfin, elle s'est enfuit, le plancher de danse s'est endormi
Y me reste son parfum au creux de ma main, comme un bout de ma vie
À soir, j'aimerais avoir une femme comme la bartendresse

Épilogue

S'il est vrai que tout commence et finit par une chanson, pourquoi ne pas continuer la tradition avec ces paroles d'espoir et d'amitié.

Ce n'est qu'un au revoir

Faut-il nous quitter sans espoir
Sans espoir de retour
Faut-il nous quitter sans espoir
De nous revoir un jour ?

(Refrain)
Ce n'est qu'un au revoir, mes frères
Ce n'est qu'un au revoir
Oui, nous nous reverrons, mes frères
Ce n'est qu'un au revoir.

Formons de nos mains qui s'enlacent
Au déclin de ce jour
Formons de nos mains qui s'enlacent
Une chaîne d'amour

Car l'amitié qui nous rassemble
Et qui sut nous unir
Car l'amitié qui nous rassemble
Saura nous réunir.

Les paroles de cette chanson, aussi appelée *Chant des adieux*, furent écrites vers 1920 par le père Jacques Sevin, fondateur du scoutisme français, sur l'air d'une musique traditionnelle écossaise : *Auld Lang Syne*.

Le passé ne nous appartient pas et le présent, guère davantage. Puisse l'avenir nous rapprocher encore pour chanter d'autres succès inoubliables. Un autre tome verra-t-il le jour ?

Nous remercions nos lecteurs et les invitons à nous donner leur opinion.

Marcel Brouillard

Remerciements de l'auteur

Un grand merci à tous ceux qui m'ont aidé à la réalisation, à la recherche d'informations véridiques, à la correction, à l'élaboration et à l'éclosion de cet ouvrage.

Toute ma reconnaissance va d'abord au président, Alain Delorme, à la directrice Esther Tremblay et à toute l'équipe dynamique des Éditions Goélette.

Une mention toute spéciale s'adresse à Lise Maillé Arès et à Zarah Ross pour leur contribution indispensable au secrétariat et à la rédaction tout au long de ce beau voyage en chansons.

Merci à mes proches collaborateurs pour leurs précieux conseils et leur soutien moral : Jean-Claude Arès, Alain Brouillard, Jean-Claude Gauthier, Diane Langevin, Nicole Martel, Claudette Monast, Jean-Maurice Racicot, Huguette Ranger, Louise Renaud, Marc Savoy…

Un très cordial merci, également, à Armande Piette du populaire magazine *Échos Vedettes*, à Julie Paradis, de la SODRAC (Société de droit de reproduction des auteurs, compositeurs et éditeurs du Canada), à Muriel Alarie, France Fréchette et au personnel compétent de la Bibliothèque Saint-Léonard.

Je remercie grandement tous les éditeurs et les photographes détenant les droits de reproduction des chansons et des photos paraissant dans cet ouvrage ainsi que les artistes qui, dans plusieurs cas, ont bien voulu nous autoriser à reproduire les paroles de leurs chansons.

Si, malgré nos recherches et démarches intenses, ce livre contenait des mélodies n'appartenant pas au domaine public et pour lesquelles nous n'aurions pu obtenir d'autorisation, nous prions les ayants droit de nous excuser et leur demandons de signaler à notre éditeur toute omission involontaire.

Marcel Brouillard

Bibliographie

BRUNSCHWIG C., CALVET L.- J., KLEIN J.- C.
Cent ans de chanson française, Éditions du Seuil, Paris, 1981, 450 p.

CHAMBERLAND Roger, GAULIN André. *La chanson québécoise*, Nuit Blanche éditeur, Québec, 1994, 595 p. ill.

COUILLARD Jean. *Répertoire des succès de la chanson francophone* 1950-2003, Stanké, Montréal, 512 p. ill.

COURNOYER Jean. *Le petit Jean*, Stanké, Montréal, 952 p.

DAY Pierre. *Jean Rafa de Paris aux nuits de Montréal*, Éditions logiques, Montréal, 1997, 270 p. ill.

DUREAU Christian. *Dictionnaire mondial des chanteurs*, Vernal/Philippe Lebeau, Paris, 1989, 378 p. ill.

GAGNON Ernest. *Chansons populaires du Canada*, Librairie Beauchemin, Montréal, 1880, 350 p.

GIROUX Robert, HAVARD Constance, LAPALME Rock.
Le guide de la chanson québécoise, Syros Alternatives/Triptyque, Montréal, 1991, 180 p. ill.

GUÉRARD Daniel. *La belle époque des boîtes à chansons*, Stanké, Montréal, 263 p. ill.

KLEIN Jean-Claude. *Florilège de la chanson française*, Bordas, Paris, 1990, 254 p.

LAFRAMBOISE Philippe. *350 chansons d'hier et d'aujourd'hui*, Publications Proteau, Boucherville, 1992, 380 p. ill.

NORMAND Pascal. *La chanson québécoise,* France-Amérique, Montréal, 1981, 280 p. ill.

Bibliographie

PÉNET Martin. *Mémoire de la chanson,*
Omnibus, Paris, 2001, 1536 p. ill.

RÉMY Edward, VÉZINA Marie-Odile. *Têtes d'affiche,*
Éditions du Printemps, Montréal, 1983, 434 p. ill.

ROY Bruno. *Panorama de la chanson du Québec,*
Leméac, Montréal, 1977, 170 p.

SAKA Pierre, PLOUGASTEL Yann. *La chanson française et francophone,*
Larousse, Paris, 1999, 480 p. ill.

SALACHAS Gilbert, BOTTET Béatrice. *Le guide de la chanson française,*
Syros Alternatives / Télérama, Paris, 1989, 168 p. ill.

SAVOY Marc. *Top Pop francophone de la chanson populaire 1900-2000,*
Éditeur: Marc Savoy, Montréal, 2002, 350 p.

SEVRAN Pascal. *Le dictionnaire de la chanson française,*
Michel Lafon, Paris, 1988, 290 p. ill.

THERRIEN Robert, D'AMOURS Isabelle. *Dictionnaire de la musique populaire au Québec,* Institut québécois de recherche sur la culture, Québec, 1992, 266 p. ill.

VERNILLAT France, CHARPENTREAU Jacques. *Dictionnaire de la chanson française,* Librairie Larousse, Paris, 1968, 256 p. ill.

ZEITOUN Frédéric. *Toutes les chansons ont une histoire,*
Ramsay / Archimbaud, Paris, 1997, 340 p. ill.

ZIMMERMANN Eric. *Chansons françaises 200 portraits inédits,*
Éditions Didier Carpentier, Paris, 1997, 240 p. ill.

Ouvrages de Marcel Brouillard

Récits de voyage

Journal intime d'un Québécois au Mexique, préface de Constance et Charles Tessier, Éditions Populaires, 1971, 92 p. ill.

Journal intime d'un Québécois en Espagne et au Portugal, préface de Robert-Lionel Séguin, Éditions Populaires, 1971, 112 p. ill.

Journal intime d'un Québécois en France, en Grèce et au Maroc, préface d'Ernest Pallascio-Morin, Éditions Populaires, 1973, 178 p. ill.

Romans

L'escapade, postface de Yoland Guérard, Éditions Populaires, 1973, 176 p. ill.

Dana l'Aquitaine, Éditions Héritage, 1978, 172 p. ill.

Essais sur la peinture

À la recherche du pays de Félix Leclerc, coauteur Claude Jasmin, 24 tableaux de Fernand Labelle, Publications Transcontinental, 1989, 72 p. ill.

De Ville-Marie à Montréal, coauteur Ernest Pallascio-Morin, 75 tableaux de Marcel Bourbonnais, Publications Transcontinental, 1991, 82 p. ill.

Récits biographiques

Mes rencontres avec les grandes vedettes, préface de Fernand Robidoux, Éditions Populaires, 1972, 112 p. ill.

Félix Leclerc, l'homme derrière la légende, Éditions Québec/Amérique, 1994, 364 p. ill. Éditions du Club Québec-Loisirs, 1996, 364 p. ill.

L'Homme aux trésors, Robert-Lionel Séguin, Éditions Québec/Amérique, 1996, 208 p. ill.

Ouvrages de Marcel Brouillard

Sur la route de Vaudreuil, Fides, 1998, 278 p. ill.

La chanson en héritage, Les Éditions Quebecor, 1999, 280 p. ill.

Visages de la chanson, Éditions L'Essentiel-Novalis, 2000, 384 p. ill.

Les belles inoubliables, Éditions de l'Homme, 2002, 408 p. ill.

Félix Leclerc – L'histoire d'une vie, préface de Pierre Delanoë, Les intouchables, 2005, 196 p. ill.

Les grandes chansons (Tome 1), Les Éditions Goélette, 2005, 176 p. ill.

Les grandes chansons (Tome 2), Les Éditions Goélette, 2006, 192 p. ill.

Tournée de causeries-spectacles

Après une quarantaine de causeries-spectacles sur la vie de Félix Leclerc et la chanson francophone, le chanteur-guitariste Jean-Claude Gauthier et l'auteur Marcel Brouillard continuent leur tournée dans les maisons de la culture, les bibliothèques et autres. (Photo : Daniel Marchand)

Table des matières

Table des matières

Table des matières

Table des matières